P9-BTN-228

LEON SANCHEZ CUESTA
LIBRERO
Serrano,29 - Madrid-1
IMPORTADOR . nº 13

EX LIBRIS

RITTER LIBRARY

BALDWIN-WALLACE COLLEGE
· BEREA, OHIO ·

LOS TOROS: TEMA POLÉMICO EN EL ENSAYO ESPAÑOL DEL SIGLO XX

BIBLIOTECA ROMÁNICA HISPÁNICA

DIRIGIDA POR DÁMASO ALONSO

II. ESTUDIOS Y ENSAYOS, 216

ROSARIO CAMBRIA

LOS TOROS: TEMA POLÉMICO EN EL ENSAYO ESPAÑOL DEL SIGLO XX

PQ 6134 .B8 C3
Cambria, Rosario.
Los toros :

RITTER LIBRARY
BALDWIN-WALLACE COLLEGE

BIBLIOTECA ROMÁNICA HISPÁNICA
EDITORIAL GREDOS
MADRID

© ROSARIO CAMBRIA, 1974.

EDITORIAL GREDOS, S. A.

Sánchez Pacheco, 81, Madrid. España.

Depósiot Legal: M. 38751 - 1974.

ISBN 84-249-0599-7. Rústica.
ISBN 84-249-0600-4. Tela.

Gráficas Cóndor, S. A., Sánchez Pacheco, 81, Madrid, 1974. — 4256.

A mi mujer, Elisa.

*A los profesores Martín Nozick
y Ramón Piñeiro.*

PREFACIO

Parece que, en general, los hispanistas de hoy día, en España y fuera de ella, tienden a menospreciar el tema de los toros, no considerándolo como tema «serio» y digno de su reflexión. Esta actitud viene más de pura indiferencia que de un esfuerzo consciente de estudiar y valorar la tauromaquia y el lugar que viene ocupando en la cultura española. No obstante, los hechos muestran que nada menos que las mentes españolas más preclaras del siglo xx han pensado y escrito sobre este tema: empezando por Menéndez Pelayo, pasando por (entre otros) Unamuno, Pérez de Ayala, Ortega y Gasset, y llegando hasta Laín Entralgo. (Aunque, justo es decirlo, el tema taurino ocupa una parte menor y muy secundaria dentro de la obra ensayística total de todos estos autores que examinaremos, con la excepción de Eugenio Noel.)

En el presente trabajo me propongo exponer y examinar lo que han escrito los ensayistas españoles de este siglo sobre los toros, haciendo hincapié en la manera de enfrentarse cada uno con el tema: con una actitud en contra, o a favor, o más bien una posición analítica y objetiva, sin alistarse en ninguna de las otras dos categorías. Creo oportuno poner aquí unas palabras que sirvan como de justificación de este mi examen a fondo de un tema aparentemente tan falto de importancia trascendental.

Hay que recurrir al primer libro de Ortega, las *Medita-ciones del Quijote*, donde, para subrayar la importancia de comprender las cosas y los fenómenos humanos sin juzgarlos primero, lanza estas interrogaciones a sus lectores: «¿Es, por ventura, demasiado oneroso este imperativo de la com-prensión? ¿No es, acaso, lo menos que podemos hacer en servicio de algo, comprenderlo? ¿Y quién, que sea leal con-sigo mismo, estará seguro de hacer lo más sin haber pasa-do por lo menos?» [1]. Para Ortega, entonces, casi no había tema que no fuera digno de reflexión y meditación (sin que esto quiera decir que todos los temas humanos sean igual-mente importantes). En cuanto a la cuestión específica de los toros, no ha sido tomada siempre como mero tema diver-tido en que se ejerza el pensamiento por un rato, sino que algunos la han considerado como «una de las instituciones fundamentales hispanas» [2], «un hecho de profunda signifi-cación en la vida española, y de raíces tan hondas y exten-sas que no hay actividad social o artística en que no se en-cuentren sus huellas, desde el lenguaje hasta la industria o el comercio, valgan por hitos distintos» [3]. Y, para terminar estas palabras de justificación de la seriedad e importancia del tema de los toros en la historia de España, volvamos a Ortega, en cuyas obras, *Una interpretación de la historia universal* y *Velázquez*, afirma, al menos por dos veces, *de la manera más taxativa*, que es imprescindible investigar y tener en cuenta lo que ha representado esta gran realidad del toreo y la historia de las corridas de toros para la com-

[1] José Ortega y Gasset, *Meditaciones del Quijote*, comentario de Julián Marías (2.ª edic., Madrid, Revista de Occidente, 1966), pág. 43.
    [2] Ramón Pérez de Ayala, *Política y toros*, en *Obras completas*, t. III (Madrid, Aguilar, 1963), pág. 764.
    [3] José María de Cossío, *Los toros*, t. I (5.ª edic., Madrid, Espasa-Calpe, 1964), pág. 3.

prensión de la historia de España ¡nada menos que desde 1650 en adelante! [4].

Es posible que piense algún lector que al enfocar el tema de los toros en relación con cualquier aspecto de la literatura española, se ha de incidir por fuerza en una pura repetición de lo ya expuesto por José María de Cossío en su gran obra enciclopédica *Los toros*. Sirvan los siguientes datos para desechar semejante opinión. En el segundo tomo de su obra, Cossío habla, en sólo catorce páginas (con abundantes fotografías) de la polémica sobre los toros en la literatura española del presente siglo, empezando por Joaquín Costa y terminando con Gregorio Marañón. Pasa revista a Costa, Ramón y Cajal, Baroja, Valle-Inclán, Azorín, Antonio Machado, el conde de las Navas, Valera, Noel, Ortega, Pérez de Ayala, Fernández Flórez, D'Ors y Marañón. A Azorín le dedica media página de texto; a Machado, media página; al conde de las Navas, tres cuartos de página; a Noel, dos páginas y media, y a Pérez de Ayala, media página. A todos los demás mencionados los despacha con unas pocas palabras o un par de líneas. Además, no entran en su estudio figuras tan importantes como Unamuno, Benavente, Américo Castro, Madariaga, Giménez Caballero, Bergamín, ni los pensadores de hoy día nacidos después de 1900. Es suficiente para comprobar que Cossío no lo ha dicho todo en esta materia, ni mucho menos, y que no está muy al día en cuanto a los ensayistas que incluye. (Recuérdese que los dos primeros tomos se publicaron por vez primera en 1943 y que no han sido revisados ni aumentados posteriormente.)

Cualquiera que eche un vistazo al segundo tomo del «Cossío» se dará cuenta en seguida de que existe un número

---

[4] José Ortega y Gasset, *Velázquez* (Madrid, Revista de Occidente, 1959), pág. 156.

no despreciable de obras de la literatura española que tratan, en parte o en su totalidad, el tema taurino: novelas,
dramas, poemas y ensayos. Aquí nos limitaremos a este último género, y sólo al período del siglo XX o desde poco antes.
No se incluirá el periodismo ni tampoco los múltiples libros
sobre la técnica, la estética o la historia de los toros, o biografías de toreros. Se examinará sólo el ensayo (o la «prosa
no-novelesca») de los filósofos y pensadores españoles de más
renombre, aunque estarán incluidos también ensayos u opiniones en prosa de algunos autores más conocidos, como
poetas o dramaturgos (Benavente, Antonio Machado, Lorca,
por ejemplo). De ninguna manera es mi intención hacer ni
un panegírico ni una denuncia (ética o de cualquier otro
tipo) del fenómeno de los toros. Sólo quisiera mostrar que
casi todos los pensadores españoles más capacitados y más
importantes han reflexionado sobre el tema (aunque éste
forme una parte minoritaria de su producción total) y que
cada uno ha adoptado su peculiar actitud con respecto al
mismo.

EN TORNO A LA POLÉMICA

LA HISTORIA DE LA POLÉMICA ANTES DE 1850

Aunque el propósito declarado de este trabajo es el de examinar las distintas actitudes hacia los toros entre los ensayistas del siglo xx, es necesario primero situar la polémica en su trayectoria histórica a través de los siglos. Sólo así podrá el lector darse cuenta de los antecedentes, de las posibles causas y de la continuidad de este fenómeno que llega hasta el presente siglo, y que probablemente perdurará mientras se celebren corridas de toros.

Desde los primeros tiempos de que tenemos noticias de la competencia entre el hombre y el toro (que no sea simplemente caza), en la Península Ibérica ha habido partidarios a favor y en contra y esfuerzos de regulación o limitación del espectáculo. Tan temprano como a mediados del siglo XIII, sabemos que Alfonso X «El Sabio», en las *Siete Partidas*, prohibió que un hombre se enfrentara con cualquier animal fiero para combatirle por dinero (pero no se opuso a que lo hiciera para mostrar su valor y atrevimiento). El pueblo español, en general, ha mantenido de manera decidida, a través de los siglos, su afición a la fiesta taurina, pero esta afición ha tenido que luchar contra la opinión de doctos (laicos y religiosos), monarcas (como el primer Borbón, Felipe V), papas y otros antitaurinos. Las razones que aducen los de esta actitud en contra «proceden de muy diversos campos», como dice Cossío, y pueden resumirse en tres grupos principales: «razones de orden religioso, razones de orden económico y razones de pura sensibilidad», aunque por lo general se dan mezcladas dentro de la misma época y dentro de cada reprobador [1].

Durante la primera mitad del siglo XVI, la costumbre de las corridas pasó a Italia, pero en las que se celebraban se evidenciaban más sus defectos y brutalidades que sus gallardías y aspectos estéticos. Por esto en el Vaticano empezaron a preocuparse por la cuestión de la licitud moral de los toros, y, por fin, en 1567, el Papa San Pío V publicó la bula *Salute Gregis*, en que se prohibieron las corridas de toros en todos los países católicos bajo pena de excomunión. Esto causó un enorme revuelo en España. Aun el rey Felipe II, que no era gran aficionado a los toros, dándose cuenta del general sentimiento popular, no dejó publicar ni reconoció oficialmente la bula, e hizo gestiones inmediatas con Roma para suavizarla. El conflicto quedó en pie hasta 1575, año en que el nuevo Papa, Gregorio XIII, a ruegos de Felipe II, expidió la bula *Exponis nobis*, en la que levantó las prohibiciones y sanciones establecidas por su antecesor. Quedó vigente, no obstante, la prohibición de asistir a corridas los clérigos, y se añadió que nunca se efectuaran en días de fiesta y se procurara con toda diligencia evitar heridas y muertes. Durante estos años, el profesorado de la Universidad de Salamanca, religiosos en su gran mayoría, acudían

---

[1] Cossío, *Los toros*, t. II (4.ª edic., 1965), pág. 85.

regularmente a las corridas de los doctorandos, y aun varios de los profesores sostenían, desde su cátedra, que no era pecado para un clérigo el presenciar un festejo taurino. Esto motivó el breve del Papa Sixto V en 1586, en que el obispo de Salamanca fue nombrado delegado especial para perseguir y castigar a los que no acataran las ordenaciones pontificias [2]. Cossío dice lo siguiente sobre este dar y tomar entre los varios papas de los años 1567 a 1596 y el pueblo español:

> Este forcejeo muestra el ardor con que partidarios y enemigos de la fiesta combatieron, pero sin duda la solución final de tolerancia debía prevalecer, sobre todo después de comprobados los inconvenientes de orden propiamente religioso que acarreaba mantener la prohibición en todo su rigor... Era el principal el desprecio que de la excomunión hacían los aficionados a correr y ver correr los toros, con lo que nada ganaba el prestigio de la autoridad apostólica, máxime cuando el poder temporal, previendo otros inconvenientes, mostraba una tolerancia asimismo poco favorable al prestigio de la prohibición [3].

Para dar un resumen esquemático de los principales autores españoles a favor o en contra de los toros, desde el siglo XV al XIX, volvamos al segundo tomo de la gran obra de Cossío. Leemos que desde finales del siglo XV existen documentos que muestran la actitud (principalmente) antitaurina de eclesiásticos, teólogos, juristas y otros autores laicos. En el siglo XVI surgen unos pocos apologistas (Juan García de Saavedra, Juan de Roa y Ávila), pero el más renombrado polemista del período es el gran antitaurino P. Juan de Mariana, que manifiesta sus opiniones en *De Spectaculis* (1609). Dentro del siglo XVII tenemos a Lope de Vega, cuya

---

[2] Todos estos datos sobre las prohibiciones pontificias están tomados de Julián Pereda, *Los toros ante la Iglesia y la moral* (Bilbao, Vita, 1945), págs. 37-46.

[3] Cossío, *Los toros*, t. IV, pág. 830.

opinión sobre el espectáculo taurino «es fluctuante y oscila desde la censura agria hasta el franco elogio» (pág. 107), el acendrado vituperador y censor de la Fiesta, Quevedo, y Góngora, que era aficionado en el sentido de que le interesaban los aspectos visuales y coloristas del espectáculo. El siglo XVIII, el de la «Ilustración» y del afrancesamiento, nos trae autores casi todos censores de la fiesta de los toros: Torres Villarroel, el P. Sarmiento, el P. Feijoo (cuya oposición se fundaba en el motivo utilitario de que era perjudicial a la agricultura y la ganadería del país), Clavijo y Fajardo, Cadalso, Jovellanos y los poetas Iriarte y Meléndez Valdés. El único apologista de fama literaria era Nicolás Fernández de Moratín. Entrando en el siglo XIX, los literatos que desaprobaban a los toros eran J. Vargas Ponce, Larra, Fernán Caballero, Carolina Coronado y Juan Bautista Arriaza. Zorrilla mantenía una postura variable, y los propugnadores eran A. Capmany y Santos López Pelegrín (*Abenámar*)[4].

EL KRAUSISMO Y LOS KRAUSISTAS

Este recorrido nos trae, más o menos, a mediados del siglo XIX, cuando surge en España un movimiento filosófico, una manera particular de situarse ante la vida, que va a tener hondas repercusiones en los pensadores de las últimas décadas del siglo pasado y en las primeras del presente. Este movimiento espiritual-filosófico, casi religioso, del «racionalismo armónico», significaba para España nada menos que el comienzo de su apertura e incorporación al pensamiento europeo moderno: «El tema de la europeización de España no es, ni mucho menos, reciente. Surge, ya clamante, en el

---

[4] Cossío, *Los toros*, t. II, págs. 86-181, *passim*.

siglo XVIII... No estriba, pues, la novedad del krausismo en abogar por la europeización de España, sino en identificar a Europa con la visión racional del mundo, y, de conformidad con tal identificación, en tratar de orientar la cultura española en dirección al racionalismo»[5]. Es un programa de fuerte impulso reformador y humanitario, un programa de acción, de lo práctico.

No es nuestra intención entrar en una exposición detallada de los elementos del krausismo español, sino sólo señalar algunas de sus características que encuentran eco en generaciones posteriores y que posiblemente serán claves para poder entender la actitud antitaurina de Joaquín Costa, Giner de los Ríos y casi todos los de la generación del 98. Permítanme dar unos ejemplos de su influencia en esta última generación.

Según López Morillas, en su interpretación de la filosofía krausista, el historiador o filósofo de la historia debe tener como meta el descubrir en el fondo del acontecer histórico «las autodeterminaciones de la divina esencia». Añade que «el historiador que se redujera a describir con mayor o menor imparcialidad el mero *suceso* histórico revelaría una noción torcida de su misión... En Krause se da una diferenciación entre historia interna y externa —'verdadera' y 'cuasi-verdadera', respectivamente—...»[6]. ¿En qué se diferencia esto del concepto unamuniano de «intrahistoria» que expone en *En torno al casticismo*, o de la actitud de *maximus in minimis* con que Azorín miraba la historia? Esencialmente son la misma cosa. Alrededor del año 1876 se da una polémica entre Menéndez Pelayo, el tradicionalista, y Gumersindo de Azcárate, el krausista, acerca de España, «lo que

[5] Juan López Morillas, *El krausismo español* (México, Fondo de Cultura Económica, 1956), págs. 12-13.

[6] *Ibid.*, pág. 40.

quiere decir, en definitiva, que se polemiza contra una España —la de los otros— en nombre de otra juzgada única genuina —la propia—. Cada bandería intelectual proyecta sobre el mapa nacional, con pretensión exclusivista, la particular imagen de España que propugna»[7]. ¿No es esto también lo que hacen los del 98, cuando observan la «abulia» y el «marasmo» del país y se retira cada uno a su mesa de escribir para crear y ensoñar su propia y exclusivista visión de aquella realidad subjetiva que es España?

La influencia más directa de la postura krausista ante la vida se nota especialmente en los dos «regeneracionistas», de quienes hablaré un poco más tarde: Giner de los Ríos y Costa. Para ellos, el krausismo era un estilo de vida, una cierta manera de actuar y de comportarse. Tenemos una acertada descripción de cómo actuaba el grupo krausista y sus seguidores, dentro del medio hostil a ellos, en estas palabras de López Morillas:

> Como todo núcleo minoritario con resabios reformistas, el grupo krausista fue acentuando cada vez más su actitud de protesta contra lo vigente... No es extraño... que los catecúmenos del krausismo buscaran el medio de distinguirse de *los otros*, de levantar una barricada no tanto para protegerse a sí mismos como para hostilizar mejor la rutina, la vulgaridad y la hipocresía. En el atardecer de la época isabelina..., los adalides del krausismo hacen un tácito llamamiento a la seriedad. Tomar la vida en serio equivale para ellos a recoger velas, a interiorizarse, buscando en lo recóndito de la conciencia la explicación del misterio universal. Porque la tendencia general de ese período consistía precisamente en lo contrario. Se vivía al día, apurando la contingencia de cada instante, malgastando frívolamente energías...[8].

---

[7] *Ibid.*, págs. 206-207.
[8] *Ibid.*, págs. 55-56.

Los seguidores del krausismo en España se portaban precisamente así, como miembros de una secta, casi religiosa, con gran serenidad y austeridad en todo, practicando una moral estoica. (Se entiende, por lo tanto, que Giner y Costa, ambos, tuvieran actitudes en contra de los toros.)

Durante el período de mayor auge del krausismo en España (aproximadamente 1854-1874), su doctrina no encuentra gran resonancia en la literatura de entonces, que es más bien trivial y de poca sustancia, pero «si no tanto por las ideas que pone en circulación, sí por el clima espiritual que suscita, el krausismo provoca una perceptible alteración en el modo de 'hacer' literatura, en el significado que se atribuye a la creación literaria y en la manera de entender la crítica» [9]. Su importancia no cesa con la disgregación del grupo krausista en 1874. La doctrina misma no era, de ninguna manera, «novísima filosofía», como la llamaban sus partidarios, y hoy día este contenido doctrinal nos resulta ser muy inactual y sin relevancia, pero el krausismo marca los comienzos de la incorporación a la mente española del pensar filosófico germánico (tarea continuada por Unamuno, Machado y, especialmente, Ortega y sus seguidores).

> Fue una puerta abierta a la comprensión de formas intelectuales que nos habían sido totalmente ajenas y que en el siglo XIX eran las más altas de Europa. La posesión y —relativa— asimilación de un sistema filosófico alemán fue una experiencia de primer orden, que hizo posibles desarrollos que habían de realizarse en nuestro siglo... Sin la empresa de los krausistas... esta filosofía [la española de hoy] no hubiera sido posible [10].

---

[9] *Ibíd.*, pág. 122.
[10] Julián Marías, *Ortega I: circunstancia y vocación* (Madrid, Revista de Occidente, 1960), pág. 128.

Nacido en 1839, este discípulo de Sanz del Río produjo casi toda su obra escrita entre los años 1875 y 1904, aproximadamente. Antes de hablar específicamente de él y de su actitud ante los toros, dejemos sentadas unas breves ideas sobre el ambiente en torno a la polémica, como queda reflejado en las publicaciones de la época (recuérdese que durante este período Costa también escribe casi toda su obra). En el *Catálogo* de la biblioteca de obras taurinas de Carmena y Millán [11], bibliófilo entusiasta de la segunda mitad del siglo pasado, las siguientes son algunas de las obras publicadas entre 1850 y 1902 que denuncian a los toros: *Acta de la sesión pública celebrada por la Sociedad Protectora de los Animales y las Plantas de Cádiz... para la adjudicación de los premios obtenidos en el concurso contra los toros* (1876); *Memoria contra las corridas de toros, sus inconvenientes y perjuicios*, por Antonio Guerola (1876); *Epístola antitaurómaca. Mis reflexiones*, por Nicasio Mariscal (1902); *Protesta contra las corridas de toros*, por E. Navarrete (1901). Pero también había obras claramente a favor, tales como *Defensa del toreo; refutación a los ataques e insultos dirigidos a España con motivo de las corridas de toros, dedicada al pueblo español* (1878); y también *División de plaza. Las fiestas de toros, defendidas por Sobaquillo* (Mariano de Cavia, 1887). Además, vemos inscritos los títulos de seis biografías de igual número de toreros famosos y otras cinco sobre diestros menores. Pero acaso el detalle más revelador del espíritu del pueblo de entonces en cuanto a la Fiesta es que leemos los

---

[11] Luis Carmena y Millán, *Catálogo de la biblioteca taurina de Luis Carmena y Millán* (Madrid, Ducazcal, 1903).

nombres de ¡trescientos tres periódicos y revistas publicados en España que se dedicaban, parcial o totalmente, a los toros! Es evidente que en aquellos tiempos no había ni sombra de eclipse en la afición de la gente media al espectáculo.

En este ambiente poco propicio a sus deseos reformistas escribe y trabaja Giner de los Ríos, que va a convertir en acción práctica las doctrinas metafísicas del krausismo con su fundación y dirección de la Institución Libre de Enseñanza a partir de 1876. Escribió extensamente sobre los más diversos campos (derecho, política, literatura, música, arte, sociología, etc.), pero su gran contribución (en lo escrito y en las acciones) fue en la pedagogía. Su vocación era la de educador. Intentaba, en efecto, con su Institución compaginar y adaptar las teorías y los dogmatismos del krausismo del maestro Sanz del Río con esta nueva experiencia educadora que se proponía «hacer hombres», dirigiéndose al cultivo de la «unidad orgánica del ser humano». Y en este último punto se encuentra precisamente «el entronque con la filosofía krausista de la que esa pedagogía quiere ser derivación a la vez que instrumentación eficaz. ...La Institución subraya [en palabras de Giner] 'la necesidad de mantener en la enseñanza un carácter universal, enciclopédico'»[12].

Ahora bien, si Giner y los otros krausistas querían esta reforma a fondo de la cultura y de las instituciones españolas, si querían formar a los jóvenes con esta nueva educación panhumanística de espíritu europeo, y si, además, se caracterizaban por una gran seriedad y austeridad de propósito y de costumbres, se entiende que desaprobasen la fiesta de los toros. Considerarían esta costumbre como re-

---

[12] Juan López Morillas, «Prólogo» a los *Ensayos* de Francisco Giner de los Ríos (Madrid, Alianza, 1969), pág. 14.

presentante del atraso del país, como vergonzoso símbolo
de barbarismos atávicos que su espíritu renovador no podía
soportar. Como dice Cossío,

> repugnaba al carácter austero y humanitario de esta escuela la
> crueldad de la fiesta taurina. *La Institución Libre de Enseñan-*
> *za...* inculcaba en sus educandos la enemiga de la fiesta, funda-
> da en el respeto que merece todo ser vivo y en la obligación
> de ahorrar el dolor a todo ser sensible [13].

Según lo que he podido averiguar, Giner nunca dedicó
un capítulo de una obra suya, ni mucho menos todo un libro,
a la exposición de sus objeciones a los toros. En su lugar,
valga la cita siguiente (la única suya que pude encontrar)
como definidora de toda su actitud hacia este tema:

> [Hay que] levantar, a la vez, el alma del pueblo entero, así
> en su parte sana como en la parte enferma, inmoral y perver-
> tida, no sólo por esa propaganda y difusión intelectual, sino
> despertando en ella el sentido del ideal que nos emancipa de
> la vulgaridad y da gusto y sabor humano a la vida. Ese goce,
> sea de la poesía, en el arte, y en la naturaleza, del campo,
> los viajes y excursiones, las colonias, los juegos y demás ejer-
> cicios (nobles) corporales —nobles, digo; no los toros y el tiro
> de pichón—... [14].

Su antitaurinismo, entonces, venía de que su propósito
era levantar el nivel del pueblo, despertar su «sentido del
ideal» y hacer que huyera de la vulgaridad, y la corrida de
toros, a sus ojos, era lo inmoral, lo pervertido y lo vulgar,
precisamente. Pasemos ahora al «regeneracionista» por excelencia: Joaquín Costa.

---

[13] Cossío, *Los toros*, t. II, pág. 185.
[14] Francisco Giner de los Ríos, «Qué debe ser la universidad española en el porvenir», en sus *Ensayos*, pág. 136.

COSTA: RECONSTITUCIÓN DE ESPAÑA
SIN LA BARBARIE DE LAS CORRIDAS

Nacido siete años después de Giner (1846) y, por lo tanto, no tan directamente vinculado con las ideas krausistas, Costa, sin embargo, muestra una clara inspiración krausista, tanto en las ideas básicas de sus escritos como en su fuerte actitud de pragmatismo. Igual que Giner, escribe sobre una multitud de temas: derecho, filosofía, política, economía, sociología, geografía, historia, problemas agrarios y literatura; y también, diremos por adelantado, tiene su misma actitud contraria a los toros.

Dijimos que Costa era el representante perfecto del «regeneracionismo» en España. ¿En qué consistía este movimiento? Los regeneracionistas procuraban denunciar con fuerza todos los males de la patria (en todas las esferas de la vida) y, a la vez, buscaban maneras y trazaban planes prácticos para remediarlos. En cuanto a su terapéutica para estos problemas, existían, entre ellos,

> salvadas las diferencias entre unos y otros, ciertas consignas que se repiten una y otra vez: la exaltación del trabajo austero, el repudio de los oropeles historicistas y de las exaltaciones imperiales, la invocación de un hombre que desarme el tinglado político nacional, montado sobre el caciquismo, y actúe, según diría Costa, como «cirujano de hierro» [15].

El título de una de las obras importantes de Costa, *Reconstitución y europeización de España*, se podría conside-

---

[15] Rodrigo Fernández Carvajal, «Los precedentes del pensamiento español contemporáneo», en *Historia general de las literaturas hispánicas*, t. VI, dir. Guillermo Díaz-Plaja (Barcelona, Vergara, 1967), página 53.

rar como una fórmula o condensación de todo el programa
de los regeneracionistas. No querían sencillamente implantar unas pocas formas nuevas sobre la base antigua, ni tampoco resucitar unas formas del pasado, sino re-constituir,
constituir de nuevo, empezar de nuevo, rehacer el cuerpo de
España desde sus mismas raíces, eliminando esos elementos
corrompidos, pervertidos y decadentes que podían impedir
su salud y total plenitud. «No se trata de regenerar una
nación que ya exista; se trata de algo más que eso: de crear
una nación nueva. Fijémonos bien en esto, que es fundamental...» [16]. El otro elemento necesario, que es la segunda parte
del título, es la europeización. Hay que abrir las fronteras del
país a las nuevas corrientes científicas, filosóficas y culturales
en general que se encuentran allende los Pirineos.

> Queremos respirar aire de Europa —dice Costa—; que Espa-
> ña transforme rápidamente su medio africano en medio eu-
> ropeo para que no sintamos nostalgia del extranjero... y porque
> sólo así podremos desmentir nuestra defunción y reivindicar
> nuestro derecho a la independencia y a la historia [17].

Analizando esto un poco, es posible concluir que si Costa
y el grupo que compartía sus propósitos querían una España
radicalmente nueva porque no estaban satisfechos con la
vigente, es que se estaban preguntando, en efecto, ¿qué es
España, qué constituye la psicología y el carácter del pueblo
español? Notamos aquí que esta es precisamente la preocupación principal de la generación siguiente, la del 98: el afán
por definir la esencia de España, la «verdadera» España.
Ortega y Laín Entralgo también incluyeron ésta entre sus

---

[16] Joaquín Costa, «España como nación», en *Ideario de Joaquín
Costa*, textos escogidos y ordenados por José García Mercadal (Madrid, Afrodisio Aguado, 1964), pág. 299.
[17] Costa, «La revolución española», *ibid.*, pág. 176.

preocupaciones filosóficas. Pero dejemos hablar al mismo Costa:

> Necesitamos conocernos; necesitamos conocer nuestra psicología colectiva, la psicología del pueblo español...; qué es España, cuál su valor y significación en el mundo, cuáles los caracteres de su historia...; a qué causas obedeció la desviación de su historia, su retraso, su decadencia y ha obedecido su caída; por qué causas han persistido hasta hoy y cómo podrían ser combatidas con esperanzas de éxito... y restaurada la personalidad nacional... [18].

Costa, al querer buscar y establecer la «auténtica» España, vio la fiesta taurina como elemento perturbador en su esquema ideal. La afición a este espectáculo retrógrado, en su opinión, era ejemplo perfecto de esas desviaciones del verdadero carácter español. Para él, España *no era* los toros y todas sus concomitancias, sino que era otra cosa, una promesa más alta, más noble y más «moderna».

No hay ninguna duda de su actitud cuando leemos estas palabras suyas sobre la fiesta taurina:

> Las corridas de toros son un mal inveterado que nos perjudica más de lo que muchos creen y de lo que a primera vista parece; desde la perversión del sentimiento público hasta el descrédito extranjero, hay una serie tétrica de gradaciones que nos envilecen [19].

Nótese que los dos puntos principales que subraya aquí son «la perversión del sentimiento público» y el «descrédito extranjero». Del primer punto subrayaremos, sin entrar en grandes detalles (ni Costa ni nosotros), que esto de que el

---

[18] Costa, «Psicología y decadencia españolas», *ibid.*, pág. 279.
[19] Costa, «La fiesta nacional», *ibid.*, pág. 403. Todas las citas de este capítulo están tomadas del folleto núm. 1, del Ateneo Costista de Zaragoza.

espectáculo y la experiencia de los toros causen malos resultados en el público observador es una fuerte objeción de
varios de los antitaurinos que iremos viendo en el presente
ensayo, desde Eugenio Noel hasta Pérez de Ayala, cuya actitud total es más bien a favor. El segundo punto, el descrédito
extranjero, se alía, claro está, con sus deseos de europeización de España: que se eleve el país al nivel cultural de las
otras naciones europeas, dejando las costumbres que no van
de acuerdo con su espíritu avanzado, como la de las corridas.

En cuanto al embrutecimiento del público y del sentimiento público, también dice que los espectadores de las
corridas son, no como los romanos en el circo, sino peores:

> Entre la época civilizada de hoy... y la época de ayer... hay
> un paso asombroso, un abismo de incalculable fondo...; pero,
> en cambio, no nos faltan pulmones para apostrofar a los caba-
> llos ensangrentados con más calor, con más entusiasmo, con
> más crueldad, no digo que los romanos, sino que los antropó-
> fagos mismos alrededor de sus prisioneros atravesados en el
> asador [20].

En otra parte se refiere a la plaza de toros como un circo
(romano) y declara que el público allí aprende la crueldad,
el egoísmo, la falta de compasión por los animales y la falta
de moral cristiana, y que todo esto puede conducir al completo colapso de España, tal como condujo a la caída del
poderoso Imperio Romano [21].

Después de censurar a las autoridades gubernamentales
por lo inconcebible de que presidieran estos espectáculos
depravados y crueles, en vez de prohibirlos, propone una

---

[20] *Ibid.*, pág. 401.
[21] *Ibid.*, págs. 402-403.

serie de medidas que deben tomar los organismos del país
para eliminar por completo esta gran vergüenza nacional:

> Si el gobierno tomara una decisión sería [*sic*]; si la bene-
> ficencia buscara otros veneros de caridad o de especulación
> que las plazas de toros; si las diputaciones inauguraran un
> buen sistema de exposiciones agrícolas y pecuarias para sus-
> tituirlas por aquellas exposiciones de la barbarie más refinada;
> si la prensa en todas sus fases y bajo todas las formas imagi-
> nables, desde el cuento hasta el discurso filosófico, clamara
> contra ese monstruo de impurezas espirituales; si el clero hicie-
> ra ver en el púlpito, con la lógica de la razón y el evangelio
> en la mano, los perjuicios enormes a que dan lugar en el orden
> moral, pronto, bien pronto los circos españoles pasarían al
> dominio del arqueólogo, y los toros, con sus accesorios, ven-
> drían a formar parte de las antigüedades españolas [22].

De estas líneas vemos cómo el autor, de acuerdo con sus
propósitos regeneracionistas, nos ofrece una serie bien razonada de posibles y prácticas soluciones al problema. Si se
considera la totalidad de los escritos antitaurinos que contiene este *Ideario* (los únicos sobre el tema que pude encontrar), acaso por su poca extensión (cuatro páginas) se nota
que Costa no va por un procedimiento metódico y detallado
para exponer el porqué de sus opiniones en contra de los
toros. El tema formaba, como en el caso de Giner, una parte
muy secundaria de su obra total.

Para terminar con este apartado sobre Costa, quisiera
citar unas palabras suyas que nos deben interesar por dos
razones. Primero, porque hay, al final, otra opinión antitaurina, atacando a la gente media, que se divierte con los toros
y no se preocupa por las cosas importantes. En segundo
lugar, el lector debe fijarse en el tono vehemente, el punto

---

[22] *Ibid.*, págs. 403-404.

de vista y el tema de estas palabras, porque tienen una innegable semejanza con otras, que veremos más tarde, de Eugenio Noel, por propia confesión gran admirador de Costa.
Helas aquí:

> ¡Ah! Los poetas no se dieron por entendidos de la tragedia
> [la pérdida de las últimas colonias españolas, en 1898]: siguie-
> ron absorbidos en la grave tarea de componer aleluyas filosó-
> ficas, paseando por las umbrías de la Moncloa, o brindar flores
> de trapo a las muchachas de postal en las tertulias, o llorar
> en el solitario *boudoir* la temprana muerte de sus mujeres, o
> cantar las glorias de María en los Juegos Florales, o celar y
> engordar sus trimestres en las contadurías de los teatros, sir-
> viendo su ración cotidiana de risa más o menos sana a la
> chusma de irresponsables que corrió a consolarse de lo de San-
> tiago de Cuba en la plaza de toros [23].

El último escritor renombrado de este mismo período
general no milita en las filas de los krausistas, sino al contrario, es antikrausista y tradicionalista: Menéndez Pelayo.

LA REACCIÓN TRADICIONALISTA Y
ANTIKRAUSISTA: MENÉNDEZ PELAYO

Nacido en 1856, es decir, diez años después de Costa, Menéndez y Pelayo tuvo un fervoroso amor a España, igual que
Giner y Costa; pero al contrario de ellos, fue un ferviente
católico creyente y vio precisamente en el tradicionalismo
católico español del Siglo de Oro el camino a seguir para
salvar la patria. Era un acendrado oponente del krausismo,
y sostuvo varias polémicas con sus partidarios, especialmen-

---

[23] Costa, *Oligarquía y caciquismo, Colectivismo agrario y otros
escritos* (Madrid, Alianza, 1967), pág. 158.

te con Gumersindo de Azcárate. Da en estas palabras su juicio negativo sobre los krausistas:

> ... los krausistas, que, personalmente considerados, valen más como hombres que como pensadores, y que, considerados como escuela, si es verdad que tienen el mérito de haber despertado el pensamiento filosófico que había caído aquí en una especie de letargo desde principio de siglo, también lo es que, por su dogmatismo cerrado y pedantesco, por su intransigencia de secta y por lo mezquino de su horizonte intelectual, fueron una grandísima rémora para el progreso intelectual de España, incomunicándonos con todo sistema o corriente de ideas que no fuese la suya. Yo no los detesto por librepensadores... Los detesto porque *no pensaron libremente* y porque todos ellos, y especialmente Giner, son unos pedagogos insufribles, nacidos para ser eternamente discípulos de un solo maestro y de un solo libro... Yo creo que en los krausistas no se puede alabar otra cosa que la honradez y la buena voluntad. (... 1886) [24].

Puesto que a los krausistas les repugnaba el espectáculo taurino, por su manera seria y austera de enfrentarse con la vida y por su afán de europeización, no nos debe resultar extraño que Menéndez Pelayo no adopte esta misma actitud hacia los toros, puesto que es antikrausista.

Escribió muy poco sobre el tema, y siempre de pasada. Las referencias que tengo de él son principalmente indirectas. Ernesto Giménez Caballero, en su ensayo de 1924 titulado «Muerte y resurrección de los toros», dice que «Menéndez y Pelayo, que era muy torero en sus opiniones sobre los toros..., vio en la fiesta nacional, agudamente, una terrible y colosal pantomima dramática» [25]. La cita exacta de donde

[24] Marcelino Menéndez y Pelayo, *Antología general de Menéndez Pelayo*, t. I, ed. J. M. Sánchez de Muniain (Madrid, Biblioteca de Autores Cristianos, 1956), pág. 511.

[25] Ernesto Giménez Caballero, «Muerte y resurrección de los toros», en *Los toros, las castañuelas y la Virgen* (Madrid, Caro Raggio, 1927), pág. 20.

viene esta opinión se encuentra en *Historia de las ideas estéticas en España,* y es citada por el conde de las Navas:

> La Tauromaquia —añade el doctor don Marcelino Menéndez
> y Pelayo— es una terrible y colosal pantomima de feroz y trá-
> gica belleza, en la cual se dan reunidos y perfeccionados los
> elementos estéticos de la equitación [¿estará hablando del rejo-
> neo?] y de la esgrima, así como la ópera produce juntos los
> efectos de la música y de la poesía [26].

Esta cita completa nos informa mejor sobre su verdadera
opinión sobre los toros. Notemos que usa la palabra «belleza» y que habla de «elementos estéticos». De esto podemos
concluir que miró más bien positivamente (sin ser aficionado o partidario entusiasta) a la tauromaquia, considerán-
dola como un arte capaz de producir belleza. Además, vio
en ella «tragedia» y «pantomima»: ambas son formas del
repertorio dramático. El conde de las Navas también nos
habla de otra opinión que él oyó expresar a Menéndez
Pelayo sobre este mismo tema. Dice:

> ... el intento no más de dilucidar si las corridas de toros nos
> deshonran, o si son el menos bárbaro y el más artístico de to-
> dos los espectáculos cruentos dentro y fuera de casa (como le
> oí mantener al Dr. Menéndez Pelayo), es obra de titanes [27].

De nuevo, una opinión razonada, no sin su parte negativa,
pero de efecto netamente positivo.

Existen también dos párrafos cortos de Menéndez Pelayo (de su *Historia de las ideas estéticas,* t. III, págs. 666-
667) donde habla de la «Decadencia de la lidia de toros». Se
trata de un poco de historia del toreo y de historia de la

---

[26] Conde de las Navas, *El espectáculo más nacional* (Madrid, Suc.
Rivadeneyra, 1900), pág. 235.

[27] *Ibid.,* pág. 7. Esta misma opinión de Menéndez Pelayo aparece
también en Pereda, *op. cit.,* pág. 133.

literatura taurina. Habla del cambio, en el siglo XVIII, del toreo de a caballo por el de a pie; señala una serie de autores y títulos de obras de preceptiva taurina, y termina con la mención del ataque de Vargas Ponce y la defensa de Capmany [28].

En resumen, pues, el tradicionalismo y el catolicismo de nuestro escritor le conducen a buscar el ser del pueblo español en su historia, en la del período del Imperio Español. Y como el toreo moderno deriva del rejoneo aristocrático de aquella época, mira favorablemente la tauromaquia y su instalación tradicional prolongada en la vida y en la cultura españolas. Los toros son una costumbre pasada (y presente) por la cual el español puede empezar a conocerse a sí mismo. Los krausistas desprecian las corridas de toros; Menéndez Pelayo, no.

> Al contrario que el krausismo, que busca el conocimiento en un acto inmediato de la conciencia y quiere transformar el hombre mediante la ética y la pedagogía..., Menéndez y Pelayo espera la renovación de los españoles por un redescubrimiento de su personalidad colectiva en el estudio de su historia, sobre todo de la cultural [29].

---

[28] Menéndez Pelayo, *op. cit.*, t. II, pág. 1215.
[29] Luis Araquistáin, *El pensamiento español contemporáneo* (Buenos Aires, Losada, 1962), págs. 54-55.

Capítulo II

LOS HISTORIADORES, INVESTIGADORES Y TEÓRICOS DEL ORIGEN DEL TOREO

Al lado de aquellos ensayistas que son antitaurinos y los otros que están a favor hay otro grupo grande, cuyos componentes mantienen en sus escritos principalmente una actitud objetiva y analítica hacia el fenómeno de los toros. Pero, aun dentro de este grupo, cabe distinguir dos subdivisiones. La primera, los más «filósofos» y «pensadores», cuyos ensayos «ensayan» más y contienen más hipótesis o presentan un fuerte punto de vista personal. Este grupo se diferencia del segundo, que está compuesto de autores que se interesan por los aspectos históricos de la fiesta taurina, principalmente la cuestión de sus orígenes, pero también lo anecdótico, el dato curioso, la preceptiva del arte del toreo, la descripción de la biografía de los toreros y otros aspectos enciclopédicos. Su misión es generalmente la de exponer los datos, y no juzgarlos. Por lo general, no se trata de escritores que quieran asentar una tesis novedosa, aunque esto puede ocurrir con el muy debatible asunto de los orígenes del toreo, como veremos con uno de nuestros autores. Trataremos ahora, en este capítulo, del segundo mencionado grupo, que, dentro de nuestros límites del siglo xx, comprende cuatro puntos claves, que son, por orden cronológico, el conde de las Navas, Francisco Rodríguez Marín, José María de Cossío y Ángel Álvarez de Miranda.

LA SERIEDAD Y GRAN ERUDICIÓN DE LA OBRA DEL CONDE DE LAS NAVAS

En el año 1776, a ruegos del príncipe Pignatelli, Nicolás Fernández de Moratín escribió una «Carta histórica sobre el origen y progresos de las fiestas de toros en España». Había habido antes, de otros autores, varias «tauromaquias» o reglas de torear, pero esta obra de Moratín (padre) marca la primera vez que un autor de cierta estatura haya escrito sus hipótesis sobre el origen de los toros. Habla un poco de otros libros anteriores sobre el arte de torear, y sostiene que la costumbre tuvo sus orígenes en un fenómeno natural en España de la destreza física, que fue cultivado principalmente por los moros conquistadores. Pero notemos que este escrito suyo es muy corto (no llega a las cuatro páginas) y pobremente documentado, siendo en realidad una exposición de una tesis personal [1].

Había que esperar hasta el primer año de nuestro siglo para encontrar un libro sobre los toros que es intelectualmente muy serio y bien documentado: *El espectáculo más nacional*, del conde de las Navas. El autor, cuyo nombre de familia era Juan Gualberto López-Valdemoro y de Quesada, nació en 1855 y fue, entre otras cosas, bibliotecario mayor de Palacio, catedrático de Paleografía en la Universidad Cen-

---

[1] Nicolás y Leandro Fernández de Moratín, *Obras*, t. 2 de la *Biblioteca de Autores Españoles*, ed. B. C. Aribau (nueva edición, Madrid, Atlas, 1944), págs. 141-144.

tral de Madrid (1912), miembro de la Real Academia Española de la Lengua (desde 1924) y autor de muchos artículos sobre historia, viajes y *Cosas de España*. «Hombre de vasta cultura, siempre en contacto con los archivos y las bibliotecas, fue uno de los más autorizados colaboradores de la Enciclopedia Espasa...»[2]. Murió en 1935.

Este importante volumen suyo impresiona ya al empezar a manejarlo. De 590 páginas, tiene copiosísimas notas muy bien documentadas, tres apéndices, cuatro índices y una tabla de erratas al final. (Detalles de erudición libresca que, por desgracia, a menudo hacen falta en los libros de los más renombrados investigadores y ensayistas españoles.) Muy al principio el autor afirma que su único propósito es probar, contra los ataques de los denigradores de la fiesta taurina, «la propiedad y exactitud del título Fiesta Nacional con que se distinguen en toda España las corridas de toros de otras diversiones más o menos cultas, propias o importadas»[3]. En otra parte (pág. 56), al reincidir en subrayar su propósito básico, declara que él no censura ni defiende el espectáculo taurino. A pesar de esto, hay que reconocer que la obra es, secundariamente, una apología de los toros. Digo secundariamente porque el dominante efecto total es el de objetivismo y de gran erudición histórica sobre el tema.

Sobre esta cuestión de los posibles orígenes de la tauromaquia, la más importante del libro, el autor, después de examinar las teorías de otros, nos despliega una serie de textos antiguos que sostienen este punto de vista: que los toros en España ni nacieron con los romanos ni con los moros, sino antes: «... el toreo en España es contemporáneo

---

[2] Esta cita y los datos biográficos están tomados de Germán Bleiberg y Julián Marías, *Diccionario de literatura española* (2.ª ed., Madrid, Revista de Occidente, 1953), pág. 423.
[3] Conde de las Navas, *op. cit.*, pág. 7.

de sus primeros pobladores iberos, celtas, individuos de la raza de Cro-Magnon... o quienes quiera que fuesen»[4]. Los datos que reúne referentes a la lucha deportiva del hombre español con el toro son desde el siglo XI en adelante, y de ellos supone el conde de las Navas (sólo se puede conjeturar cuando se trata de tiempos tan antiguos y no hay más documentos) que este tipo de enfrentamiento era algo ya habitual en la Península. Nació antes de la formación de España como nación y también, según él, camina paralelo con los períodos de auge y de decadencia de la patria[5].

Hay algunos otros temas u opiniones del libro que son interesantes por su coincidencia o contraste con lo que opinan otros ensayistas que veremos. Dice, por ejemplo, que una de las ventajas de las corridas es que son un desahogo para el público, una especie de válvula de escape donde se alivian verbalmente «muchas malas pasiones que, condensadas en época de menos libertad, explotaban en pronunciamientos y motines regados siempre con sangre de racionales, de víctimas en muchas ocasiones inocentes»[6]. Catorce años más tarde, Jacinto Benavente, a la vez que condena el vicio de las corridas, señala el mismo bien positivo que el conde de las Navas: «Quizá hayan sido muy convenientes y lo sean todavía, como derivativo atenuante de mayores ferocidades. Si no se tostara a los toros en las plazas, tal vez tostaríamos herejes en las hogueras inquisitoriales»[7]. En cuanto al efecto nocivo que puedan tener las corridas en la gente del público, contrasta la opinión de nuestro autor con las opiniones posteriores que veremos de Noel y de Pérez

4 *Ibid.*, pág. 29.
5 *Ibid.*, págs. 53-54.
6 *Ibid.*, págs. 166-167.
7 Jacinto Benavente, *Acotaciones*, en *Obras completas*, t. VI (5.ª edición, Madrid, Aguilar, 1963), pág. 926.

de Ayala. No niega el elemento de brutalidad o crueldad en
los toros (aunque, en su opinión, contienen, de todas las
manifestaciones de la vida humana, la menor cantidad de
farsa), «pero no envilecen, como muchos otros espectáculos
públicos, ni a éstos ni a los actores»[8]. La mayor objeción
de Noel a las corridas es precisamente porque cree que ellas
causan los negativos rasgos sociológicos de los públicos españoles; Pérez de Ayala mantiene que las corridas sólo ponen
al descubierto estos rasgos.

En resumen, el conde de las Navas, pongámoslo en claro, no es casticista, no cree que todo está bien en España
y que no hay defectos y atrasos. Reconoce que hay que tomar
ejemplo de los ingleses, alemanes, italianos, rusos, franceses
y suizos para que progrese el país; «pero no nos avergonce-
mos tanto de ser toreros, porque al fin y al cabo, en el espectáculo nacional *hay mucho hierro*, del que tal vez sea preciso echar mano para curar nuestra anemia»[9]. Es decir, ve
en los toros características españolas que se manifiestan y
que son positivas, que podrían ser aprovechadas también
para solucionar los problemas nacionales. No es cuestión de
eliminar las corridas y luego encauzar aquellas energías a
otros fines (como querrá Noel), sino de utilizarlas para las
corridas y *además* para las otras cosas.

El mayor mérito del esfuerzo intelectual que representa
El espectáculo más nacional reside en su acumulación, por
primera vez en un lugar, de los datos más antiguos conocidos
sobre la tauromaquia en España. Como broche final, quisiera
citar este juicio de Cossío sobre la novedad e importancia
de esta obra en la historia del fenómeno taurino:

----

[8] Conde de las Navas, *op. cit.*, pág. 347.
[9] *Ibid.*, pág. 297.

La novedad consistía en que un erudito probado afrontase el tema taurino en toda su dimensión histórica, y si bien el estilo expositivo era jocoso y con pretensión de intrascendente, el cúmulo de noticias importantes y peregrinas sobre la fiesta, con su bibliografía y sus notas eruditísimas, llevaban a la fiesta de toros a un ambiente de docta erudición, de que sólo algunos esfuerzos de Carmena y Millán, especialmente de orden bibliográfico, podían parecer antecedente [10].

RODRÍGUEZ MARÍN Y LA HIS-TORIA ANECDÓTICO - CURIOSA

Con este autor, nacido en 1855 y muerto en 1943, llegamos a un individuo que se destaca principalmente en la crítica literaria española, habiendo escrito muchos artículos y estudios sobre temas cervantinos y sobre otros autores del Siglo de Oro. También se interesó por el folklore, publicando varios libros sobre refranes, canciones y voces populares. Aunque tiene una pequeña producción poética, es mayormente un investigador y un erudito, como el conde de las Navas. Lo poco que escribió sobre el tema que nos interesa se reduce a dos artículos periodísticos de tipo histórico-curioso y dos anécdotas graciosas reunidas con otras de diversos temas en forma de libro.

En 1907 (el 18 de julio) apareció en el periódico madrileño *A B C* un artículo titulado *«De re taurina»*, en el cual se dirige al conocido crítico *Sobaquillo* (Mariano de Cavia). Le informa de un poema contemporáneo que acaba de descubrir, escrito en muy buen latín, que es una descripción de una corrida de toros, por un tal P. Jerónimo Córdoba. Elogia

---

[10] Cossío, *Los toros*, t. II, pág. 190.

su buen estilo y lenguaje y cita unas palabras laudatorias de Menéndez y Pelayo sobre el mismo poema[11].

En el *A B C* del 11 de septiembre del mismo año apareció el artículo «Felipe II, taurófilo». Dice aquí Rodríguez Marín que ha encontrado unos curiosos datos históricos en los cuales «se columbra a Felipe II, al prudente y austero Felipe II..., defendiendo, muy a lo rey y a lo de la tierra, nada menos que contra la voluntad de Roma, la conservación de la *fiesta nacional*»[12]. El punto principal que subraya el artículo es que la afición de los españoles era (y es) tan arraigada y tan fuerte que ni el gran poder de un santo y un papa, San Pío V, pudo nada contra ella; además, resulta sorprendente que hasta el sombrío y serio Felipe II defendiera el espectáculo contra Roma, pero esto se debe a que era todo un español.

En cuanto a lo anecdótico, en «El pase de espaldas» habla, con tono gracioso y humorístico, de un tipo muy andaluz y muy flamenco que conoció en Sevilla cuando era mozo, quien le contó su invento malogrado de un nuevo pase de muleta, el «pase de espaldas». La otra anécdota de este mismo libro, «Un cotarro taurino», tiene el mismo tono gracioso e intrascendental[13].

Ahora bien, ¿qué podemos concluir sobre la opinión de Rodríguez Marín hacia los toros? En estos dos artículos y dos anécdotas no hay ningún juicio o ninguna insinuación de actitud en contra de los toros. Al contrario, he encontrado declaraciones como éstas (en «Felipe II, taurófilo»):

---

[11] Francisco Rodríguez Marín, «*De re taurina*», en *Burla burlando* (2.ª ed., Madrid, 1914).

[12] Rodríguez Marín, «Felipe II, taurófilo», *ibid.*, pág. 115.

[13] Rodríguez Marín, «El pase de espaldas», «Un cotarro taurino», en *Cincuenta cuentos anecdóticos* (2.ª ed., Madrid, 1919).

«Hoy la lectura de una noticia de interés general, aquí donde los toros son media vida española...» (pág. 114); «Contra las fiestas de toros nadie podrá aquí nada sino los toros mismos...» (pág. 120); «... me complace como a platónico amador de la bizarrísima fiesta

'Que, por nativo brío,
Solamente no es bárbara en España'» (pág. 114).

Y en «Un cotarro taurino», ésta: «... (porque —bromas aparte—, eso sí: el corazón del torero es buenísimo)...» (página 47). De todo esto me parece que se puede sacar que *El Bachiller de Osuna* no tiene una opinión muy fuerte sobre los toros, y que, en general, dice las cosas como son en la sociedad española de entonces, como las ve él objetivamente. Pero hay que notar que revela cierta admiración tibia y lejana por el toreo cuando se califica como «platónico [no apasionado] amador de la bizarrísima fiesta». Es decir, le atrae la gallardía y el valor que muestran los toreros en el ruedo [14].

_____

[14] Rafael Olivar Bertrand en su libro *Confidencias del bachiller de Osuna* (Valencia, Castalia, 1952) parece que, por sus conversaciones directas con Rodríguez Marín, llega a una conclusión distinta en cuanto a la actitud de éste hacia los toros:

... un acendrado amor a España, de la que don Francisco no había querido salir nunca. Una España global, íntegra, sin niveles rasantes ni domeñantes; multiforme, diversa. No sólo Castilla ni sólo Andalucía, sino también Cataluña, y el Norte, y Levante, y Extremadura. Desde luego, nunca la España de pandereta. Él, muy español, muy andaluz..., desdeñaba la fiesta que algunos «aficionados», con evidente exageración, han dado en llamar «fiesta nacional». A él, víctima de las garras de un editor, y obligado hasta los cuarenta y tantos años a *mantener* su actividad literaria, porque ésta, malísimamente pagada, se negaba a mantenerle la familia, se le había de atragantar una fiesta sangrienta que encumbraba a la gloria a un torero y hundía en el olvido a un escritor. Y en mayo de 1881, acertó

LA OBRA ENCICLOPÉDICA DE
COSSÍO: DATOS OBJETIVOS

Este gran investigador y crítico literario, agudo analizador de la poesía española, miembro de la Real Academia y último Presidente del Ateneo de Madrid, nacido en 1893, ha escrito la obra monumental, la más completa sobre el tema, la enciclopedia y la «biblia» de la tauromaquia, *Los toros* (cuatro tomos). Los dos primeros se publicaron en 1943; el tercero (dedicado exclusivamente a biografías de toreros), en 1947, y el último, en 1961. Según su propia confesión, fue impulsado a escribirlos por Ortega y Gasset, quien, vinculado ya con la casa Espasa (luego Espasa-Calpe), expuso la idea a esta editorial y también les propuso el nombre de Cossío.

La obra en sí presenta datos históricos, técnicos o biográficos relacionados con casi todos los aspectos imaginables de la tauromaquia: la zoología del toro bravo y su cría, historia de las ganaderías, toros famosos, historia de las plazas de toros, suertes del toreo, vocabulario taurino, biografías de toreros, anécdotas taurinas, los toros en la pintura, en la escultura, en la novela, la poesía, el drama, el periodismo, etcétera. Con esta lista parcial de materias se vislumbra el propósito del autor: abarcar todos los aspectos posibles del tema taurino, amontonando cuantos datos históricos, técnicos y biográficos sea posible, proporcionando «con esta am-

---

a presentar este contraste en su composición [poética] *Frascuelo y Florentino Sanz...* (pág. 51).

Es cierto que este poema subraya dicho contraste, pero con un tono irónico y algo leve, no con sarcasmo mordaz o desesperación personal a lo Eugenio Noel. Si en realidad «desdeñaba» los toros, no lo revela en sus escritos. ¿Será que Olivar transfiere algo de sus propios sentimientos antitaurinos a Rodríguez Marín...?

plitud, por primera vez, un cúmulo de informaciones suficiente para interpretar documentadamente el hecho español
de la fiesta taurina». Pero en seguida añade —y esto es interesante— que, en efecto, se ha descargado de esa última responsabilidad de interpretar y analizar para el lector estos
datos reunidos: «No he creído reservada para mí esa interpretación o empresa final, y tan sólo he querido servir en el
acarreo de materiales imprescindible [*sic*] para quien la emprenda» [15]. Así que Cossío, con la ayuda de algunos colaboradores (Enrique Lafuente Ferrari, por ejemplo, que escribió
el largo capítulo sobre los toros en la pintura), es un recopilador y clasificador, no un intérprete, de datos sobre la
tauromaquia.

Ahora bien, ¿con qué actitud o prejuicio se enfrenta este
autor con su tema? Por la misma naturaleza de la obra, y
por las pretensiones declaradas del autor, Cossío por necesidad tuvo que ser objetivo para que tuviera éxito el libro
(éxito intelectual, no necesariamente éxito económico). Y así
lo proclama:

> Claro es que el dedicar este trabajo a las fiestas de toros
> supone en quien le ha llevado a cabo un auténtico interés por
> ellas; pero este atractivo que encuentra en los toros, en ningún
> caso le ha impulsado a una intención de panegírico. Aun siendo
> resueltamente contrario a ellos, en cuanto hecho de dimensio-
> nes históricas y de trascendencia indudable, tendría, puesto
> ante él con honradez, que dedicarle la atención máxima [16].

En otro libro anterior suyo, especie de antecedente de
esta obra, invoca la misma pretensión de objetividad intelectual, a pesar de confesarse aficionado a los toros:

[15] Cossío, *Los toros*, t. I, pág. 3.
[16] *Ibid.*

Al aproximarnos al festejo, pese a nuestra afición a él, muy
intensa y sincera, y que no tenemos por desdoro proclamar,
lo hemos hecho de modo, en cuanto posible, objetivo. No tendría eficacia para su prestigio o descrédito un ataque o una
defensa más [17].

Cossío, en *Los toros*, como señala Álvarez de Miranda en
su libro, que veremos dentro de poco, no especula casi nada
sobre los posibles orígenes del toreo. Pero hay un tema his-
tórico-antropológico-sociológico que emprende, donde da su
propia opinión; es casi el único sitio del libro donde hace
verdadero ensayo («la ciencia menos la prueba explícita»,
creo que lo definió Ortega). Es cuando habla de la relación
deportiva hombre-toro bravo como elemento *no* definidor del
carácter español (si es que se pueden determinar con preci-
sión estos rasgos de una raza). Mantiene que lo que hay en
el fondo más profundo de esta relación del hombre español
con el toro bravo se encuentra también en muchos otros
pueblos, en la esencia de primitivismo que se puede encontrar en algunos de sus deportes, costumbres y preferencias.
No niega que haya cierta «predisposición» de los hispánicos
para estas actividades taurinas, pero no cree que sea decisiva
para la constitución esencial de su ser. Resume este punto
de vista así:

> ... no trato de rehuir en estas páginas lo que esta afición
> tiene de diferencial entre los españoles y otros grupos huma-
> nos, sino de afirmar al documentarla que esta parcela de nues-
> tra cultura popular tiene más de distinto que de genérico, es
> decir, que importa como matización de nuestro carácter y no
> como definición de él [18].

---

[17] Cossío, *Los toros en la poesía castellana*, t. I (Madrid, Cía. Ibero-Americana de Publicaciones, 1931), pág. 14.
[18] Cossío, *Los toros*, t. IV, pág. 766.

Para terminar este apartado sobre Cossío, veamos unas declaraciones suyas hechas el año 1971. Nos interesan porque dan en el mismo «toque de alarma» que veremos expresar a Pérez de Ayala, Marañón, Fernández Suárez y Pedro Caba. Al preguntarle un periodista si ve actualmente alguna amenaza para la Fiesta en el futuro, Cossío contesta que sí, que está en quitarle peligrosidad y fuerzas al toro. Si éste no encierra riesgo auténtico para el torero, entonces no hay toreo auténtico, porque no hay nada que dominar. «La autenticidad es una necesidad en la Fiesta. Por lo tanto, todo lo que sea quitar defensas al toro es un fraude para el espectador»[19]. También expresa su opinión sobre por qué no hay hoy día tanta relación torero-intelectual como había con Juan Belmonte. Dice que este acercamiento a Belmonte fue debido a que éste, además de su gran valor humano, era hombre inteligente que se interesó por los temas de los hombres de letras y que asistía a sus tertulias. «Ellos [los intelectuales], por su parte, hicieron un mito representativo del modo de torear de Belmonte, siendo el primero en esto Pérez de Ayala, que era entonces ya un escritor acatado por todo el mundo»[20]. Nada de esto ha ocurrido en nuestros días, por la siguiente razón (un poco vaga; en realidad, esquiva la pregunta del periodista):

> Con El Cordobés, si hubiera habido un escritor de genio [¿concluye entonces que la razón de este alejamiento torero-intelectual es porque no hay actualmente escritores de genio?], es posible que hubiera nacido un libro interpretando lo que pueda significar su paso por la historia del toreo. No tendría, en realidad, que ver nada con la valoración técnica de Manuel

---

[19] Cossío, «La Academia va a los toros: José María de Cossío», entrevista por Norberto Carrasco Arauz, *El Ruedo*, 9 febrero 1971, s. p.
[20] *Ibid.*

Benítez. sino que se referiría más bien a la representatividad
de su figura en estos años [21].

El propósito de estas dos obras taurinas de Cossío, como
hemos visto, es el de informar objetivamente. Cuando nos
dice que no quiere hacer esa interpretación o síntesis final
de los datos, casi nos parece que está señalando a Ortega
que sea el que emprenda esta tarea última. Y no sería muy
arriesgado suponer que el mismo Ortega creía que él muy
bien podía y quería hacerlo, puesto que anuncia repetidas
veces, durante varios años, la futura aparición de su libro
sobre el tema taurino, que, por desgracia, nunca fue escrito,
y, hasta hoy día, ninguno de los pensadores españoles después de él ha querido intentarlo.

ÁNGEL ÁLVAREZ DE MIRANDA: UNA NUEVA TEORÍA
SOBRE LOS ORÍGENES DE LAS CORRIDAS DE TOROS

Este malogrado escritor (1915-1957) fue catedrático de
Historia de las Religiones de la Facultad de Filosofía y Letras de la Universidad de Madrid. Había estudiado ciencias
histórico-religiosas en Roma, en cuya Universidad más tarde
presentó una tesis sobre *Miti e riti del toro nel Mediterraneo*.
El libro suyo de que vamos a hablar contiene partes de esta
tesis más algunos otros apuntes posteriores sobre el tema.
Fue redactado después de su muerte por su esposa y otros
dos colaboradores [22].

Dejemos en claro desde el principio que nuestro autor
en ninguna parte expresa o insinúa una actitud ni a favor

---

[21] *Ibid.*

[22] Estos datos biográficos están tomados de las solapas de su libro,
Ritos y juegos del toro (Madrid, Taurus, 1962).

ni en contra de la costumbre de las corridas de toros. Le interesa el tema de sus orígenes como tema intelectual que, en su opinión, no había sido satisfactoriamente aclarado. Su tesis, algo novedosa y por tanto intelectualmente atrayente, es que las corridas de toros de a pie se originaron no en las prácticas caballerescas de los de a caballo, ni en la antigua actividad cinegética, sino en la práctica popular del llamado «toro nupcial». Empieza diciendo que el tema esencial de la obra se basa en la concepción del toro «como un ser especialmente dotado de gran poder sexual... como depósito de energía engendradora»[23]. Muestra cómo en la historia de las religiones de varios pueblos, especialmente el ibérico, el toro y su simbolización han tenido siempre una gran importancia y han adquirido cualidades mágicas. Además de estos poderes mágicos, el toro ha sido mirado como símbolo del poder fecundante, del poder generativo, con la virtud de ser capaz de transmitir este poder de alguna manera a los seres humanos.

Lo que hace entonces Álvarez de Miranda es recoger las prácticas populares en las que no hay duda de que la presencia del toro está vinculada a conceptos que aluden a la generación, al poder fecundante de este animal y su capacidad de transmitirlo.

> Interesan, pues, aquellas prácticas que presentan como un comercio mágico entre los seres humanos y el toro, con la finalidad de conquistar, estimular y aumentar el poder generativo del varón, la fertilidad de la mujer o simultáneamente una y otra cosa[24].

Su ejemplo clave de estas prácticas es la antigua de la «corrida —o toro— nupcial», cuya mención aparece por pri-

[23] *Ibid.*, págs. 11, 14.
[24] *Ibid.*, pág. 89.

mera vez en el siglo XIII, en la cantiga CXLIV de las *Cantigas de Santa María*, del Rey Sabio, y que persistió, según sus noticias, en algunos pueblos de Extremadura hasta finales del siglo pasado. Aunque es del siglo XIII la primera relación escrita que poseemos de esta costumbre,

> parece lógico... —dice el autor— suponer que la costumbre del toro nupcial tenía ya en el siglo XIII una larga tradición, que consistía en escoger un toro para la fiesta de las bodas, y precisamente un toro conocido por su bravura, para celebrar con él una fiesta organizada por el esposo, con la participación de otras personas... [25].

El nuevo marido y sus amigos ataban una soga a los cuernos del toro y, controlándolo con ésta, corrían con él, utilizando sus chaquetas para atraerlo e intentando acercarse bastante para mancharse con la sangre de la fiera. Llegaban a un recinto donde podía presenciarlo todo la novia. Le arrojaban pequeñas lanzas y dardos al toro, y la novia le entregaba al novio su lienzo blanco para que lo manchara con sangre de toro. En los primeros siglos de la costumbre no se mataba a la bestia. Después de su descripción documentada de este rito del toro nupcial, el autor concluye que su modalidad

> no corresponde a la de una lucha con el toro [porque su fin no es el de «apoderarse» o de conquistar al toro], y la finalidad perseguida, ante todo, no parece ser... la de un juego [por la ausencia del elemento de querer «burlar» al toro], sino la de un rito. El sentido fundamental de este rito parece basarse en el prestigio que se atribuye al toro como animal dotado de un gran poder de engendrar, que es la garantía de la fecundidad [26].

---

25 *Ibid.*, pág. 95.
26 *Ibid.*, pág. 113.

Por lo menos desde el siglo XII sabemos de la existencia de festejos taurinos aristocráticos, caballerescos, pero estas corridas —dice Álvarez— no son más que una prolongación y una deformación secularizada y deportiva del primitivo rito popular del toro nupcial. Su análisis, entonces, de las tres partes fundamentales de la corrida moderna (la suerte de capa, la de banderillas y la muerte del toro utilizando el trapo; la suerte de picar, no, porque es un resto del toreo aristocrático de a caballo) le refuerza su tesis del origen de las corridas en «el antiguo trato ritual del toro, que se basa en la magia del contacto, a fin de obrar una transmisión de potencia»[27]. Termina el autor hablando del «popularismo» español subrayado por Menéndez Pidal (la participación del pueblo anónimo en la creación o modificación de importantes obras culturales españolas) y Ortega cuando éste dice que «en España todo lo ha hecho el 'pueblo'». (*España invertebrada* [Madrid, Espasa-Calpe, 1964], pág. 126.) Agrega Álvarez de Miranda que

> lo que hemos podido observar en relación a la génesis y evolución del rito del toro demuestra una sorprendente y paralela tenacidad e iniciativa popular en la formación de un arte —la tauromaquia— que hasta ahora era considerado en conjunto como un fenómeno de origen aristocrático[28].

Estos son, entonces, los historiadores, investigadores y teóricos de los orígenes del toreo. Gente muy capacitada y seria, de una gran honradez intelectual. Los cuatro informan al lector y no quieren hacer interponerse su personal actitud hacia los toros.

---

[27] *Ibid.*, págs. 130-131.
[28] *Ibid.*, pág. 131.

CAPÍTULO III

LA POSTURA CASI EXCLUSIVAMENTE ADVERSA
DE LA GENERACIÓN DEL 98

La obra de los «regeneracionistas», aunque lo que escribieron no fue gran literatura, y aunque no se han convertido en muchas obras prácticas sus propósitos reformistas, de todas maneras ha resultado fecunda en un sentido importante. Su obra tuvo el efecto de dar el toque de alarma, de descubrir y poner al desnudo la realidad española, con todos sus defectos, que se encontraba por debajo de la cascada de palabrería, hipocresía y falta de seriedad en la sociedad española del siglo XIX. Fue una función necesaria para el posterior desarrollo del pensamiento español del siglo XX. Pero ellos sólo iniciaron este proceso de toma de conciencia de España. Quedaba por realizarse la continuación *estética* de esta función, y la emprenderían los de la generación siguiente, la llamada «generación del 98». He aquí, pues, la diferencia esencial entre los regeneracionistas y los del 98: el desastre nacional de 1898 agudizó en los dos grupos la conciencia del estado decadente de las cosas que lo hizo posible, y el afán de efectuar grandes cambios en la sociedad española; pero mientras los regeneracionistas sólo ofrecen remedios

prácticos de tipo económico, social, jurídico, político y peda-
gógico, los de la nueva generación abarcarán un ancho movimiento no sólo de tipo práctico (por lo menos al principio),
sino también estético e ideológico, que tendrá grandes reso-
nancias en toda la cultura del país.

Así como la doctrina krausista, según vimos, traída a
España en la particular versión de Sanz del Río, había influi-
do en los regeneracionistas, de igual manera es indudable
que esta doctrina también influyó en los escritores del grupo
noventayochista. El krausismo y el modo de ser que traía
contribuyeron a formar el ambiente cultural en el cual estos
autores pasaron sus años de juventud. En Unamuno y en
Azorín su influencia es más patente, hasta el punto de que
éste no duda «en sostener que tal doctrina contribuyó a pre-
figurar la actitud intelectual que luego hicieron suya los
'noventayochistas'»[1].

Acaso debido en parte a la influencia de la actitud krausista, en general se puede decir que los de esta generación
muestran una clara tendencia antitaurina, siendo la mayor
parte de ellos francamente enemigos abiertos de la fiesta
taurina. ¿Cómo era el ambiente madrileño de entonces que
podía haber contribuido a formar esta postura? Granjel
subraya los muchos centros de diversión que había durante
la regencia (1885-1902) en la capital: frontones, circos, teatros, plazas de toros y cabarets. Durante este período, que
coincide con los años de formación de los futuros noventayochistas, «la imprevisión ante el futuro inmediato parece
regir la vida cotidiana, la existencia de una sociedad infantil
y tontamente alegre...; 'inconsciencia y optimismo... Libres
de cuidados, las gentes se consagraban a sus ocios predilec-

---

[1] Luis Granjel, *Panorama de la generación del 98* (Madrid, Guadarrama, 1959), pág. 134.

tos'»[2]. En este ambiente, la fiesta de los toros gozaba de
gran favor popular. Era la época de los últimos años de la
competencia entre los dos ídolos de la tauromaquia, Lagartijo y Frascuelo (que duró, aproximadamente, hasta 1890).
Retirados estos dos, surgieron las grandes figuras Mazzan-
tini, Espartero y, especialmente, Guerrita. Cada uno de estos
toreros tuvo miles de fervorosos partidarios. Los jóvenes escritores de entonces podían observar a la mano esta desmedida afición a los toros, y es lógico que la considerasen como
elemento contribuyente a la frivolidad y mal estado de España en aquellos años antes e inmediatamente después del
desastre.

Todo hispanista conoce ya el gran problema que encierra
la denominación «generación del 98». Entre los escritores
cuyos años de juventud transcurrieron durante la regencia
hay una ausencia de afinidades colectivas, sean estéticas o
ideológicas. Hay «modernistas», «noventayochistas» y reza-
gados, como Blasco Ibáñez y Felipe Trigo. Granjel defiende
el concepto de un grupo reducido de «noventayochistas»
(Unamuno, Azorín, Baroja y Maeztu); Laín Entralgo, en *La
generación del noventa y ocho*, ensancha el grupo para incluir
a Antonio y Manuel Machado, Valle-Inclán y, secundariamente, a Benavente; Gómez de la Serna, en su biografía de Valle,
incluye en la generación, «entre otros», a diez y nueve autores (¡!); Guillermo Díaz-Plaja (*Modernismo frente a noventa
y ocho*) sostiene otra opinión distinta sobre los componentes
del grupo; Araquistáin (*op. cit.*) aún incluye ¡a Costa! Sin
meternos en la controversia, en el presente capítulo vamos
a hablar, arbitrariamente o no, de Azorín, Baroja, Maeztu,
Antonio Machado, Valle-Inclán, Benavente y, principalmente,
de Unamuno.

___

    [2] *Ibid.*, págs 35-36. Las últimas palabras son de Melchor Fernán-
dez Almagro, citadas por Granjel.

EL ANTITAURINISMO DE «LOS
TRES»: AZORÍN, BAROJA, MAEZTU

Hace no muchos años, en su libro *Madrid* hace Azorín
unos comentarios sobre la generación literaria a la cual per-
tenecía. Sostiene que las dos consignas del grupo, las «dos
palabras representativas y compendiadoras del espíritu» de
toda la generación eran *frivolidad* y *España*: «Lo que nosotros hemos combatido con más tesón, con más denuedo, ha
sido la frivolidad. La palabra *frivolidad* en la escuela del 98
representa la parte negativa, y la palabra *España*, lo cons-
tructivo»[3]. Su misión (negativa), entonces, era combatir y
denunciar lo superficial, lo frívolo, la «España de pandereta», para que surgiera la verdadera y auténtica España (su
misión positiva). ¿Qué aspecto más frívolo, más expuesto a la
denuncia, más representativo de la superficialidad de la España pintoresca que la corrida de toros? Azorín ataca ya en
1912 la brutalidad que llevan consigo las corridas en un
capítulo de su libro *Castilla*. Cita el poema de Juan Bautista
Arriaza, que tiene de tema una capea pueblerina. Pero lo que
el poeta no nos ha contado —añade Azorín— son esas terri-
bles cornadas trágicas que sufren los mozos, y sin esperanza
de asistencia médica adecuada; además, hay el ambiente as-
queroso de borracheras, palabras soeces y riñas sangrientas
que estallan entre los del público[4]. Confiesa el autor que no
puede explicarse este desbordante entusiasmo de millares
y millares de españoles por las corridas de toros. Para él
este espectáculo no forma parte de la «verdadera» España, la
España de los pequeños pueblos y del cotidiano vivir callado.

---

[3] Azorín, *Madrid* (2.ª edic., Buenos Aires, Losada, 1967), pág. 71.
[4] Azorín, «Los toros», en *Castilla* (8.ª edic., Madrid, Biblioteca
Nueva, 1967), pág. 63.

El año siguiente publica Martínez Ruiz la obra crítica *Los valores literarios*, en la cual se incluyen dos capítulos que tratan el tema taurino, desde la misma posición de censura. En uno de ellos habla de Eugenio Noel, elogiándole por su recién emprendida campaña antiflamenquista y dando también algunas de sus (las de Azorín) propias reflexiones en contra de los toros. Aunque hace constar que su propósito no es el de contribuir a la literatura antitaurina, procede a declarar que este espectáculo ejerce una imponente influencia negativa en todo el pueblo español. El asistir a corridas de toros causa efectos perjudiciales en el público observador:

> No son nocivos sólo los toros; es profundamente dañino también lo que podríamos denominar los *aledaños de los toros;* es decir, el ambiente, la particular *espiritualidad* que la fiesta taurina crea a su alrededor. Multitud de conceptos sociales, políticos, hasta estéticos, son falseados por causa de los toros [5].

Es interesante comprobar que esta misma objeción del variado daño que causan las corridas en la gente que asiste a ellas fuera empleada como punto clave en las futuras argumentaciones, que veremos, de Eugenio Noel y de Pérez de Ayala.

Otra razón que tiene Azorín para su actitud es la alegación de que la idea del valor (en el sentido de coraje) que se forma en los toros es una concepción torcida del más alto valor-coraje. El de las corridas es concebido como pura fuerza física y obstinación irreflexiva. (Es el concepto de «riñones», que diría Noel.) Mas el verdadero valor se sitúa mucho más alto en la escala de virtudes —y es representado por el valor-inteligencia o valor-altruísmo—. Todo el verdadero

---

[5] Azorín, «Eugenio Noel», en *Los valores literarios* (2.ª edic., Buenos Aires, Losada, 1957), pág. 167.

progreso del ser humano —mantiene el autor— ha consistido
en substituir al valor-fuerza este último tipo de valor madu-
ro[6]. Como estaba haciendo Noel por aquellos años, hace un
llamamiento (pero de modo callado) a la extirpación del flamenquismo; invoquen los españoles la tradición, pero la tradición bella, poniendo sus ojos en los buenos modelos, en el
verdadero héroe, «no en el héroe de un deporte inhumano,
sino en el héroe por la ciencia, en el héroe por el progreso»[7].

El otro capítulo, «Toritos, barbarie», del mismo libro,
a la vez que simpatiza con los fines de Noel, hace una crítica
objetiva (pero algo negativa) del estilo y los procedimientos
suyos. Ya en «Eugenio Noel» había caracterizado Azorín al
estilo de aquél como un pensamiento «expuesto en una prosa
cálida, pintoresca, un poco redundante, un poco amplificadora»[8]. Ahora le sugiere que temple esta tendencia a exage-
rar, esta tendencia amplificadora, que sea más preciso y más
concreto en su narración y descripción. Nota que su prosa
(está hablando del libro *Escenas y andanzas de la campaña
antiflamenca*) parece escrita febrilmente y sin el reposo necesario para la reflexión; «así se ve, por ejemplo, que en
las descripciones hay cierta falta de matiz unificador, de
transición de un detalle a otro, de un aspecto a otro»[9]. En
efecto, estas faltas que señala Azorín son algunas de las más
notables de la prosa de Noel. No nos extrañe que nuestro
autor exprese estos juicios porque, si se mira bien, tanto la
manera personal de comportarse como el estilo literario de
Noel son todo lo contrario de Azorín, escritor callado y reco-
gido, que escribe una prosa limpia, escueta y sencilla. Éste
es el escritor de la mesura, de la flexibilidad y de la sensi-

---

[6] *Ibid.*
[7] *Ibid.*, pág. 168.
[8] *Ibid.*, pág. 166.
[9] Azorín, «Toritos, barbarie», *ibid.*, pág. 170.

bilidad fina y silenciosa, no del apasionamiento ruidoso, del escándalo y de la acritud que evidencia Noel.

Posteriormente, parece que Azorín ha suavizado un poco su actitud hacia los toros, aunque su esencia no ha cambiado. Por orden cronológico, encontramos, el 31 de enero de 1930, aparecido en *A B C*, un artículo en el cual analiza desapasionadamente el estilo y la importancia del recién aparecido libro taurino de Bergamín, *El arte de birlibirloque* [10]. Aparecido en el mismo periódico el 12 de septiembre de 1935 hay un artículo que cuenta la anécdota de un ex aficionado que vuelve a las plazas para hacerse partidario de Belmonte [11]. En el año 1942 utiliza los toros como tema meramente novelesco (no propagandístico) para el cuento «Sentado en el estribo» [12]. Y, por último, un escrito no directamente relacionado con los toros, pero que revela de manera inequívoca que por lo menos hasta 1943, conserva esencialmente su primera actitud hacia lo integrante de la «España de pandereta». En un «Ensayo-prólogo» a un libro de J. E. Casariego sobre los elementos pintorescos de España (los vinos, la capa, las canciones, las casas y los castillos, las mujeres, los toros, la caza y las procesiones de Semana Santa), dice Azorín:

> Ha querido Casariego encerrar en su obra la esencia de España; esa esencia la ando yo asimismo pesquisando desde hace muchos años.
> En el libro de Casariego vemos, como en muestra pintoresca, las cosas españolísimas que el autor se complace en describirnos... [pág. 14]. ¡La esencia de España! ¡Lo pintoresco de España! Imaginariamente..., nosotros tenemos ante los ojos una

---

[10] Azorín, «José Bergamín», en *Crítica de los años cercanos*, ed. García Mercadal (Madrid, Taurus, 1967).

[11] Azorín, «¡Aprende, Belmonte!», en *Dicho y hecho* (Barcelona, Destino, 1957).

[12] Azorín, «Sentado en el estribo», en *Cavilar y contar* (Barcelona, Destino, 1942).

pared blanca, encalada, bajo el azul intenso de un cielo resplandeciente; a corta distancia se yergue un macizo de olmos. Y nada más: ahí está España [pág. 19] [13].

No hay duda: vemos aquí el Azorín de siempre, el que se complace en crear su «España verdadera», la esencia de España, el de lo menudo e insignificante, del diario trajín de la gente humilde y anónima, no de los grandes sucesos históricos ni de lo espectacular de «lo pintoresco» español. Una escena sencilla: una pared blanca, un cielo azul y unos árboles; ahí está la esencia de España para él, y no en lo «típico», como la corrida de toros, por ejemplo.

Como el anterior miembro de la generación, Pío Baroja compartió su entrañable amor a España, su esperanza de mejora y anhelo de reforma de la caduca realidad nacional. Tenía, por lo tanto, la misma actitud adversa a la fiesta de los toros. Pero, como veremos en seguida, el tema jugó un papel, en su producción total, aún menor que en el caso de Azorín. Sólo sé de una vez, en su prosa no-novelesca, que habla de los toros y da su opinión sobre el espectáculo. En sus *Memorias*, escritas y publicadas de 1943 al 49, encontramos estas palabras: «A mí me invitaron a ir [a una novillada en Cestona], y fui; pero como no me gustan los toros ni en grande ni en pequeño, me puse en un rincón, al lado de una pared, desde donde no se veía nada de la fiesta, a filosofar y a contemplar a la gente» [14]. Decididamente, está en contra de los toros, pero no da razones aquí por su postura. Notemos que, como observador de la humanidad y de los tipos humanos, expresa su curiosidad por observar analíti-

---

[13] Azorín, «Ensayo-prólogo», en *Exaltación y estirpe de las cosas de España*, por Jesús Evaristo Casariego (Madrid, Paidós, 1943).

[14] Pío Baroja, «Memorias», en *Los toros en la literatura contemporánea*, recopilación de Miguel de Salabert (Madrid, Taurus, 1959), página 92.

camente los seres humanos que asisten al espectáculo; la misma curiosidad de análisis psico-sociológico que haremos notar en Pérez de Ayala, entre otros.

Aunque sale de nuestro campo limitado del ensayo, quisiera hablar muy brevemente de la novelística de Baroja para mostrar que esta actitud antitaurina es constante en él. En el relato «El capitán Mala Sombra», de la obra *Los contrastes de la vida* (1920), que, a su vez, forma parte del ciclo de obras histórico-novelescas *Memorias de un hombre de acción*, tenemos el tema de la corrida utilizado artísticamente como fondo de un relato de efecto dramático y algo sentimental. Pero es en su temprana novela *La busca* (1904) donde hay una fuerte actitud en contra de la brutalidad y cobardía humanas que encierran las corridas. En un episodio corto, Manuel, el protagonista, es llevado a una corrida en Madrid. Expresando, sin duda, los sentimientos y reacciones del mismo novelista, Baroja dice de Manuel que

> le pareció el espectáculo una asquerosidad repugnante y cobarde.
> Él suponía que los toros eran una cosa completamente distinta de lo que acababa de ver; pensaba que se advertiría siempre el dominio del hombre sobre la fiera, que las estocadas serían como rayos y que en todos los momentos de la lidia habría algo interesante y sugestivo; y en vez del espectáculo que él soñaba, en vez de la apoteosis sangrienta del valor y de la fuerza, veía una cosa mezquina y sucia, de cobardía y de intestinos; una fiesta en donde no se notaba más que el miedo del torero y la crueldad cobarde del público, recreándose en sentir la pulsación de aquel miedo [15].

La opinión, que podemos sin mucho riesgo imputar a Baroja, expresada en estas palabras, es mantenida por el autor,

---

[15] Baroja, *La busca*, en Salabert, *ibid.*, págs. 91-92.

como ya hemos visto, por lo menos hasta cerca de finales de los años cuarenta.

El tercero de este grupito, también vasco como el anterior, se une con Azorín y Baroja después del desastre de 1898, queriendo, como ellos, la regeneración de la patria. Ramiro de Maeztu fue principalmente periodista, pero ni en sus artículos periodísticos ni en sus libros de ensayos se ocupa, más que de paso, del tema de los toros. En la primera agrupación de sus artículos en forma de libro, publicado en 1899 bajo el título significativo de *Hacia otra España*, Maeztu se muestra como típico noventayochista de los primeros años de la generación: de tono combativo y enérgico, censurando los muchos elementos constitutivos de la sociedad de entonces que condujeron al desastre colonial. Por supuesto, la fiesta taurina y la afición a ella formaban parte de lo censurable de aquella sociedad. Hablando de las responsabilidades por el desastre, dice lo siguiente:

> Tiénenlas los Gobiernos españoles, que son y han sido siempre malos; los partidos de oposición, que no han sabido mejorarlos; las clases directoras, que han conducido mal; las clases dirigidas, que se han dejado llevar como rebaños.
>
> Tiénenlas nuestros antepasados, que fundaron un imperio colonial tan grande que para sostenerlo hubo de despoblarse el suelo patrio, el *verdadero* suelo patrio...
>
> ¡Responsabilidades! Las tiene nuestra desidia, nuestra pereza, el *género chico*, las corridas de toros, el garbanzo nacional, el suelo que pisamos y el agua que bebemos [16].

En otras palabras: contribuyeron al desastre todos los componentes, las instituciones, ideas, costumbres, etc., de la sociedad española de aquel año y desde hace muchos años antes.

---

[16] Ramiro de Maeztu, *Hacia otra España* (Madrid, Rialp, 1967), páginas 141-142.

Un poco más adelante, Maeztu se pregunta de dónde va
a salir esta gente nueva capaz de llevar a cabo esta necesaria
obra de regeneración nacional. Seguramente no será —reflexiona el autor— de la Prensa española, que sólo se ocupa
de halagar al público; tampoco saldrá de los literatos esta-
blecidos, que sólo escriben literatura «enclenque y mustia»;
no vendrá tampoco de los profesores universitarios, que deben sus cátedras al favor de algún político; ni de los estudiantes universitarios, que sólo se agitan cuando no quieren
tener que asistir a clases o para salir en defensa de algún
catedrático criticado por su afición tauromáquica [17]. Es decir,
no se puede confiar en los estudiantes, porque les falta seriedad, porque no quieren luchar por ideales más elevados e
importantes que el de defender a la afición taurina. Y, por
último, citemos estas palabras en que Maeztu subraya el cruel
contraste entre las preocupaciones superficiales de la sociedad y los muchos y graves problemas que enfrentan al pueblo español:

> Pero ¡qué!... ¿Se reduce la vida nacional al pleito de vani-
> dad entablado, desde hace larga fecha, entre políticos y perio-
> distas, a las cogidas de los toreros, a los crímenes..., al género
> chico y a la locuacidad incurable de nuestros prohombres, cuan-
> do... mil problemas, a cual más pavorosos, se yerguen ante
> los ojos de cuantos se atreven a mirar de cara al porvenir? [18].

De nuevo, igual que vimos en la primera cita, se refiere
el autor a las corridas de toros (y las discusiones alrededor
de ellas), no como la causa principal, sino uno de los elementos frívolos de la sociedad frívola de entonces, causantes
del desastre y del mal estado en general en que se encontraba la nación.

---

[17] *Ibid.*, págs. 151-152.
[18] *Ibid.*, pág. 162.

El otro noventayochista que hay que considerar junto con estos tres, pero que no se juntó activamente con ellos en estos primeros años del siglo, es el gran Unamuno. Uso el calificativo «grande» tanto por su estatura dentro del pensamiento español del siglo xx (muy por encima, por supuesto, de la de cualquiera de «los tres») como por el volumen (en comparación con los otros de su generación) de artículos y ensayos que escribió, en donde se ocupa del tema de los toros.

MIGUEL DE UNAMUNO: «¡QUE NO HABLEN TANTO SOBRE TOROS!»

Sin duda alguna, Unamuno, junto con Ortega, es el pensador español más importante, más fecundo y más atrayente de lo que va de siglo. Muy conocidas son sus fuertes y dramáticas producciones novelescas, poéticas y teatrales, todas extensiones de su preocupación filosófica, de su *única* e íntima preocupación existencialista: el problema de su vida y de qué será de ella después de la muerte. Su producción ensayística es lo que nos interesa ahora, y, aunque muy poco conocidos aún por los unamunistas, sus trabajos en que menciona o se ocupa principalmente del tema taurino son de mayor número y de más extensión total que los de cualquier otro de la generación del 98: catorce artículos periodísticos, cuatro cartas a Eugenio Noel, otra carta a un poeta y dos ensayos dentro del tomo *Mi religión y otros ensayos breves*. Por cierto, aun con este número de escritos, su trato del tema ocupa claramente una parte muy secundaria, pero significativa, porque subraya y refuerza la ideología y las convicciones suyas puestas al manifiesto en sus otras obras más importantes y en su manera personalísima de comportarse.

Como se colige de la enumeración de los escritos en que se incluye la fiesta de los toros, se ocupó del tema casi exclusivamente por medio de artículos periodísticos. Nos informa García Blanco que Unamuno llevó a cabo una pequeña campaña antitaurina en las páginas del diario madrileño *La Nación* durante finales del año 1911 y principios del siguiente [19] (aunque, como se verá, escribió otros artículos taurinos que se publicaron en otros periódicos de Madrid, de Barcelona y hasta de Valencia). Estos artículos se esparcen por el período comprendido entre 1896 y 1936, es decir, prácticamente la totalidad de su vida literaria. Y es notable que mantiene firme, a través de todos estos años, su primitiva actitud de repulsión sentimental y desaprobación intelectual hacia las corridas de toros. ¿Pero cuál fue, según podamos saber, la relación de Unamuno con el mundo taurino?

Casi sin excepción, es fama que no asistía a los ruedos ni mantenía relaciones con los de este mundo; pero hay excepciones. García Blanco cuenta dos casos de que tiene noticia: asistió a una corrida-concurso en la feria de Zamora de 1932 (testimonio de esto lo da una fotografía publicada como parte de un artículo de Pedro Somoza [cf. nota 22]); el otro caso, «la complacencia con que solía escuchar los relatos, llenos de gracejo y facundia con que animaba las ferias salmantinas, del ex picador 'Memento', cuando, convertido ya en un comisionista de vinos andaluces, ponía cátedra en el café Novelty de la Plaza Mayor» [20]. Pedro Somoza ha proporcionado dos casos más de una relación de Unamuno con el mundo taurino: uno, su asistencia a una novillada sin picadores en la Plaza de Salamanca, organizada por los estudiantes; el

---

[19]   Manuel García Blanco, nota 1 a «La obra de Eugenio Noel», de Unamuno, en *Obras completas*, t. III (Madrid, Escelicer, 1967), pág. 1135.
[20]   García Blanco, «Prólogo» a *Escritos de toros*, de Unamuno (Madrid, Unión de Bibliófilos Taurinos, 1964), pág. 13.

otro, el hecho de que pasó temporadas en las dehesas del ganadero de reses bravas salmantino Pérez Tabernero. Parece que Unamuno gustaba de ver los toros bravos en el campo, como magníficos ejemplos zoológicos que son, porque dice en una carta: «... aunque aborrezco las corridas, me gustan los toros en el campo, y mucho. Algunos de mis mejores ratos los he pasado en una ganadería de este campo [de Salamanca], dibujando»[21]. Somoza atribuye estas estancias en las tierras de la ganadería brava como resultado de «presión amistosa y ansia de verlo todo y de interpretarlo (no digo saberlo) y de sentirlo todo. Para bien, para mal o para serle indiferente»[22].

Antes de emprender este tema grande del antitaurinismo de Unamuno, hay que hacer un pequeño paréntesis o aparte para describir su artículo más antiguo sobre el tema, «Entremés yankee», de 1896. No es nuestra intención ir examinando, cronológicamente, sus escritos taurinos; hay que hablar primero de este artículo porque no concuerda con la postura «en contra» de los otros. Nuestro autor cita en este lugar unos pasajes de un artículo de la norteamericana Miss Mary F. Lowell, superintendente de la sección de misericordia de la Sociedad Femenina de Templanza. Dicho artículo censura las corridas de toros y a los españoles también por su «estado de atraso e ignorancia». Unamuno, sin defender ni atacar la fiesta de los toros, hace comentarios sarcásticos sobre los desvaríos e inexactitudes históricos, geográficos y tauromáquicos que pone la articulista[23]. Es importante subrayar que

---

[21] Miguel de Unamuno, carta al poeta Cortines y Murube, 16 diciembre 1910, en *Escritos de toros*, pág. 100.
[22] Pedro Somoza, «Unamuno y los toros», *El Ruedo*, 8 diciembre 1964, s. p.
[23] Unamuno, «Entremés yankee», en *Obras completas*, t. VII (Madrid, Escelicer, 1967), págs. 951-952.

en ninguna parte se pone Unamuno ni de acuerdo ni en contra de la actitud antitaurina de la escritora. Sabe muy bien que España tiene muchos defectos que hay que remediar (recuérdese que el artículo fue escrito precisamente durante su período «europeizante»), pero no soporta que alguien, especialmente una extranjera, critique negativamente al país con argumentos y razonamientos erróneos y de nulo valor intelectual.

¿Por qué se dedicó tanto, relativamente hablando, al tema de los toros don Miguel? Indudablemente, porque intuyó en ello importancia suficiente para el que se dedique, como él mismo, al tema de España, y a su regeneración espiritual, moral y cultural. En 1912 dijo, dirigiéndose a un oyente imaginario: «¿Pero no cree usted, mi joven amigo, que hay en la *afición* algo trágico, algo solemnemente trágico, algo terrible que nos puede permitir penetrar hasta las más recónditas honduras del alma de nuestro pueblo?»[24]. Creo que estas palabras nos revelan que Unamuno se dio cuenta, acaso de manera vaga y algo imprecisa, de que hay elementos en el toreo y en la afición al espectáculo que ejemplifican y revelan los estratos más profundos del ser español, de los «caracteres nacionales» del pueblo. Cree que esta afición descubre «algo trágico» del alma española, algo que él quisiera extirpar de allí, en beneficio de su salud y su progreso futuro.

Entremos ahora de lleno en nuestro tema: ¿por qué se opuso tan rotundamente Unamuno a las corridas de toros? Hay muchas razones, pero la principal objeción es ésta: que la gente malgasta tanto tiempo en discutir, antes y mucho después de la corrida, los incidentes de ella y los acontecimientos de todo el mundillo taurino que la rodea, cuando

---

[24] Unamuno, «La 'afición'», *Ob. comp.*, t. VII, pág. 969.

podría y debería hablar de otras cosas más elevadas y de más trascendencia. Lo expresa de esta manera en un artículo:

Nunca he resistido una corrida, pero resisto menos aún una conversación sobre toros. Me explico que haya quien goce con las emociones de una corrida de toros y busque en la plaza un drama vivo, sin engañifas [¿qué hubiera dicho si se practicara en aquel entonces la costumbre actual del «afeitado» de los cuernos?]; pero lo que no me explico es que haya quien se pase días y días comentando una suerte de toreo o los méritos de tal matador comparados con los de tal otro [25].

También declara su objeción principal de esta manera más enfática en otra parte: «¡Que vayan al espectáculo si así matan sus penas y se divierten, enhorabuena; pero, por los clavos de Cristo, que no se pasen las horas y los días y los meses y los años hablando de él y comentando sus lances...» [26]. En otros lugares, al declarar de nuevo su objeción de que se hable tanto sobre ello, es interesante observar que primero dice que su desaprobación no se basa en la barbarie o crueldad de la corrida: «Yo no encuentro bárbaro el espectáculo ni es por su barbarie por lo que malea y corrompe a España... No creo que el espectáculo de las corridas de toros sea más bárbaro que otros muchos...» [27]. Y también este otro ejemplo: «¿Necesitaré decir una vez más que no es precisamente la barbarie de la fiesta lo que me mueve contra ella?» [28]. La cuestión ética, entonces, de la crueldad de las corridas no le preocupaba en nada. Veía por entonces bastantes otras

[25] Unamuno, «A propósito del toreo» (1906), *Ob. comp.*, t. VII, página 959.
[26] Unamuno, «La obra de Eugenio Noel» (1912), *Ob. comp.*, t. III, páginas 1135-1136.
[27] Unamuno, «Si yo fuera autócrata...» (1911), *Ob. comp.*, t. VII, páginas 961-962.
[28] Unamuno, «El deporte tauromáquico» (1914), *Ob. comp.*, t. VII, página 972.

barbaridades y crueldades (literales y figuradas) que hundían
a su patria, para ponerles reparos de tipo ético a las corridas.

¿Cuáles eran, entonces, los efectos negativos que causaba
este hablar incesantemente sobre los toros? En una palabra,
esto rebajaba, según Unamuno, el nivel intelectual de las
gentes, deterioraba su capacidad mental: «Esa fiesta está, no
embraveciendo o salvajizando a nuestro pueblo, sino enton-
teciéndole. La afición no irradia de lo más bravío, sino de lo
más insustancial y mentecato de la patria.» Añade después
en el mismo artículo: «Y hay que ver la seriedad litúrgica
que los inteligentes —¡¡¡inteligentes!!!— dan a la fiesta. Parece que están oficiando en un culto. Y así es. Están oficiando en el culto de la ramplonería y la memez»[29]. Don Miguel
quería levantar el nivel intelectual de su país y, por tanto,
no podía aceptar que la gente se ocupara tan completamente
con un tema esencialmente falto de seriedad, cuando había
tantos otros temas más graves y de más importancia radical
y ulterior para ellos. No niega que el espectáculo tenga su
uitilidad práctica inmediata, ¿pero cómo podía consentir que
ello impidiese a la gente que pensara y hablara de cuestiones más trascendentales, y especialmente de *la* cuestión de
mayor trascendencia ulterior: la pervivencia del ser y la
honda tragedia de haber nacido para morir? Pero, en cuanto
a esto, Unamuno era pesimista y no confiaba mucho en que
los españoles podrían ni querrían hablar de estas cuestiones,
aun si no hubiera toros:

> Y cuando he expuesto esta consideración a algún amigo,
> lamentándome de la pérdida de fuerza mental que implica el
> ocuparse en discurrir y tratar cosas de toreo, me ha dicho
> no pocas veces: «¿Y de qué otra cosa quieres que hablen?» Y
> he respondido: «De cualquiera que remueva y remeja el espí-

---

[29] *Ibid.*, págs. 972, 974.

ritu...» Y mi amigo ha solido replicarme: «Lo convertirían en toreo.»

... Lo cierto es que todas esas gentes que se pasan media vida hablando de toros y de toreros son gentes que maldita la pena que vale el que hablen de otra cosa. Tiene razón mi amigo, lo convertirían todo en toreo. Y de hecho los más de los que por acá hablan de otras cosas hablan de ellas como si fueran toreo. La cuestión es hablar de algo sin interesarse de veras en ello [30].

Una consecuencia y continuación de lo dicho en el párrafo anterior es que Unamuno considera que el toreo y la afición a él es algo totalmente reaccionario. Si la gente se ocupa en discutir tanto sobre toros, no piensa en otras cosas, y si no piensa en otras cosas, no se da cuenta de lo que hay que remediar del país y se contenta con el *statu quo* de las cosas (decadencia) y no ve la necesidad de cambios. Describe así esta ortodoxia de los toros:

> Parece ser que de todas las artes para recreo de la vida el arte de la tauromaquia es la más ortodoxa... No me cabe duda de que nada hay más sutilmente reaccionario que mantener la afición. Mientras la gente discute la última estocada del «Pavito» o su escapatoria con la cupletista Carmen o Conchita, no habla de otras cosas, y es muy conveniente hacer que el público tenga hipotecadas su atención y su inteligencia en variedades de esas [31].

Conociendo el lector el carácter bravío e inquieto de Unamuno y la lucha (o «agonía») íntima que constituía la esencia de su vida y obra, ¿cómo no iba a protestar vehementemente contra un espectáculo que hipnotizaba a sus conciudadanos y los mantenía en un estado de modorra intelectual y espiritual? La obra entera suya (no sólo la ensa-

---

[30] Unamuno, «A propósito del toreo», *op. cit.*, pág. 960.
[31] Unamuno, «La obra de Eugenio Noel», *op. cit.*, pág. 1137.

yística) quiere azuzar, aspira a mantener en «perpetua zozo-
bra» al lector; su hondamente sentida preocupación por
España le lleva a esto para ir en contra de la abulia y del
«marasmo» nacionales. Habla así de la falta de inquietud
intelectual entre los españoles:

> Todos los juegos entretienen a la mayoría de nuestro públi-
> co, menos el juego de las ideas. Y se comprende. El juego, el
> noble juego de las ideas, de las ideas que lo son y no meras
> palabras, le levantan dolor de cabeza... Para un aficionado, capaz
> de pasarse tres o cuatro horas cada día hablando de la faena
> de tal maestro en la última temporada, cualquier noble juego
> ideal tiene que resultar una lata, cualquier pensamiento una
> paradoja. Y es que la afición tauromáquica es el principal
> exponente de nuestra ramplonería [32].

Este reaccionarismo de la fiesta taurina es algo muy triste
para Unamuno en el fondo, porque al pueblo así no le es
dado «alimento espiritual adecuado a sus ansias» (o, mejor
dicho, a las ansias íntimas que Unamuno cree que debe sentir cada ser humano). Los llamados liberales, en su opinión,
no satisfacen adecuadamente estas necesidades espirituales;
los llamados tradicionalistas o «casticistas» no quieren satis-
facerlas, sino que quieren distraer al pueblo con los toros
para que así «no se dé cuenta del estado de su alma y de
lo que le falta en ella». Que le den alimento y diversión sufi-
cientes a la masa y estará satisfecha. Es el antiguo lema reaccionario de «¡pan y circo!» [33].

Unamuno reincide en su objeción principal a las corridas y en la resultante falta de seriedad en el ambiente español
en sus cartas a Eugenio Noel durante 1911-1912. En su primera, escrita en diciembre del primer año, dice que «el pan

---

[32] Unamuno, «El deporte tauromáquico», *op. cit.*, pág. 973.
[33] Unamuno, «La 'afición'» (1912), *op. cit.*, págs. 970-971.

y toros vuelve a invadirnos, y en el fondo no hay, puede usted decirlo, sino odio a la inteligencia». La segunda carta, del mismo mes, subraya el reaccionarismo de los toros que ya hemos visto:

> Sí, el flamenquismo, la torería, la pornografía, el generochiquismo —todo es igual— es una plaga y una plaga de dementalidad. *No le dan que pensar al pueblo* [subrayados míos], no saben hacer caliente y pasional el pensamiento, y se ocupan en majaderías y barbaridades.

De nuevo, censura de lo superficial y lo frívolo; quiere que piense la gente, pero que piense *con pasión*, con sentimiento («caliente y pasional»). En la cuarta epístola (febrero de 1912) habla de «este ambiente de histrionismo y superficialidad». El deportismo lo invade todo; «todo se reduce a espectáculo. Las revistas de toros, teatros y juegos lo llenan todo... Es el horror a la seriedad, a la visión honda y grave de la vida. Es más, en el fondo, falta de pasión, frialdad...»[34]. ¿Tiene Unamuno una actitud pesimista u optimista en cuanto a las posibilidades de mejora de esta situación causada y mantenida por la fiesta de los toros? Claramente, es pesimista: «Y no veo el remedio. ¡Son tan pocos los que se atreven a revolverse no contra la barbarie de las corridas de toros, sino contra la estupidez media de la afición tauromáquica y contra su sutil reaccionarismo...!»[35].

Don Miguel también habla, dando su punto de vista personal, pero casi sin acrimonia para la Fiesta, de la última simbología de la corrida y del paralelo entre la vida y la tauromaquia. Todos sabemos que su obra filosófica de más importancia, la que encierra el «único problema» suyo, base

---

[34] Todas las citas arriba dadas de estos dos párrafos son de Unamuno, *Escritos de toros*, págs. 106, 111.
[35] Unamuno, «Si yo fuera autócrata...», *op. cit.*, pág. 962.

de todo su pensamiento, es *Del sentimiento trágico de la vida*
(1913). Pues aquí habla del tema de la inmortalidad y del
conflicto entre la razón y la fe que resulta en el radical «sentimiento trágico» de la vida. En un ensayo anterior a este
libro fundamental, «El Cristo español» (1910), se refiere de
pasada a la vida terrenal, «aquí, en esta plaza del mundo, en
esta vida que no es sino trágica tauromaquia...» [36]. Da aquí
una acertada metáfora: nuestra vida en la tierra, que es
constitutiva y esencialmente trágica (porque tenemos que
morir y no podemos saber de seguro qué será de nosotros
después de la muerte), es como una especie de tauromaquia
(y, por tanto, el mundo en que «hacemos nuestra actuación»
es como una plaza de toros), porque en la corrida también
alguien tiene siempre que morir (o el toro o el torero). Expresa esta misma idea de la vida humana como la última y
más grande tragedia en un artículo de 1914: «'Es que al español le gusta la tragedia —me dirá alguien—, le gusta la sangre, y la única fiesta verdaderamente trágica es la de los
toros'. ¿Y la otra, señor mío, la otra?; la de nuestra vida,
quiero decir» [37]. En otras palabras, ¿qué les debe importar
a las gentes la tragedia de la corrida de toros, cuando cada
uno tiene su propia e íntima tragedia de la vida y la muerte
que debe preocuparle? Y, por último, en otro artículo de
1911, sostiene que la tauromaquia es la más tradicionalista
(no sólo tradicional) y ortodoxa de las bellas artes (fíjese
bien: ¡la incluye en las bellas artes!), porque «es la que mejor prepara al alma para la debida contemplación de las
grandes verdades eternas de ultratumba. Es, al fin, un espectáculo de muerte» [38]. En estas palabras no se nota actitud de

---

[36] Unamuno, «El Cristo español», en *Mi religión y otros ensayos
breves* (4.ª edic., Madrid, Espasa-Calpe, 1964), pág. 33.
[37] Unamuno, «El deporte tauromáquico», *op. cit.*, pág. 974.
[38] Unamuno, «A la carta de un torero» (1911), *Ob. comp.*, t. VII,
página 968.

censura hacia la fiesta taurina, sino más bien una postura de observación objetiva; hasta casi podríamos decir que tiene un punto de vista positivo, por incluir al toreo dentro de las bellas artes, y por considerar a la corrida como el arte que «mejor prepara al alma» para la consideración de la última (y única) gran cuestión de la inmortalidad y la no-inmortalidad.

La vida de un toro bravo es una vida holgada. Vive un año más que el otro ganado vacuno, recibe piensos especiales, es cuidado con mimo, y las dehesas en que pasta tienen grandes espacios de terreno por donde puede caminar para fortalecerse. Es precisamente este último hecho el que forma la base de una de las objeciones mayores a la fiesta taurina de nuestro Unamuno, y también de Noel (a quien estudiaremos en un capítulo futuro). Para Unamuno, parece que es posiblemente el más grave aspecto de este problema que son los toros, hablando en términos prácticos; lo expone sucintamente de esta manera: «Soy de los que creen que las corridas de toros es uno de los mayores obstáculos, tal vez el mayor, al fomento de la cría de ganado vacuno para proveernos de leche y de carne. Donde se cría un toro de lidia, y con el mismo gasto, podrían criarse algunos más de consumo...»[39]. Estos grandes terrenos que precisan los toros bravos causan toda una serie de estragos: en la ganadería, porque se podrían criar más cabezas en el mismo espacio; en la agricultura, porque se podría dedicar parte de estos terrenos al cultivo de legumbres; en las familias, porque se desplazan personas que tienen que ir a vivir a otras partes.

Una vez más, insiste don Miguel en que la barbarie de matar toros y caballos en las corridas no es lo principal;

---

[39] *Ibid.*, pág. 967. Expone esta misma objeción, con casi las mismas palabras, en «La obra de Eugenio Noel», *op. cit.*, pág. 1137.

que es mayor «barbarie» los estragos que causa la cría de
toros bravos en toda la economía agropecuaria:

> Sí, sí, está muy bien que se combata a las corridas de toros
> como espectáculo de barbarie; pero la mayor barbarie está
> en que la cría del ganado bravo es efecto y a la vez causa
> de una lamentable economía agraria. Despuebla los campos,
> encarece la carne, mantiene en atraso la ganadería y favorece
> la gandulería [40].

¿Por qué hace Unamuno estas declaraciones que van en
contra de los intereses pecuniarios de toreros, ganaderos
bravos, empresarios taurinos, etc.? Porque, como los regeneracionistas, defiende los intereses de toda la ganadería
nacional, y también como él mismo dijo, «defiendo la mentalidad y la cultura de mi pueblo»[41]. Aspiración del regeneracionista y de todo buen noventayochista.

En el tema que hemos venido desarrollando ahora, el de
la cuestión de los perjuicios económicos causados por la cría
del ganado bravo, da Unamuno unas interpretaciones de tinte socialista al fomento de la afición taurina. Dice en una
parte:

> Y acabe así de una vez con el escándalo de economía social
> que esas ganaderías [bravas] significan... Esos desdichados tria-
> neros que idolatran al 'Fenómeno' o al 'Papa' no se dan cuenta,
> sin duda —¡qué han de darse cuenta!—, de que su idolatría
> está íntimamente relacionada con la miseria lamentable de los
> pobres braceros del campo andaluz, que viven de gazpacho y
> de milagro. Es decir, no viven [42].

Este problema de los toros, entonces, tiene sus repercusiones también en el sector socioeconómico. El fomento de

---

[40] Unamuno, «Sobre la muerte de Joselito» (1920), *Ob. comp.*, t. VII,
página 980.

[41] Unamuno, «A la carta de un torero», *op. cit.*, pág. 968.

[42] Unamuno, «El deporte tauromáquico», *op. cit.*, pág. 974.

esta afición resulta ser un instrumento «de la brutal indiferencia frente a la injusticia de la explotación del proletariado»[43]. Es un problema social, un problema para los seres humanos que tienen que vivir, o sobrevivir, bajo las misérrimas condiciones impuestas por los latifundistas propietarios de las ganaderías bravas. Unamuno, íntimamente preocupado por los problemas de España, se da cuenta de que éstos se reducen a los problemas del hombre español, no «la gente» anónima, sino el individuo, el «hombre de carne y hueso», el ser que vive y sufre. Más tarde, en 1920, con ocasión de la muerte del famoso torero Joselito, escribe estas palabras:

> Aquí es donde está el nudo del problema. La persistencia de las corridas de toros depende de la persistencia de las ganaderías de reses bravas, y ésta del atraso económico... Las tierras de dehesas de reses bravas... son las de los latifundios y las de los jornales misérrimos a los obreros del campo. Los toros de lidia se comen a los hombres antes de matar a sus matadores; los toros de lidia ayudan a la despoblación de España[44].

Si los obreros del campo tienen que vivir siempre sujetos a la miseria y la pobreza más bajas, nos dice Unamuno, para que se críen toros bravos, entonces no vale la pena que haya corridas de toros, si ése es el precio que se tiene que pagar.

El público español de toros y sus características peculiares, causadas o no por el espectáculo que observan, es el motivo de la censura de, por lo menos, tres de los ensayistas españoles que entran en nuestro estudio: Noel, Pérez de Ayala y Unamuno. Trataremos a los dos primeros en capítulos futuros. Don Miguel dice claramente, a finales de 1911, dirigiéndose a un torero que le había escrito: «No, señor mío, no; no es con ustedes, los toreros, con quienes me he

---

[43] *Ibid.*
[44] Unamuno, «Sobre la muerte de Joselito», *op. cit.*, pág. 980.

metido, ni pienso nunca hacerlo. Es con el público que les
corea y trata de envanecerles. Aún hay más, y es que en la
fiesta de los toros, los dos seres más racionales me parece
que son el toro y el torero»[45]. La última frase de esta cita
nos da un típico arrebato literario de Unamuno: con evidente exageración y sarcasmo, pero que, en el fondo, revela una
opinión sincera. Las palabras son duras, porque el autor no
tenía muy buena opinión de la masa de los españoles en general. No sólo los dirigentes tenían una parte de la culpa
del estado de marasmo en que se encontraba el país, sino
que los dirigidos la compartían también. En efecto, ya había
declarado que la plaza de toros servía a la vez de sitio de
desahogo y de escuela para la grosería y la mala educación
de los españoles. «Puede asegurarse —añade el autor— que
no hay público menos culto que el público taurino»[46].

Aparte la portentosa figura de don Quijote (y lo que re-
presentaba), Unamuno no tenía admiración excesiva por ningún otro «ídolo» o «figura heroica», aunque sí respetaba y
reconocía el valor de muchos escritores, científicos, etc. Era
demasiado egoísta y «personalista» para hacer eso. Es lógico,
entonces, que condenara rotundamente el que el público español ensalzara y glorificara a los grandes toreros, y que
no reconociera el valor de los científicos, filósofos, escritores,
artistas, etc., de importancia. Nótese bien que Unamuno,
quien buscó él mismo la gloria de muchas maneras, no culpa
a los toreros y otras figuras públicas por quererla buscar:

> ¿Y podemos culpar al pobre espíritu humano, ansioso de
> gloria, el que la busque aquí por esos senderos [del toreo]? No.
> Lo triste es que haya quienes den esa gloria, no que haya quie-
> nes la busquen. Lo triste es que cualquier torero de cartel sea

---

45 Unamuno, «A la carta de un torero», *op. cit.*, pág. 967.
46 Unamuno, «A propósito del toreo», *op. cit.*, pág. 959.

en nuestra España mucho más y mejor conocido, y conocido de muchísima más gente, que el más sólido hombre de ciencia, el más íntimo poeta, el más profundo artista... [47].

¿Cómo iba Unamuno a poner objeción a que cualquier ser humano buscara la gloria en esta vida? ¡Si toda la vida suya era un continuo afán de alcanzarla, desde sus escritos hasta su manera extravagante y contradictoria de comportarse! ¿No se puede notar en estas últimas palabras citadas hasta cierto resentimiento contra estos toreros, que reciben (inmerecidamente, en su opinión) toda esta adulación? ¿No la quería para sí mismo?

Continuando con este tema del público y sus relaciones con la corrida de toros, en un artículo en donde habla de los deportes «activos» y de los «pasivos», Unamuno se refiere a los toros como el más castizo de los deportes nacionales; «aunque no deporte de torear, sino de ver torear». Concede que el ejercicio del toreo podrá fomentar las cualidades de destreza y valor en el ejecutante (el torero); pero declara que no puede concebir qué valor o cualidad buena desarrolla en los aficionados que ven el espectáculo: «A lo sumo, el valor de presenciar la muerte de un prójimo». Don Miguel, hombre activo y nada tímido en cuanto a manifestar sus opiniones sobre cualquier tema, no podía tolerar la pasividad y abulia españolas simbolizadas en los espectadores de la corrida de toros. Y así, «alaba» sarcásticamente el «valor» de los aficionados en el tendido:

> ¡El deportero contemplativo [el espectador] suele ser admirable de valor! ¡Con qué valor aplaude! ¡Con qué denuedo le anima el activo a que corra la suerte! Y esto en toda clase de deportes. «¡No tenga usted miedo, que aquí estamos nosotros!» Y estos nosotros se proponían calentarse las manos —era en

---

[47] Unamuno, «La 'afición'», *op. cit.*, pág. 970.

invierno— a fuerza de aplaudir al *héroe* de la fiesta desde el
tendido. Y no cabe decir que estos aplausos desde el tendido
carecieron de valor. ¡Valientes aplausos! ¡Que hay héroes en
aplaudir! [48].

Para cualquier escritor bueno, sea lo que sea su género,
hace falta imaginación. También, para que haya progreso
verdadero en un país, hace falta que los políticos, los científicos, los educadores, los intelectuales y el pueblo en general tengan imaginación. Unamuno, como escritor y pensador
de genio, poseía bastante imaginación creadora. Y esto nos
conduce a otra objeción (menor) suya a la fiesta de los toros,
que, además, también tiene que ver con el público: la notable falta de imaginación del aficionado a toros. Éste, como
la mayoría de los españoles, está apegado a la realidad veri-
ficable personalmente, y como ha visto en la corrida sangre
y muerte de veras, no le interesa la mera descripción de
una batalla o una discusión de los principios y resortes que
forman, por ejemplo (como se trata de un escrito de 1916),
la trama interior de la Primera Guerra Mundial. Unamuno
lo explica de esta manera:

> No es lo mismo «leer» que fue segado un regimiento entero
> o que apareció la trinchera llena de cadáveres..., que «ver», por
> sus propios ojos, un caballo con las tripas a rastras, o un pri-
> mer espada ensartado por el muslo en el asta del toro.
> ... ...
> Pero el aspecto espiritual e íntimo de la guerra, el drama
> interior, el tremendo y solemne conflicto de ideales y de prin-
> cipios, esto exige una imaginación y una conciencia a que aún
> no ha llegado lo más de nuestro pueblo... Que no les vayan
> [a los aficionados] con el cuento de que en esta guerra se de-
> baten tales o cuales principios. ¿Con ésas? ¿A ellos con ésas?

---

[48] Unamuno, «Del deporte activo y del contemplativo» (1922),
Ob. comp., t. VII, pág. 657.

Saben que no hay nada más serio ni más trascendental que una corrida de toros [49].

El atrayente tema de la religión y las corridas de toros es también abarcado por nuestro autor. De una manera general, en una carta a Noel habla de la religiosidad (o, mejor dicho, su falta) y el flamenquismo. Discrepa de éste y mantiene que sí que hay cuestión religiosa mezclada en esta plaga del flamenquismo. Aun más: es la única cosa que hay: «El flamenquismo es una consecuencia de falta de religiosidad, que puede tenerla hasta un ateo. Ni la patria se siente religiosamente, y hay cuestión porque hay languidez o acaso muerte de ese sentimiento. Y yo asocio al flamenquismo con ello» [50]. De acuerdo con esta definición implícita, esta falta de religiosidad parece equivalerse a despreocupación por el futuro del país, falta de verdadera pasión por el bien de la patria. En este sentido, claro está, Unamuno sí que era muy religioso.

Pero don Miguel hace la conexión tauromaquia-religión principalmente en otro sentido: el sentido histórico-simbólico. En su último escrito sobre el tema taurino, de junio de 1936 (cuya dedicatoria encierra interés: «A mi buen amigo José María de Cossío, erudito investigador de la tauromaquia», es decir, no le menosprecia por ser investigador serio del tema que a él le desagradaba), habla de su interés por la tauromaquia, no como arte, sino como pervivencia de una religión primitiva. La corrida de toros la interpreta Unamuno

como persistencia de un terrible culto de una religión pagana y casi prehistórica... Un sacrificio propiciatorio a no sé qué

[49] Unamuno, «La córnea imaginación de 'la afición'» (1916), *Ob. comp.*, t. VII, págs. 976-978.
[50] Unamuno, carta a Eugenio Noel (diciembre 1911), en *Escritos de toros*, pág. 106.

divinidad que pide sangre... Y que vuelve, en cierto modo, a
renovar la vieja tradición de popular barbarie, o mejor que
barbarie, salvajería.

Dice que la fiesta de los toros es nacional, cuando es
una corrida celebrada oficialmente y estudiada por periodistas y eruditos, y también es popular, cuando se trata de una
capea de un pueblo. En este último caso, los aldeanos jóvenes hostigan, cruelmente y sin arte alguna, al novillo, pin-
chándole por todas partes y con todo tipo de objetos,
«... para ver correr su sangre, de satisfacer así un instinto,
en cierto modo religioso, de sombría religión». Añade Unamuno que sin este aspecto popular y sanguíneo de la tauromaquia, que es el originario, no se puede explicar la corrida
formal, la fiesta «nacional». Cree el autor que lo que en realidad quieren los aficionados que van a las corridas es ver
correr sangre; y no sólo sangre de toro o de caballo, sino
sangre humana. Así cumplen su función de devotos de «esa
sombría religión de sangre», esa religión pagana y primitiva
de los sacrificios humanos. Hasta mantiene Unamuno que,
para los aficionados, la finalidad sería igual si le matase al
torero un toro, ¡o si se matasen los toreros mismos unos a
otros! Es evidente aquí su baja opinión de las masas españolas (como ya vimos en otra parte), y también la tenacidad
de su postura en contra de los toros (habiendo escrito este
artículo sólo seis meses antes de morir). El autor resume
esta relación tauromaquia-religión diciendo que la fiesta taurina tiene un fondo de tragedia y también de fanatismo. Es
una especie de fanatismo religioso, pero no de una religión
cristiana ni de otra que se apoye en un credo teológico, sino
fanatismo «de una religión prehistórica de un culto de sacrificios humanos» [51].

___

[51] Las citas de estos dos párrafos están tomadas de Unamuno, «Hui-

Como varios escritores españoles han destacado la íntima relación originaria existente entre la tauromaquia, el culto religioso y la tragedia dramática (entre los que lo han hecho, estudiaremos a Lorca, Giménez Caballero, Luis Araquistáin, Pedro Caba y Álvaro Fernández Suárez), creemos oportuno discutir en este lugar lo poco que dice Unamuno sobre las corridas y la tragedia teatral. Habla en algún ensayo de *Mi religión y otros ensayos breves* (1910) del relato que hizo Sarmiento de su viaje a España, en el cual compara las corridas con la tragedia. Agrega Unamuno, de manera analítica y sin tomar partido ni en el bando en contra ni en el de a favor:

> En las corridas de toros no hay las insoportables unidades de la tragedia seudoclásica, y además allí se muere de veras. Se muere y, sobre todo, se mata de veras. Se mata al toro como un buen cristiano español de los buenos tiempos mataba a un perro infiel, de veras [52].

Sarmiento también habla del esfuerzo francés de implantar en España el género clásico teatral (en el siglo XVIII), y su rechazo por el pueblo español, que entonces acogió al espectáculo tauromáquico, «donde al menos no podrían perseguirle las tres unidades y donde comprende bellezas que se escapan a los ojos de los clásicos» [53]. Confiesa Unamuno que estas bellezas de la tauromaquia se le escapan a él también, aunque —se apresura a aclarar— él no es clásico a la francesa, pero está conforme con el argentino en su interpretación de la aceptación popular del toreo de a pie.

---

chilobos y el bisonte de Altamira» (1936), *Ob. comp.*, t. VII, págs. 981-983. Esta misma tesis es expuesta, en términos muy parecidos, por Luis Araquistáin (cf. capítulo siguiente).

[52] Unamuno, «El Cristo español», en *Mi religión...*, pág. 31.

[53] Unamuno, «Naturalidad del énfasis», *ibid.*, pág. 130.

Cualquiera que se haya adentrado en la obra ensayística de Unamuno sabe que es un cuerpo de pensamiento asistemático y muchas veces contradictorio. Sus escritos sobre el tema que nos ocupa son de bastante extensión para permitirnos observar alguna que otra contradicción unamuniana. Por ejemplo, en un artículo temprano, de 1899, habla de la cogida y muerte (de gangrena) de un torero menor, un tal El Aceitunero. Y en seguida lamenta el pobre atraso científico del país, sin progreso a la europea:

> Y así nos pasamos la vida, sin canales, ni pantanos, ni escuelas de artes y oficios. Somos un pueblo moribundo... No se ha llegado a tiempo a cortar la gangrena. No se ha llegado a tiempo... ¡Cosas de España! Aquí jamás llegamos a tiempo, siempre atrasados... Hay que convenir en que éste es un país imposible. Nos empeñamos en no progresar, y nos saldremos con la nuestra [54].

Más adelante, en el mismo artículo, repite su censura del atraso científico-médico del país, lanzando estas palabras sarcásticas: «¡Pobre España! Mientras los bachilleres aplauden al Papamoscas que ha descubierto la inmortalidad del cangrejo, muere el infortunado 'Aceitunero' por no haberse desinfectado a tiempo las astas del 'Lobuno'» [55]. Pero todas estas palabras de condenación (escritas en 1899), ¿no son tan distintas de aquella posterior y archifamosa declamación unamuniana: «¡Que inventen ellos!»? ¿No quería decir con esto que el progreso material, científico, era secundario, que lo más importante era la cuestión eterna, el no morir, por medio de la quijotización de España? ¿Y no parecen contradecir estas palabras escritas unos años más tarde, re-

---

54 Unamuno, «La muerte del 'Aceitunero'» (1899), *Ob. comp.*, t. VII, página 956.
55 *Ibid.*, pág. 958.

firiéndose a Costa y a Noel: «Porque no son ideas lo que nos
falta; lo que nos falta son pasiones. Aquí se sabe mucho más
de lo que algunos pedantes que pretenden aleccionarnos se
figuran, y aquí se progresa. Pero se sabe sin pasión y sin
pasión también se progresa» [56]? No creo que en los años
que van de 1899 al año de estas últimas palabras (1912) hayan
podido operarse tantos cambios y progresos en España para
que don Miguel creyera que no hacía falta progreso científico, sino solamente pasiones. Puede atribuirse, creo yo, a
una contradicción o, sencillamente, a una evolución en su
concepción de prioridades para su patria.

La medida algo peregrina que propone Unamuno en el
escrito de 1899 es que se haga obligatoria la esterilización y
desinfección de las astas de cada toro antes de que salga al
ruedo. También sugiere que se fumigue el redondel y los
trajes de luces, y que los toreros tomen un baño antiséptico.
Y hasta vemos aquí otra pequeña contradicción, porque no
se pone en contra de los toros (que, como hemos visto, es
su postura normal), no propugna su abolición ni aun el em-
bolamiento de los toros; sólo que se tome esta medida anti-
séptica:

> Bien está que no se embole al bruto, ya que a ello se opo-
> nen las venerables tradiciones de nuestros mayores, y nadie más
> respetuoso que yo hacia la savia misma que mantiene nuestro
> espíritu. ¡No, no quiero que nos descastemos en un amasijo
> sin carácter ni individualidad, peculiar y propia, no! ¡Que no
> les embolen las astas, pero que se las desinfecten, por piedad! [57].

Para terminar esta sección sobre Unamuno, nos quedan
una serie de puntos menores que toca en sus escritos sobre

---

[56] Unamuno, «La obra de Eugenio Noel», *op. cit.*, pág. 1134.
[57] Unamuno, «La muerte del 'Aceitunero'», *op. cit.*, pág. 957.

el tema de los toros, los cuales tienen algún interés y merecen ser glosados aquí brevemente.

En su ensayo «El Cristo español», Unamuno nos habla de su predilección por los Cristos españoles, los de gran realismo, ensangrentados y acardenalados, esto a pesar de que —nos asegura el autor— no le gustan los toros. Hace una comparación entre el Cristo sanguinolento y el toro en el ruedo, siendo éste como «una especie de cristo irracional, una víctima propiciatoria cuya sangre nos lava de no pocos pecados de barbarie. Y nos induce, sin embargo, a otros nuevos» [58]. El toro lidiado y matado, entonces, actúa como agente de catarsis para el público, pero un agente imperfecto, puesto que causa en nosotros otros actos de barbarie.

En 1920 expresó su opinión de que la muerte en el ruedo de un torero no es una muerte verdaderamente trágica (porque no existe choque de pasiones), ni tampoco fatídica, sino sencillamente un suicidio. Después de calificar como salvajada las corridas de toros, se muestra pesimista en cuanto a las posibilidades de cambios y reformas sobre esta cuestión: «... todo lo que contra ella declamemos será en balde. Después de esta triste muerte [la de Joselito]... volverán los aficionados a la plaza, y acaso con el secreto anhelo de presenciar otro suicidio» [59].

La llamada «suerte de don Tancredo», que fue prohibida oficialmente a principios de este siglo, consistía en que un hombre (principalmente su inventor y más afamado ejecutor, Tancredo López) se colocaba en el centro del ruedo sobre un pedestal blanco, totalmente vestido de blanco. El fin de esta suerte era quedarse completamente inmóvil, mientras se soltaba un toro «en puntas», y, si había suerte, el

---

[58] Unamuno, «El Cristo español», *op. cit.*, pág. 30.
[59] Unamuno, «Sobre la muerte de Joselito», *op. cit.*, pág. 979.

animal no embestía, creyéndolo una estatua de piedra. Pues esta misma actitud «tancredista» es la que don Miguel señala como la actitud típica del español ante el trabajo: «Lo capital es no trabajar ordenada y regularmente; lo capital es pasar trabajos sin trabajo. Todo español lleva dentro un mendigo» [60]. Ganarse la vida sin trabajar, ésta es la meta del español. En el antes mencionado escrito «Sobre la muerte de Joselito» (pág. 979), el autor, algo a la manera de Noel, expresa cierto resentimiento por el hecho de que Joselito muriera millonario, sin haber trabajado (no considera el arriesgar la vida unas horas al año como verdadero trabajo). Otros muchos, agrega, habiendo trabajado de verdad durante muchos años, viven y mueren pobres.

En varios sitios, pero principalmente en el artículo «Bárrurá, neure anájeák, bárrurá!» («¡Adentro, mis hermanos, adentro!»), se refiere nuestro autor a la exagerada afición taurina de sus hermanos los vizcaínos. En 1902, Unamuno provocó una gran protesta en su tierra natal cuando les dijo a los vizcaínos que se resignaran a la pérdida del vascuence si querían influir en el resto del país. Ahora, en este artículo de 1911, dice irónicamente que sus palabras tuvieron efecto:

> ¿Cuál es, en efecto, hoy la actividad cultural más adecuada para conquistar el alma española? El torerismo. ¿Y dónde florece con más empuje que en Bilbao? Sí; aquellos mismos ardientes bizkaitarras que protestaron de mis palabras, han abrazado mi bandera y seguido mis consejos, porque el torerismo bilbaíno es, dígase lo que se quiera, hijo de la misma madre que aquél.

Paradójicamente, sus compatriotas de la tierra chica están persiguiendo y conquistando los fines que él les propuso, pero no por los medios que él aprobaría. Y este hecho le

---

[60] Unamuno, «La 'afición'», *op. cit.*, pág. 970.

tiene a Unamuno tan perturbado y deprimido que declara
algo burlesca y a la vez resignadamente:

> ... es el caso que mis paisanos se aprestan ya a conquistar
> espiritualmente a España con palillos, estoque y muleta. Y el
> día en que lo consigan por completo depositaré esta mi ya
> vieja y cansada pluma, esta pluma que ha sido el órgano de
> expresión de mis amores a la tierra que me ha hecho lo que
> soy y a la que debo cuanto valgo, la depositaré al pie de la
> Plaza de Toros de Bilbao... [61].

Esta misma tristeza que siente al contemplar esta emper-
dernida afición de los vizcaínos a los toros encuentra confir-
mación al año siguiente en su artículo donde habla de Noel.
Se refiere a Bilbao como uno de los centros importantes de
la torería en España, que ha producido toreros de cartel
como Cocherito de Bilbao, Chiquito de Begoña, etc. Lamenta
la mentalidad que ha producido esta exaltación tauromáquica,
que es la misma que ha producido la xenofobia «bizkaita-
rresca»; esta exaltación es ya allí una especie de partido político y hasta de religión [62]. Pedro Somoza también cita unas
palabras de un artículo unamuniano (no identificado) del
año 1911, en las cuales expresa su tristeza ante este hecho
y ve en esta exaltación de los toreros vascos «una nueva forma de la vanidad regional que no acertó a orientarse en
campos más fecundos» [63].

En dos sitios distintos Unamuno asocia la afición a los
toros a las casas de prostitución y la pornografía (¡ya sabemos qué buen hombre de familia era don Miguel, de una
rectitud moral que rechazaba todo lo sensual, lo erótico y lo
donjuanesco!). Reflexiona que le han dicho que en las casas

---

[61] Unamuno, «Bárrurá, neure anájeák, bárrurá!» (1911), en *Ob.
comp.*, t. VII, págs. 963, 965.
[62] Unamuno, «La obra de Eugenio Noel», *op. cit.*, pág. 1135.
[63] Somoza, *op. cit.*, s. p.

de lenocinio hay siempre un montón de libros y revistas de toros; para él, las dos cosas son producto de una misma mentalidad [64].

También hay que mencionar el caso en que Unamuno nos expone sus ideas sobre lo que constituye la verdadera salud. Como hombre esencialmente intelectual, de mente ágil, contemplativo, no era gran amigo de los deportes, ni para sí ni para los otros (aunque le gustaba hacer largas caminatas por la carretera de Zamora). La salud auténtica, para él, se encuentra en la vida moderada (como era la suya). Creía que el atleta, el boxeador, el luchador y, por supuesto el torero, no eran, generalmente, ni muy inteligentes ni corporalmente muy sanos.

> La salud no la da el andar a trompadas, o corriendo y saltando...; ... creemos que uno de los mejores ejercicios corporales, acaso el mejor, es el de estudiar. Eso de que se pierda la salud estudiando, cuando se hace con apetito y sin ser forzado a ello, es uno de los mayores disparates [65].

El verdadero intelectual, el pensador de veras, que es lo que era Unamuno, recibe su «ejercicio» del mismo estudiar e investigar (aunque hay evidente exageración unamuniana cuando lo llama «ejercicio corporal»).

He intentado mostrar en estas consideraciones sobre Miguel de Unamuno que su punto de vista negativo sobre la propiedad o conveniencia de las corridas de toros en España es completamente consecuente con los otros elementos integrantes de su personal manera de ser y de su obra literaria en total. A pesar de sus contradicciones, excentricidades

---

[64] Unamuno, «A la carta de un torero», *op. cit.*, pág. 966. Da la misma opinión también en «La obra de Eugenio Noel», *op. cit.*, página 1136.

[65] Unamuno, «Del deporte activo...», *op. cit.*, págs. 656-657.

y su personalismo, queda como el portavoz de toda la generación del 98 en cuanto a su postura ante el tema taurino. Su influencia sobre el epígono del antitaurinismo de este siglo, Eugenio Noel, de la generación siguiente, fue considerable (como se verá en el capítulo V). En total, esta parcela muy reducida y casi ignota de la obra del gran escritor no nos ofrece grandes sorpresas, sino que confirma y solidariza nuestra impresión de su obra y de su persona, a la vez que la amplía un poco.

Dentro de esta misma generación había dos escritores, ambos no principalmente ensayistas, que siguieron la línea general del grupo, pero sólo en parte: Antonio Machado y Jacinto Benavente. Mantenían, especialmente aquél, una actitud en gran parte en contra de los toros, pero —y esto es lo que los separa de los otros— con claros indicios de una postura más comprensiva y objetiva, especialmente hacia el final de su vida.

ANTONIO MACHADO Y SU «AL-
TER EGO» JUAN DE MAIRENA

Hacia el final de su vida, por los años de 1934 al 36, el poeta Antonio Machado creó al personaje Juan de Mairena para que pudiera expresar en prosa sus opiniones sobre una variedad de materias. El portavoz, Mairena, es un sabio maestro de la Escuela Popular de Sabiduría Superior, y emplea a veces el diálogo con un alumno, a veces el aforismo, a veces la paradoja y a veces el sencillo discurrir, para poner de manifiesto las actitudes y opiniones del autor.

En cuanto al tema específico que nos interesa, hallamos mención de él primero de pasada, cuando lo utiliza para ilustrar una de las características del español en general: su no-adhesión al éxito del otro. Lo explica de esta manera:

> El español suele ser un hombre generalmente inclinado a la piedad. Las prácticas crueles —a pesar de nuestra afición a los toros— no tendrán nunca buena opinión en España. En cambio, nos faltan respeto, simpatía y, sobre todo, complacencia en el éxito ajeno. Si veis que un torero ejecuta en el ruedo una faena impecable y que la plaza entera bate palmas estrepitosamente, aguardad un poco. Cuando el silencio se haya restablecido, veréis indefectiblemente un hombre que se levanta, se lleva dos dedos a la boca y silba con toda la fuerza de sus pulmones. No creáis que ese hombre silba al torero —probablemente él lo aplaudió también—: silba al aplauso [66].

Aquí es evidente que Machado no está enjuiciando a los toros de por sí, sino sencillamente subrayando una característica general española que puede manifestarse, entre otros sitios, en el público que asiste a la plaza de toros (pero que no es *causada* por el espectáculo taurino).

Donde entra de lleno en el tema es más adelante, en el apartado XXXVI. Sus primeras palabras constituyen claramente una condena de las corridas de toros:

> Vosotros sabéis —sigue hablando Mairena a sus alumnos— mi poca afición a las corridas de toros. Y os confieso que nunca me han divertido. En realidad, no pueden divertirme, y yo sospecho que no divierten a nadie, porque constituyen un espectáculo demasiado serio para diversión. No son un juego, un simulacro...; tampoco un ejercicio utilitario...; menos un arte, puesto que nada hay en ellas de ficticio o de imaginado [67].

Muestra aquí su actitud en contra de los toros y, además, da razones de ella. Hace obrar la lógica y su capacidad de pensamiento penetrante para zambullirse por debajo del colorido, de las emociones estéticas y de las pasiones que

---

[66] Antonio Machado, *Juan de Mairena*, en *Obras completas* (4.ª edición, Madrid, Plenitud, 1962), pág. 1036.

[67] *Ibid.*, pág. 1126.

puede suscitar la superficie del espectáculo. La razón principal que da es que la corrida no es una diversión, no puede divertir, a pesar de la fachada superficial que presenta de «fiesta». Esta actitud es todo lo contraria de la de su hermano Manuel, quien interpretó poéticamente los elementos pintorescos y coloristas de la fiesta taurina en poemas como los de su libro *Fiesta Nacional; rojo y negro,* de 1906.

Pero al lado de este punto de vista negativo encontramos una posición más comprensiva, más analítica. Habla, por ejemplo, de lo misteriosa que es la tauromaquia (aun para los españoles), a pesar de ser algo tan peculiar a España, algo «tan nuestro». E insiste, de manera general, que es precisamente «lo español» aquello que se les presenta a los españoles como más extraño e incomprensible. Acaso por la cercanía y la familiaridad con el fenómeno, es, paradójicamente, más difícil para el pensador aprehenderlo. Y esto nos lleva a otro punto, según Mairena: la necesidad de intentar conocer «lo español» (afán de toda la generación del 98), de conocer antes de enjuiciar o censurar todo «lo nuestro» por el mero hecho de serlo.

> [Procuremos] estar un poco en guardia contra el hábito demasiado frecuente de escupir sobre todo lo nuestro, antes de acercarnos a ello para conocerlo. Porque es muy posible... que muchas cosas en España estén mejor por dentro que por fuera —fenómeno inverso al que frecuentemente observamos en otros países—, y que la crítica del previo escupitajo sobre lo nuestro no sólo nos aparte de su conocimiento, sino que acabe por asquearnos de nosotros mismos.

Subrayemos aquí el parecido sorprendente entre esta exhortación de Machado y la que veremos hacer a Ortega y Gasset en el capítulo siguiente (cf. nota 45). Y la semejanza es aún mayor si examinamos estas palabras de Mairena

(Machado) sobre el imperativo que tiene el pensador de investigar y de conocer primero, sea la materia que sea:

> Decíamos que alguna vez hemos de meditar sobre las corridas de toros, y muy especialmente sobre la afición taurina... Nosotros nos preguntamos, porque somos filósofos, hombres de reflexión que buscan razones en los hechos, ¿qué son las corridas de toros?, ¿qué es esa afición taurina...? Y un matador, señores —la palabra es grave—, que no es un matarife..., ni un verdugo, ni un simulador de ejercicios cruentos, ¿qué es un matador, un espada...? [68].

A primera vista parece que se podría concluir que en estas dos citas de Machado hay un antecedente o presagio de la actitud que, en general, será la de la generación siguiente. No sería lícito, creo, llegar a tal conclusión, puesto que *Juan de Mairena* fue escrito de 1934 al 36, cuando los «novecentistas» (Ortega, Pérez de Ayala y D'Ors, principalmente) ya estaban en el período de su madurez literaria. Es más: aún se podría conjeturar que Machado se hubiera dejado influir por el ambiente más teórico y objetivo de los pensadores de entonces que formaban la generación posterior a la suya.

En esta misma obra, el poeta también nos habla del significado o simbolismo de una corrida de toros y de un matador. ¿Qué son las corridas?: «Son esencialmente un sacrificio. Con el toro no se juega, puesto que se le mata, sin utilidad aparente, como si dijéramos de un modo religioso, en holocausto a un dios desconocido.» El fondo simbólico del festejo taurino, entonces, consiste en un sacrificio algo ritual y casi religioso. Es interesante y acaso significativo que dos autores del presente estudio, que son básica y mayormente poetas de fina sensibilidad, Antonio Machado

---

[68] *Ibid.*, págs. 1126-1127.

y García Lorca, ambos interpreten de esta misma manera el
espectáculo taurino. También coinciden, es lógico, en lo que
nace naturalmente de lo anterior: en su interpretación simbólica del papel que desempeña el matador. Dice Machado:
«¿qué es un matador...? Si no es un loco —todo antes que
un loco nos parece este hombre docto y sesudo que no logra
la maestría de su oficio antes de las primeras canas—, ¿será,
acaso, un sacerdote? No parece que pueda ser otra cosa. ¿Y
al culto de qué dioses se consagra?» [69]. El matador es el
sacerdote que oficia sobre el rito misterioso y religioso de
la muerte expiatoria del toro.

Machado, entonces, como todos los autores que han entrado y que entrarán bajo nuestro escrutinio, dedica una
parte casi insignificante de su producción literaria al tema
de los toros. Concuerda con la posición general de su generación en no gustar de las corridas, pero se muestra más
abierto y menos condenatorio que los otros de este grupo.

LOS DOS POLOS CONTRADICTORIOS DE LA ACTITUD DE BENAVENTE

El caso del dramaturgo Jacinto Benavente es interesante,
porque nos presenta un radical cambio de actitud hacia los
toros, desde su posición francamente enemiga de la Fiesta
durante los primeros treinta o cuarenta años de su vida literaria, hasta la tolerancia, interés y aun elogio de varios toreros durante sus últimos veinticinco años. Nunca llegó a ser
lo que podríamos llamar un «aficionado entusiasta», pero sí
terminó yendo a corridas y escribiendo muy caritativamente
sobre toreros que había visto en su juventud.

---

[69] *Ibid.*, págs. 1126, 1127-28.

En sus *Acotaciones* (1914) vemos los perfiles de su primera actitud. Se refiere a la corrida de toros como «sistema de embrutecimiento», «lamentable espectáculo, vergüenza nacional», «vicio de nuestra sangre», como fiesta «más ridícula que bárbara, ¡tan poca grandeza tiene su barbarie!» Por aquellos años parece que comparte la vehemencia condenatoria de aquel que entonces estaba plenamente dedicado a su gran campaña antiflamenquista, Eugenio Noel (mencionado de paso por Benavente en este mismo libro). Junto con su antitaurinismo, Benavente hace saltar también ideas anticlericales: censura a la Iglesia por su pasiva indiferencia (que equivale a aprobación) ante la brutalidad e inmoralidad que representan las corridas. «Diríase que [la Iglesia] todo lo teme de la inteligencia [puesto que censura y prohíbe obras literarias] y nada teme de la brutalidad. Para la inteligencia son todos sus rigores; para la brutalidad, sus más indulgentes sonrisas.» Hace también una reprobación social, criticando a las damas más notables y católicas que por cualquier pequeña razón protestan contra un periódico, un libro, un drama, etc., pero contra los toros no dicen nada. Asisten a las corridas y así autorizan con su presencia esta fiesta sangrienta, que tanto ofende a Dios y rebaja la dignidad humana [70].

Entra entonces nuestro autor en lo que es acaso su objeción principal a las corridas, que coincide con la de Noel y de Pérez de Ayala, o sea, el efecto pernicioso que tienen sobre el público. Ya hemos visto lo que dijo sobre las mujeres asistentes; el hombre aficionado, según Benavente, «es siempre un espíritu fetichista de estampitas, un retrógrado siempre. Son los que no comprendieron ni amaron nunca

---

[70] Jacinto Benavente, *Acotaciones*, XVII, XXVII, en *Obras completas*, t. VI (5.ª edic., Madrid, Aguilar, 1963), págs. 925-26, 955.

una idea si no la vieron personificada en el ídolo, en la estam-
pita milagrera». Aparte de otra insinuación anticatólica, lo
que tenemos aquí es una acusación a los aficionados como
hombres faltos de poder imaginativo, la misma «córnea imaginación de la afición» que vimos en Unamuno. El aficionado,
además, es de muy poca inteligencia. El autor va luego a una
reprobación del público en general de los toros: en la plaza
de toros, acusa,

> sólo hallan expansión los más bajos sentimientos colectivos,
> volubilidad mujeril en el juicio, parcialidad por el torero prefe-
> rido, ensañamiento hasta la crueldad con el del lado contrario...,
> envidia a los que lograron enriquecerse al horrible azar de vida
> o muerte; la cobardía del que llama cobarde, desde lugar seguro...

Éstas son solamente algunas de las cualidades negativas
del público de toros, de ese público que vilipendia a los toreros y les azuza a mayores temeridades, bajo pena de ser
llamados «cobardes»; y, cuando cae herido de muerte uno
de ellos, es el mismo público el que lo lamenta tan sentida-
mente, no dándose cuenta de que pudo haber evitado la
tragedia con sólo unas palabras de mesura y cordura. Pero
esta intervención activa de los espectadores, esta aprobación
o reprobación apasionada de lo que está haciendo o ha hecho
el matador, ¿no forma parte esencial e íntegra de la atrac-
tividad del espectáculo? Benavente contesta a esto así: «¡Pasión! Bien está apasionarse, pero como se apasionan los
hombres, no como mujerzuelas de la vida, que es el modo
de apasionarse del público de las plazas de toros.» ¿Cómo,
entonces, deben comportarse, idealmente, los asistentes a las
corridas? Benavente concibe este público ideal de esta manera:

> Con un público poseído de noble serenidad, apasionado por
> el espectáculo, pero desapasionado en sus juicios, consciente
> de su responsabilidad; aficionado, pero no enviciado; que diera

a los toros el valor que se da a un esparcimiento, no el que se
da a un sentimiento de nuestro corazón o a una idea de nuestra inteligencia, con todo esto, las corridas de toros serían un
espectáculo inofensivo, sin gran importancia ni trascendencia
para la vida nacional. Como son, deben avergonzarnos [71].

Nuestro autor ve toda una serie de malas características
presentes en este público, ¿pero es que las corridas las causan, o es que son cualidades previamente presentes en los
espectadores que vienen a la superficie, entre otros lugares,
en este espectáculo? Noel y Pérez de Ayala son otros ensayistas que se harán esta interrogación. Benavente se la hace,
reflexionando de esta manera:

> Yo no soy enemigo de las corridas de toros [¡!], entiéndase
> bien. Soy enemigo del público de las corridas de toros. Ahora:
> si son las corridas de toros las que tienen la culpa de que ese
> público exista, venga pronto el Gobierno que se atreva a con-
> cluir con ellas. Si el público ha de ser lo mismo, con o sin
> corridas, bien está esa válvula de escape y de seguridad.

Y parece concluir que en cualquier cuestión que sea problema nacional no se debe confundir lo sintomático con lo
esencial, «y así, no debe culparse a las corridas de toros como
enfermedad esencial, sino como síntoma más visible y alar-
mante de más hondo padecimiento» [72]. En suma, para Benavente el observar el espectáculo de los toros no engendra
estas cualidades nefastas del público español. La enfermedad
va más hondo; parafraseando aquellas palabras citadas de
Maeztu (cf. nota 16 de este capítulo), del «mal de España»
tienen la culpa los toros, los malos gobiernos, las masas
apáticas, toda la historia del país, y otras mil cosas más.

---

[71] *Ibid.*, págs. 927, 955-56.
[72] *Ibid.*, págs. 957, 925.

Pero cambiemos ahora a aquella otra faceta de este autor, su lado aprobatorio. Ya en un lugar de sus *Acotaciones*, que, repetimos, son del año 1914, nos da muy de pasada un indicio de su futura actitud favorable que manifestaría casi veinticinco años más tarde. Al calificar a los toros como «repugnante espectáculo», a renglón seguido, literalmente, dice lo siguiente: «He sido gran curioso suyo, nunca gran aficionado. Atentos sólo al redondel, todavía puede hallarse en él algún agrado. No niego el arte ni las bizarrías de algunos lidiadores. Y las [*sic*] admiro más en su lucha con el público que con los toros» [73]. Calificar, sin reservas, como «arte» al toreo, y admirar las «bizarrías» de algunos toreros nos parece una gran contradicción al lado de las otras opiniones vehementes que hemos citado de este mismo libro; pero, interprétese como se quiera, indica, con respecto a esta cuestión, un espíritu pensador menos tajante e intransigente (menos consecuente también) que Unamuno, más abierto a matización o rectificación. Su nueva postura positiva se expresa en sus *Memorias, Parte I (1866-1886)*. Aunque cubren en principio sólo los primeros veinte años de su vida, hay que tener presente que se escribieron el año 1937, y, por tanto, revelan más el punto de vista que tenía el autor en aquel año y no durante 1866-86.

Empieza evocando una serie de recuerdos juveniles, de cuando iba a sus primeros festejos taurinos. Dice que la primera corrida a que asistió fue en 1869 ó 1870, a los tres o cuatro años, en la vieja Plaza de la Puerta de Alcalá, de Madrid. Recuerda que dos de los diestros eran Cayetano Sanz y Frascuelo. Después, volvía a la misma Plaza para presenciar algunas novilladas. Describe su asistencia a tres corridas reales: una para celebrar el regreso de Alfonso XII

---

[73] *Ibid.*, pág. 956.

y la terminación de las guerras carlistas (1874), y dos más para festejar las primeras bodas de este monarca (1878). Recuerda los nombres de los espadas: Manuel Domínguez, Cayetano Sanz, Ángel López (el Regatero) y Frascuelo. No habla de otras corridas específicas que presenciara. Sobre el famoso Joselito, manifiesta que «... no le vi torear, porque en su tiempo [1911-20] no iba yo a los toros, por aburrimiento». Hay también una extensa sección de nueve páginas (páginas 702-10) en que habla de una serie de toreros a quienes, evidentemente, vio torear, porque da un breve juicio artístico del toreo de cada uno: Regatero, Bocanegra, Desperdicios, Curro Cúchares, Antonio Carmona (Gordito), Fernando Gómez (el Gallo), Guerrita, Frascuelo, Lagartijo, Espartero, Reverte, Cara Ancha, Juan Belmonte, Ángel Pastor, Hermosilla, Felipe García y Chicorro [74].

Es evidente, pues, que el interés de Benavente por los toros sigue una curva de altibajos; sintetizando, podemos describirla así: asiste a corridas y novilladas con cierta regularidad (pero no asiduamente) durante sus primeros treinta y cinco o cuarenta años (hasta 1905, aproximadamente); de 1905 a 1930, más o menos, se manifiesta antitaurino y no asiste (casi) a festejos taurinos; aproximadamente desde 1930 hasta casi el año de su muerte (1954) es decidido taurófilo, asistiendo a corridas y escribiendo favorablemente sobre el tema.

¿Cómo fue este interés por los toros que tuvo nuestro autor en la última parte de su vida? Para contestar esta interrogación tropezamos de nuevo con palabras contradictorias a otras suyas de esta misma obra. En una parte (página 666) dice lo siguiente: «Fiesta [la de los toros] de la

---

[74] Benavente. *Memorias. Parte I (1866-1886)*, en *Obras completas*, tomo XI (Madrid, Aguilar, 1958), págs. 663-66, 701-10, *passim*.

que he sido siempre más curioso que aficionado. Interesan-
tísima para estudiar la psicología del pueblo español.» Cita
que no revela gran entusiasmo ni apasionamiento por las
corridas, más que por su valor intelectual como escenario
donde el español despliega las características de su verdadera personalidad. Contraste el lector esa cita con estas palabras de entusiasmado elogio:

> Rafael Guerra [Guerrita], que, como entonces gran bande-
> rillero, fue después el torero más completo, el más inteligente
> que he conocido, el único que de verdad me ha divertido alguna
> vez en los toros... A los joselistas y belmontistas, a los parti-
> darios del toreo moderno, les parece exagerada mi admiración
> por el Guerra; yo puedo asegurarles que los que no han visto
> torear al Guerra... no han visto a un verdadero gran torero.

Por si esto no fuera bastante, vayan también estas palabras sobre Lagartijo:

> ...por fin, el torero se destapaba una tarde siquiera en un
> toro, tal vez en un solo momento de la lidia; pero ese momen-
> to... era uno de aquellos pares de banderillas asombrosas. Lle-
> gar paso a paso a la cara del toro, y como al desgaire, que
> más parecía para dejar caer las banderillas que para clavar-
> las, verlas clavarse enhiestas, iguales, en lo más alto, y paso
> a paso también salir de la suerte sin carreras ni saltos, como
> si en todo ello no hubiera habido el menor peligro ni el menor
> esfuerzo. La elegancia misma... Yo fui siempre frascuelista, como
> casi todos los madrileños; pero no he de negar por eso lo que
> de admirable había en Lagartijo, cuyas largas y cuyos pares de
> banderillas eran de lo más perfecto que yo he visto en el arte
> de torear [75].

¿No revelan estas dos citas una auténtica exaltación y
adhesión fervorosa a la actividad y el individuo bajo consi-

---

[75] *Ibid.*, págs. 666, 704-05, 706-07.

deración? A nosotros nos parece que sí; es más: aún se divisa
cierta nota de alabanza exagerada y desbordante que sólo se
encuentra en el típico cronista taurino o en el más acendrado aficionado partidario de algún torero. Aunque no quisiera
aceptar la denominación, Benavente era «aficionado» a los
toros durante este período.

Para acabar con nuestra consideración de este autor, dos
notas breves e interesantes. Para mostrar que su interés
en los toros continuó hasta casi el final de su vida, tenemos
como prueba un artículo que escribió para el diario *A B C*
(23 de agosto 1950), de título «De toros y toreros». Habla
aquí objetivamente de la competencia entre Lagartijo y Frascuelo (y declara que en aquel tiempo él era frascuelista), y
menciona a El Guerra y a Joselito, todo con tono algo nos-
tálgico, pero sin intención marcadamente negativa ni positiva
hacia la Fiesta [76]. En la obra enciclopédica *Los toros* (no la
de Cossío), se reproduce una foto curiosa que muestra a
Benavente con Joselito a un lado y Rafael (el Gallo) al otro,
presenciando una corrida desde un asiento de barrera. Los
autores le llaman «taurófilo» y reproducen también un autó-
grafo suyo que dice lo siguiente: «Pablo Lalanda es de los
pocos toreros que aún hacen faenas adecuadas a las condiciones del toro, lo que no siempre sabe apreciar el público
de ahora...» [77]. Son dos muestras que subrayan, una vez más,
su afición e interés por el tema de los toros.

---

[76] Benavente, «De toros y toreros», en *Ob. comp.*, t. IX (Madrid,
Aguilar, 1958), pág. 914.

[77] Antonio Abad Ojuel y Emilio L. Oliva, *Los toros* (Barcelona,
Argos, 1966), pág. 338. Cossío, en *Los toros* (t. IV, pág. 524), dice de
Pablo Lalanda que se vistió de luces por primera vez en 1943 y tomó
la alternativa en 1950. En 1951 sólo toreó siete corridas, y nunca pudo
recuperar su cartel.

LA EXCEPCIÓN A LA REGLA
GENERAL: VALLE - INCLÁN

El único miembro de la generación del 98 que se nos presenta con matiz de claro admirador de la fiesta de los toros es Ramón del Valle-Inclán. Pero hay que aclarar que es desconocida su actitud hacia los toros durante sus años de formación y de sus primeras publicaciones de importancia. Y aun durante su período de entusiasmo por el espectáculo (por lo menos desde 1915 ó 1920), no escribió nunca línea alguna (que sepamos), en prosa ensayística, sobre el tema. Aparte de alguna descripción esperpéntica y el uso de vocabulario taurino en las novelas de *El Ruedo Ibérico*, sólo sé de unas referencias a los toros que hace el personaje don Estrafalario en el «Prólogo» del esperpento «Los cuernos de don Friolera», parte de *Martes de Carnaval*. Haciendo una serie de reflexiones críticas (expresando, sin duda, el punto de vista del autor), habla del estado del teatro español, diciendo:

> La crueldad y el dogmatismo del drama español solamente se encuentra en la Biblia. La crueldad sespiriana es magnífica, porque es ciega, con la grandeza de las fuerzas naturales. Shakespeare es violento, pero no dogmático. La crueldad española tiene toda la bárbara liturgia de los Autos de Fe. Es fría y antipática. Nada más lejos de la furia ciega de los elementos que Torquemada: es una furia escolástica. Si nuestro teatro tuviese el temblor de las fiestas de toros, sería magnífico. Si hubiese sabido transportar esa violencia estética, sería un teatro heroico como la Ilíada. A falta de eso, tiene toda la antipatía de los códigos, desde la Constitución a la Gramática.

Estas palabras citadas de este esperpento, que es de 1921, muestran una clara actitud de valoración positiva de un elemento básico del toreo: la auténtica emoción dramática, su particular «violencia estética». Dice también don Estrafalario, en otra parte, concordando exactamente con un punto que veremos tocar a Pérez de Ayala en su *Política y toros*, que los espectadores demasiado sentimentales del público de los toros que se ocupan del dolor que ellos mismos sienten al observar la agonía de los caballos y de los toros, nunca serán capaces de apreciar la más alta emoción de la lidia, la emoción estética [78].

Puesto que no hemos podido encontrar textos ensayísticos de Valle sobre las corridas o sobre su afición a ellas, hay que acudir a la excelente biografía sobre el autor que escribió en 1944 Ramón Gómez de la Serna. Según éste, uno saca la impresión de que el interés que Valle-Inclán tenía por los toros era más bien una «afición» o gran admiración personal por uno de sus practicantes: Juan Belmonte. Citemos estas elogiosas palabras de Valle sobre el torero y sobre su profesión:

—Los toros son la única educación que tenemos... Y una corrida de toros es algo muy hermoso. Por ejemplo, hay que admirar el tránsito: Juan Belmonte. Juan es hombre pequeño, feo, desgarbado, y si se me apura mucho, ridículo... Pues bien, coloquemos a Juan ante el toro, ante la muerte, y Juan se convierte en la misma estatua de Apolo. Los griegos no nos dejaron mejor escultura... que la que representa Belmonte en la plaza, prendido en el aire, junto a un toro bravo. Desde hace muchos años repito en mis clases de Estética que el verdadero artista se caracteriza por esa armonía de contrarios. Eso lo da Belmonte mejor que ningún otro artista. Y no se puede comparar esa maravillosa transfiguración con nada... Pero los llo-

---

[78] Ramón del Valle-Inclán, «Prólogo» a «Los cuernos de don Friolera», en *Martes de Carnaval* (Madrid, Espasa-Calpe, 1930), págs. 75, 68.

rones oficiales nos están arrebatando el valor categórico de nuestra fiesta [79].

Desde un punto de vista esencialmente esteticista, Valle-Inclán nos ha hecho aquí un análisis bien positivo y sin reservas del arte de Juan Belmonte. Y fijémonos en sus palabras finales: censura irónicamente a los denigradores de la Fiesta y afirma «el valor categórico» de la tauromaquia. ¡Un juicio más a favor de los toros no se podría pedir!

Por supuesto, no podía faltar en esta biografía la transcripción de los típicos comentarios y anécdotas algo «estrafalarios» de que Valle era protagonista. En un lugar, el autor gallego mantiene que el público no sabe nada de toros (actitud que podemos suponer la tuvieran otros ensayistas); pero luego extiende su aseveración, diciendo que los críticos tampoco saben del tema, y que los toreros, ¡menos aún que éstos! Para llegar a la última exageración, confiesa que está por decir «que el único que entiende de toros es el toro». También incluye el libro aquella graciosísima anécdota sobre lo que Valle le dijo a Belmonte, después de una corrida en que éste había toreado estupendamente, que transcribimos a continuación:

> —¡Muy bien, Juan!... ¡Haz eztado magnífico! Ez zencillamente eze tu toreo, en el que zacando chizpaz zublimez de tu mizeria fízica, te fundez de tal forma con el toro, que no llega a zaberze dónde acaba el hombre y dónde comienza la fiera... Zólo falta que un día, zuperándote en el zentido y en la calidad de tu toreo trágico, haciendo honor al fanatizmo delirante que por ti tiene la afición, y zobrepazando loz contornoz de tu tranzfiguración humana hazta lo divino, te quedez quieto y en vez de rematar la zuerte con un molinete, zea el toro quien la

_____

[79] Ramón Gómez de la Serna, *Don Ramón María del Valle-Inclán* (3.ª edic., Madrid, Espasa-Calpe, 1959), págs. 182-83.

remate, clavándote un azta en el corazón. Azí, en la eztampa ya no podrán zepararze nunca máz toro y torero, como ze zeparan cada tarde de toroz, dezpuéz de la mágica zuerte de capa.

Belmonte, que le había escuchado meditativo y con los ojos bajos, sólo dijo al final:

—¡Don Ramón, ze hará lo que ze pueda! [80].

RESUMEN DEL PUNTO
DE VISTA GENERACIONAL

Hemos recorrido, pues, las actitudes y opiniones hacia el tema de las corridas de toros de los distintos componentes de la generación del 98. Para decirlo sucintamente, podemos generalizar y hacer la afirmación de que no miraron de manera favorable este espectáculo y la afición que le tenían los españoles. A pesar de las múltiples diferencias estilísticas, ideológicas, personales, etc., entre ellos mismos, había cierta concordancia espiritual en cuanto a su programa que era, por lo menos en los primeros años del grupo, su preocupación por la desafortunada realidad nacional española. Los afanes regeneracionistas de sus años juveniles eran nota común de todos ellos, con distinta intensidad en cada uno. Esto era porque el desastre nacional de 1898

significaba el *horizonte* de sus vidas, el factor condicionante de sus proyectos vitales. En cierto sentido, tendrían que imaginar y proyectar sus vidas 'desde ahí', y por eso estuvieron hechas de esa sustancia, entretejidas con la preocupación nacional desde su comienzo mismo... [81].

---

[80] *Ibid.*, págs. 183, 165-66.
[81] Marías, *Ortega I...*, pág. 65.

Puesto que la afición a los toros y la celebración de corridas era un detalle integrador de la vida nacional que estaba a la mano, que se podía observar fácilmente cada día en Madrid, fue uno de los elementos subrayados por estos jóvenes noventayochistas como contribuyente a las malas condiciones en que se encontraba el país. Como toda verdadera «generación», ésta (por lo menos al principio) quería romper completamente con el inmediato pasado español, al cual reconocía como caduco y causante del «problema de España». Es lógico, entonces, que no estuvieran favorablemente dispuestos a esta costumbre, que ellos consideraban atávica y en desacuerdo con el moderno espíritu europeo, y tampoco favorables a los efectos perniciosos que las corridas causaban, según ellos podían observar, en el público. Los toros representaban la frivolidad y la superficialidad, la España falsa e inauténtica; y, precisamente, lo que significaba el 98 —recurriendo de nuevo a palabras de Julián Marías—, era

la patentización de la inanidad de los supuestos básicos de las generaciones anteriores, el descubrimiento de la falsedad en que se había fundado la vida española, bajo una película de apariencias favorables. En otros términos, el 98 no es, a estos efectos, más que el *revelador* que muestra cuál era la situación real de España; a partir de entonces, sólo se podrá vivir con *autenticidad* reconociéndolo y, por tanto, iniciando una época nueva [82].

Esta «época nueva» vendrá con la generación siguiente, los llamados «novecentistas». Ellos, con Ortega a su cabeza, continuarán y harán notables progresos en la tarea iniciada por los noventayochistas: la toma de conciencia sobre la esencia auténtica de España y el aprovechamiento de las modernas corrientes del pensamiento europeo.

---

[82] *Ibid.*, pág. 66.

CAPÍTULO IV

EL CAMBIO DE ACTITUD DE LOS «NOVECENTISTAS» O «HIJOS DEL 98»

Igual que vimos con la del 98, esta generación o grupo presenta ciertos problemas en cuanto a la heterogeneidad ideológica y estilística de sus miembros y, como consecuencia, la dificultad de determinar exactamente quiénes se deben incluir en el grupo. La honda preocupación por el problema de España, llevada a su cumbre por los del 98, todavía está presente y será uno de los temas de estos jóvenes, pero el desastre de 1898 y sus consecuencias inmediatas es ya un hecho histórico, del pasado, y no tan apremiante como fue para los de la generación anterior. Los de este nuevo grupo son los nacidos entre 1881-88, y que llegaron a la luz de la vida pública alrededor de 1910. Para el tema que aquí nos interesa, vamos a considerar como núcleo de la generación, en primer lugar, a Ortega y Gasset, y, en segundo lugar, a Pérez de Ayala. La próxima periferia la constituyen Eugenio d'Ors y Gregorio Marañón; de menos importancia, para nosotros, son Américo Castro, Madariaga y Luis Araquistáin.

¿Cuáles constituyen algunas de las diferencias básicas entre estos novecentistas y los del 98? Julián Marías carac-

teriza a la generación del 98 como claramente «eliminatoria
y polémica», porque quería desechar todo lo anterior y renovar (e innovar) desde el fondo. La generación siguiente
—continúa Marías (utilizando terminología orteguiana de
El tema de nuestro tiempo)— fue, a la vez, eliminatoria y
cumulativa: lo primero respecto al pasado no inmediato
(la Restauración y todo el siglo XIX), y lo segundo, respecto
a la generación anterior, la del 98. «Hace, pues, un gesto
de *continuidad*, pero que consiste en *continuar la discrepancia* y con ella la innovación». Por debajo de las diferencias
que pueden separar a sus miembros, entre los del grupo
hay, no obstante, cierta coherencia histórica, cierta «comu-
nidad de 'altitud'», como la llama Marías. Mientras lo caracterizador de la generación del 98 era su orientación estética
o «temple literario», el rasgo básico de los «hijos del 98» es
«lo que se podría llamar la actitud teórica. Todos ellos, desde diversos puntos de partida, desde la lírica o la filología
o la erudición o la política, tienden, a la larga al menos, a la
teoría...»[1].

Teniendo en cuenta aquella caracterización de Marías,
de que este nuevo grupo es «eliminatorio y cumulativo», con
respecto a los del 98, a primera vista nos puede parecer que
la actitud generacional de los novecentistas hacia el «problema de España» no difiere mucho de la de los noventayochistas. Si el punto de arranque es más o menos el mismo, ¿en
qué difieren, pues, en su esencia, las dos generaciones? Pedro
Laín Entralgo se plantea esta cuestión en su penetrante obra
España como problema, y la resuelve diciendo lo siguiente:

> Es verdad. El punto de partida no es muy diferente. Pero
> el camino espiritual de un hombre no depende sólo de su pun-
> to de partida; depende también de quién y de cómo es él. Los

---

[1] Marías, *ibid.*, págs. 141, 144.

jóvenes que entre 1895 y 1900 ascienden al primer plano de nuestra vida intelectual... son en primer término literatos, soñadores, solitarios, hombres de intuición poética. Los mozos de la generación siguiente, hablen por oficio como literatos o como profesores, serán hombres claros, reflexivos, sociales, afirmados del rigor intelectual... Todos, por diversos que sean en pensamiento y biografía, son hombres de mente clara, almas que prefieren el concepto limpio a la oscura intuición [2].

He aquí, creo, la clave que nos facilitará entender el porqué del cambio de posición básica hacia los toros de una generación a la otra. Por múltiples razones históricas y ambientales, los novecentistas reflexionan más, razonan con mesura sobre los aspectos posibles de un problema o cuestión; son más sociales, toman en cuenta las «circunstancias», por plebeyas que sean, que les rodean; son menos combativos y más sesudos, sosegados y transigentes en su pensamiento. Que nadie tenga la impresión de que todos estos pensadores y escritores de la nueva generación abracen sin reservas la fiesta de los toros y se hagan aficionados entusiastas. Lo que encontramos, aun en los que simpatizan con ella, es más bien análisis y reflexión racionales que alabanza desaforada y fuerte entusiasmo partidario.

LA AMBIVALENCIA FUNDAMENTAL DE PÉREZ DE AYALA

Consideremos primero al de menor importancia entre los dos ensayistas que forman el núcleo de este grupo. Ramón Pérez de Ayala resulta ser el primer nacido (1881) de estos «hijos del 98» que vamos a estudiar. Como especie de pró-

---

[2] Pedro Laín Entralgo, *España como problema* (3.ª edic., Madrid, Aguilar, 1962), pág. 652.

logo que esclareciera su personalidad literaria e intelectual,
nada mejor que esta magistral caracterización de Madariaga,
cuyos elementos se relacionan muy fácilmente con lo que
veremos decir a Ayala sobre los toros:

> Hombre culto, moderno humanista, posee un sentido sinté-
> tico de la historia y una *comprensión serena* del mundo y de
> la vida. Su actitud favorita es la del *espectador*... su espíritu
> se abre a todos los vientos y es transparente para *todas las luces
> que emanan de la realidad*...
> Esta crítica [suya], la verdadera, viene a reducirse al cotejo
> del *arte con la vida*, y en último término reposa sobre la psico-
> logía. Ayala es un *psicólogo consumado*, escritor nunca tan feliz
> como cuando, dejándose ir por su pendiente natural, analiza los
> *fondos psicológicos* de obras, personas y sucesos [3].

Esta receptividad suya a todas las manifestaciones de la
realidad circundante, su análisis psicológico de ellas y su
afán, ante todo, de comprender, le conducen al estudio del
fenómeno de las corridas de toros.

En primer lugar, por lo insólito del tema tratado por un
ensayista de categoría, justifica su estudio declarando, como
hemos visto, que la tauromaquia es una institución española
fundamental. También a manera de justificación, en otro
lugar discute a los cinco grandes toreros de entonces (1915-
18), y dice que su fama y arraigo en la opinión popular es
mucho mayor que la de cualesquiera otros ciudadanos (con
las posibles excepciones de Maura y Romanones), y añade:
«Se explicará ahora el lector que yo conceda tanto espacio
y atención tan prolija a las corridas de toros» [4].

---

[3] Salvador de Madariaga, *De Galdós a Lorca* (Buenos Aires, Sudamericana, 1960), pág. 117. Los subrayados son míos.
[4] Ramón Pérez de Ayala, «Cinco grandes españoles...», en *Política
y toros*, libro I (1918), en *Obras completas*, t. III (Madrid, Aguilar,
1963), pág. 805.

Pero su interés por la fiesta taurina no es de una sola pieza, no es sólo aprobación de ella. Por esta razón, tenemos que recalcar, desde el principio, que hay una ambivalencia o bipolaridad básica en su postura hacia los toros. No es una vacilación o inseguridad, ni un cambio de posición por evolución de su pensamiento a través de los años, como en el caso de Benavente, sino una bifurcación básica, hasta las raíces, que debe tener en mente el lector durante todo nuestro examen de las palabras que dedica al tema de la Fiesta. Casi al principio del Libro I de su *Política y toros* (1918), el mismo autor nos lo explica:

> De mi afición no se ha de inferir que no puedo tocar desapasionadamente este tema. Si yo fuera dictador de España, suprimiría de una plumada las corridas de toros. Pero, entretanto que las hay, continúo asistiendo. Las suprimiría porque opino que son, socialmente, un espectáculo nocivo. Continúo asistiendo porque, estéticamente, son un espectáculo admirable y porque individualmente, para mí, no son nocivas, antes sobremanera provechosas, como texto en donde estudiar psicología del pueblo español [5].

Se confiesa el autor aficionado a los toros, pero, como típico pensador novecentista, proclama su objetividad al tratar el tema. La división es completa: a favor de los toros

---

[5] Pérez de Ayala, «Los toros», *ibid.*, pág. 765. José Bergamín, en su artículo «La emoción del toreo», en *Índice*, julio-agosto-septiembre 1958, pág. 29, habla del encanto mágico del toreo, cuya maravilla se rompe cuando ocurre la cogida, precipitándonos en una reacción de horror. «Pues estos extremos del *horror* y la *maravilla* emocionales —explica Bergamín— son de idéntica naturaleza. Se comprende por eso cómo las corridas de toros puedan ser justamente exaltadas o denigradas según el estado de conciencia de quien las percibe. Y que aun para quienes participan en su prodigiosa magia total sean objeto de repudio ético o sociológico racionales, como sucedía, por ejemplo, al escritor Ramón Pérez de Ayala.» Es una posible explicación de la ambivalencia radical de nuestro autor.

cuando se trata de sus relaciones personales con el espectáculo, del cual saca emociones estéticas y ve valores estéticos, y que también le ofrece oportunidad de ejercitar su
análisis psico-sociológico sobre el público; decididamente en
contra de las corridas cuando se trata de sus efectos perniciosos sobre el público espectador.

¿Por qué son nocivas las corridas para el público? ¿Qué
malos efectos causan en él? En primer lugar, Pérez de Ayala,
poniendo a la vista su preferencia por la penetración psicológica de los fenómenos, nos explica el gran provecho que
se puede sacar del estudio del público que asiste a las plazas
de toros. En las diversiones populares como la corrida de
toros es donde el hombre medio «se muestra al desnudo, sin
fingimiento, en la espontaneidad de su temperamento y en
el secreto de sus intenciones...». Y allí, cree el autor, se
puede mejor estudiar la psicología de las muchedumbres
españolas, se puede determinar el verdadero carácter del
pueblo[6]. ¿Por qué, pues, son nocivas las corridas para el
público? El autor resume sus razones en tres, las primeras
dos tocantes a la perversión de la justicia:

> 1) En las corridas de toros el pueblo aprende y se habitúa
> a conducirse... con mofa y escarnio, ante la autoridad justa
> o inofensiva; con debilidad, ante la autoridad arbitraria o
> abusiva... 2) En los toros se practica la justicia impulsiva. Y
> la justicia debe ser reflexiva... 3) Otro mal que se origina en
> las corridas de toros es el vicio, tan español, de discutir inter-
> minablemente sobre asuntos y cosas que no admiten discusión[7].

Estas cualidades negativas del público de toros no tendrían grandes repercusiones si estuvieran confinadas a las
plazas de toros, pero, en realidad, sus efectos se desparra-

---

[6] Pérez de Ayala, «Prólogo» a la 1.ª edición, *ibid.*, pág. 840.
[7] Pérez de Ayala, «Política y toros», *ibid.*, pág. 811.

man a todas las otras esferas de la vida social y política
españolas.

En efecto, mantiene Pérez de Ayala, esta particular psicología taurina se difunde por toda la vida española. ¿Pero
es que hay tantos aficionados para causar esto? No; es que,
sencillamente, el público español, el de cualquier espectáculo
o reunión, *es* el público de toros; el público español en cualquier parte posee las mismas características del público de
las plazas de toros. Encontramos una ilustración de esto
cuando el autor nos proporciona un ejemplo de esta «psicología taurina» en el campo de la política:

> Esa especie de neutralidad marmórea [en cuanto a la Prime-
> ra Guerra Mundial] en ningún caso es posible, y menos en el
> caso de España, cuya psicología política es ni más ni menos que
> un producto de las plazas de toros. El dividirse en dos enco-
> nados partidos, por los aliados y por Alemania, el vocear, el
> discutir, el apasionarse, el imprecar, el zaherir, nada de ello
> debe dar que temer al Gobierno. Cuando un joselista y un
> belmontista polemizan, a dos dedos del pugilato en apariencia,
> no quiere decir que en la primera corrida se echen al ruedo
> a bregar por su ídolo y aliñarle el toro. El pueblo español está
> acostumbrado a ver los toros desde la barrera, a camorrear
> en los tendidos, y de aquí no pasa... No pienso que haya nin-
> gún español partidario de la intervención armada en la guerra
> europea [8].

Veamos ahora, específicamente, los rasgos psicológicos
que diferencian al público español (público de toros) de los
otros países civilizados, en opinión de Ayala. En primer lugar,
el público español se caracteriza, sobre todo, por su «ignorancia vanidosa». El público en todas partes está falto de
inteligencia (respecto a lo que está observando), pero, mien-

---

[8] Pérez de Ayala, «Don Tancredo», en *Pequeños ensayos* (Madrid,
Biblioteca Nueva, 1963), pág. 59.

tras que los públicos de los otros países lo reconocen y, por consecuencia, son respetuosos, el de España no lo reconoce; cree que se lo sabe todo, y va a juzgar, «se figura estar, con respecto al actor, en una relación de superioridad y magisterio...». Cada individuo de la concurrencia cree que posee la última y la única cátedra; su actitud se condensa en esta afirmación: «El público soy yo.» Es el mismo individualismo exclusivista de que nos habló Ganivet en su *Idearium español*: el hecho de que cada español parece andar siempre como si tuviera en su bolsillo una constitución de un solo artículo: «Estoy autorizado para hacer lo que me dé la real gana.» En fin, el público español —fuera y dentro de los cosos taurinos— se tiene por infalible siempre; «La ignorancia no estriba tanto en el ignorar, cuanto en el ignorar que se ignora» [9].

Pero Pérez de Ayala concluye que el espectáculo de los toros *no tiene la culpa* de que el carácter del público español sea así:

> Lo que ocurre es que en los toros, espectáculo sobremanera apasionado, se descubre constantemente al desnudo el carácter español... En ninguna parte como en los toros cabe estudiar la psicología actual del pueblo español [10].

Coincide en esta opinión con la que hemos visto expresar a Benavente en nuestro capítulo anterior (cf. nota 72 del capítulo III).

---

[9] Pérez de Ayala, «El público», en *Política y toros*, libro I cit., páginas 821, 823, 826-27, 830.

[10] *Ibid.*, págs. 830-31. En otra parte del mismo libro («Política y toros», pág. 811) confirma esto de que los toros no tienen la culpa con estas palabras más directas: «¿Son los toros la causa de nuestra barbarie e insensibilidad, en suma, de nuestra decadencia, como quieren algunos de sus detractores?... Nuestra decadencia histórica y las corridas de toros son, en mi sentir, fenómenos independientes.»

Pérez de Ayala se mete también con el tan discutido tema de los orígenes de la tauromaquia y del toro bravo de lidia. Consecuente con su general manera de proceder con todo el tema de los toros, no intenta defender tal o cual tesis, sino que estudia las distintas posibilidades adelantadas y las quiere comprender. Primero, se plantea la primera cuestión importante: ¿de dónde procede el toro bravo; cómo es que sólo se halla en la Península Ibérica? Estudia y luego rechaza la tesis rebuscada y poco científica que Estébanez Calderón propone en su obra *Escenas andaluzas* (de que el toro bravo fue originalmente el común y domesticado, que escapó a los bosques deshabitados y llegó a perder su domesticidad); expone entonces, sin juzgar, la hipótesis de Cossío (de que el toro de lidia desciende directamente del *urus*)[11]. En cuanto al origen de las corridas, resume la tesis del origen árabe, defendida por Moratín (padre), y la del origen cristiano y español, sostenida por Estébanez Calderón. No se declara partidario decidido de ninguna de las dos, pero parece inclinarse vagamente hacia la posición de éste. Dice algo enigmáticamente:

> Si la admitimos y damos fe [a la tesis de Estébanez], hemos de declarar que el nacimiento de la fiesta de toros coincide con el nacimiento de la nacionalidad española... Así, pues, las corridas de toros... son una cosa tan nuestra, tan obligada por la naturaleza y la historia como el habla que hablamos[12].

Por último, subraya que, sea lo que sea el primitivo origen de la tauromaquia, lo importante, a los efectos éticos y estéticos del toreo, es el hecho histórico de que durante nueve siglos (del IX al XVII) el toreo fue un ejercicio caballe-

---

[11] Pérez de Ayala, «A propósito de toros», en *Política y toros*, libro II (escrito después de 1943), *ibid.*, págs. 1254, 1258.
[12] Pérez de Ayala, «Los toros», *ibid.*, libro I, págs. 768-69.

resco, en el que se exigía «triple prueba de nobleza y limpieza de sangre: la del toro, la del caballo y la de caballero» [13].

Otro tema que abarca nuestro autor es el de los detractores de la Fiesta. Al empezar a explicar por qué, por la misma naturaleza fuerte y algo cruel del espectáculo, hay siempre censores de él, nos da su particular definición de qué es una corrida de toros:

> La fiesta de los toros es una aleación de hermosura sensual para los ojos y de emociones recias para nervios, corazón y pulmones, y como quiera que toda emoción intensa se produce necesariamente como consecuencia de un hecho temeroso, insólito o brutal, de aquí que las corridas de toros hayan tenido sus detractores..., quienes vituperan este espectáculo precisamente a causa de su brutalidad.

Vemos de nuevo cómo toma los elementos emocionales y los analiza con el fin de comprender cómo puede también causar repugnancia el espectáculo. Hace luego un resumen de algunos españoles que habían censurado a los toros; un detalle interesante y, creo, intencional, es que menciona a Lope, Clavijo y Fajardo, Isabel la Católica, Felipe II, Góngora, Rodríguez Marín y Jovellanos, pero no a Eugenio Noel, a pesar de que en aquel año (1918) éste estaba en el apogeo de su difundida campaña antitaurina. Sin embargo, me parece que alude claramente a Noel cuando dice: «Hoy en día a los apóstoles antitaurinos nadie les toma en cuenta, ni para mal ni para bien.» [14]. Si es que en realidad se está refiriendo aquí a Noel, se entiende muy bien cómo se quejara éste en su obra del mal trato y del olvido que recibía de los literatos afamados de entonces.

---

[13] Pérez de Ayala, «El toreo caballeresco y el toreo a pie», *ibid.*, libro II, pág. 1265.

[14] Pérez de Ayala, «Apologistas y detractores», *ibid.*, libro I, páginas 780, 785-86.

Hablando de los apologistas y los impugnadores de la corrida, veremos a Pérez de Ayala manifestar de nuevo su radical ambivalencia hacia el tema. Aquí se identifica personalmente no con un bando ni con el otro, sino con los dos:

> ... si frecuento los circos, es tanto por estudiar sociología española cuanto porque me placen las corridas, sin disimular que hay en ellas bastante que me repugna. Estoy en parte conforme así con los panegiristas como con los detractores de nuestra fiesta nacional [15].

Como en casi todos sus juicios, es aquí el razonamiento, el pensamiento lógico y el término medio lo que impera.

Los varios tipos de emoción presentes en la corrida y la estética del toreo son temas fundamentales a una discusión de los toros como arte. Y quedemos en claro sobre una cosa: nuestro autor considera el toreo como un arte, igual que la pintura, la escultura, la danza, la música, etc.; sobre este punto no hay discusión para él. Las diversiones humanas (que incluyen a las artes) son, *a priori*, actividades no esenciales a la vida del ser humano. Divertirse es distraerse, apartarse de la vida normal, perder y matar tiempo; es jugar y, hasta cierto punto, es hacer creación artística. Y, según Ayala, cualquier diversión será más divertida, más rica, mientras más elementos, y éstos de más complejidad, la compongan. Entran en los toros toda una gama de elementos que

> hacen esta fiesta sobremanera estimulante, fascinadora, a modo de ebriedad. Unos, de orden sensual y estético: la luz, el color, el movimiento, la plástica de las actitudes, la gallardía de los lances, la musicalidad del conjunto. Y otros, los más importantes, de orden elemental humano: el entusiasmo, la angustia, el terror, la muerte, en suma, los caracteres de una tragedia de verdad [16].

---

[15] Pérez de Ayala, «Política y toros», *ibid.*, págs. 810-11.
[16] Pérez de Ayala, «Generalidades», *ibid.*, págs. 808-09.

Hay, entonces, en el espectáculo de los toros, dos clases distintas de complejidades emocionales: una, la más compleja y rica en asociaciones, los elementos estéticos o estilísticos; la otra, las emociones simples, que estriban en la presencia del riesgo auténtico, el verdadero y no fingido juego con la muerte, las cuales pueden ser percibidas fácilmente por todo espectador. Para Ayala, existe una clara jerarquía entre estos dos grupos: la emoción estética (o del «estilo») es la más alta y la de más valor, y está por encima de las consideraciones éticas; consiste en «... sabor, gracia, qué sé yo; un *quid divinum* que hace que las corridas de toros, además de ser repugnantes, bárbaras y estúpidas, sean bellas» [17]. (De nuevo notamos esa bipolaridad básica suya.)

¿Qué tipo de arte es el toreo? ¿Qué parecidos y diferencias tiene con las otras artes? Todas las artes se pueden dividir en dos categorías: espaciales son, por ejemplo, la pintura, la escultura y la arquitectura; las temporales son la música, la danza, etc., y, por supuesto, el toreo. Para el goce artístico de estas últimas, declara nuestro autor, hace falta para el espectador la ilusión de que asiste o colabora en el misterio del momento de su creación. Pero es sólo una ilusión, porque no podemos presenciar nunca directamente el acto de creación totalmente improvisada de la obra artística «como no sea en un solo arte, el arte de los toros. Éste es el único arte estrictamente temporal... Es un arte viviente, en vivo, por la razón de que... la obra de arte es el propio artista...» [18]. La técnica del toreo puede ser aprendida y perfeccionada, pero la creación artística el torero tiene que improvisarla y adaptarla a las condiciones particulares de cada

---

17 Pérez de Ayala, «Cinco grandes españoles...», *ibid.*, págs. 800-802.
18 Pérez de Ayala, «Artes espaciales y temporales», *ibid.*, libro II, página 1276.

toro que lidia; aquí no puede haber «programa» previamente
ensayado y luego realizado delante del toro (y del público).
Igual que hay una bipolaridad en la actitud básica del autor,
también la hay entre las artes espaciales y las temporales.
Lo explica Ayala así:

> En el polo del arte espacial está la escultura. La emoción
> esencial de la escultura consiste en la tragedia de la inmovi-
> lidad... Y en el polo del arte temporal está la tauromaquia.
> Pero el arte de los toros (como la danza) en cada uno de sus
> momentos delata otra apetencia desapoderada y nostalgia infi-
> nita: la de la perfección inmóvil de la escultura... El toreo ideal
> [el de Belmonte]... es la escultura dinámica en movimiento.
> Así como la escultura ideal es otra contradicción en principio:
> es la afluencia de movimientos en remanso [19].

Su análisis aquí del toreo como el arte temporal por excelencia, y sus palabras antes sobre la estética de los toros,
dejan claramente al descubierto el hecho de su postura generalmente (pero no totalmente) favorable al espectáculo.

En el antepenúltimo párrafo dijimos que, según Ayala,
las emociones estéticas de la corrida están por encima y en
gran parte amortiguan las consideraciones éticas negativas.
Dejemos que el autor desarrolle un poco más esta consideración. Hace hincapié en el hecho de que el toreo, al trans-
formarse de un ejercicio caballeresco de a caballo en toreo
de a pie, en el siglo XVIII, retuvo los esenciales caracteres
de caballerosidad de su primitiva forma. Seguía siendo el
toreo una especie de «paso honroso», donde el torero debía
poseer el valor de no retroceder, de no «enmendarse». Ésta
es, precisamente, la esencia de la ética de los toros para
Pérez de Ayala. La ética, en términos generales, «reside en
la esfera interior de los motivos»; se define

---

[19] Pérez de Ayala, «Escultura y tauromaquia», *ibid.*, pág. 1278.

en el alma del hombre cuando como finalidad última de su
conducta son superados esos motivos imperiosos [conservación
del individuo y propagación de la especie], de común naturaleza con los animales, por motivaciones de calidad superior,
desinteresada y... literalmente sobre lo natural. He aquí la
esencia de la motivación ética, como también de la emoción
estética; el desinterés, el desasimiento o renunciamiento inte-
riores de todo bajo motivo biológico y apetencia egoísta.

Se funden, entonces, el núcleo esencial de la ética y el de la
estética; las dos existen sólo después de satisfacer el hombre
sus necesidades ineludibles (y casi instintivas) de conservación propia y de propagación; las dos son preocupaciones
«de lujo», al margen de la vida o «extra». Esta ética del ruedo
es la ética del honor, del «salir bien», sin deshonrarse mos-
trando cobardía; en el torero se funde de lleno con la estética: no puede crear verdadera belleza y arte con el toro sin
mantener su «ética del honor», su «sacrificio desinteresado
de la propia vida» [20].

Hablando específicamente de la moralidad de las corridas, nuestro autor no niega su crueldad («sería inepto negar
su crueldad. Cruel es la vida misma y la naturaleza toda...»),
pero luego, a manera de intento de su justificación, va por
la tangente que, a nuestro parecer, «esquiva el bulto». He
aquí lo que dice:

> En efecto, una persona bien organizada sufre del ajeno su-
> frir. Pero... una cosa es sufrir con el ajeno dolor, por simpatía
> humana, lo cual distingue a las personas verdaderamente pia-
> dosas, y otra cosa, no ya diferente, sino opuesta, es rehuir la
> presencia e ignorar la existencia, o bien exigir la ocultación del
> dolor humano no por humana simpatía hacia él, antes bien,

[20] Pérez de Ayala, «El toreo caballeresco...», *ibid.*, págs. 1266-67;
«La crueldad de las corridas», *ibid.*, págs. 1270-71; «La ética y los toros», *ibid.*, págs. 1274-75.

por egoísmo... Muchas instituciones de beneficencia, frías, mecánicas, mantenidas a cuidado y sin caridad, obedecen a esa inclinación egoísta de esconder las miserias ajenas, por no tener que verlas, estragando el goce de la vida propia...[21].

No hace, en realidad, una verdadera defensa o justificación del elemento de crueldad en los toros; casi nos parece que su unir la ética con la estética es un intento fácil de «salir del paso», de no enfrentarse de veras con la cuestión.

El último apartado de importancia que podemos componer sobre los materiales de su libro *Política y toros*, sería uno que contuviera sus pensamientos sobre el simbolismo o significado profundo de la corrida, las cuestiones ontológicas contenidas en ella. La muerte, dice, no es más que el triunfo de la Naturaleza sobre aquella parte de nosotros que no es producto de la creación racional humana; además, y aquí está el *quid* del asunto, el destino ineludible de todo ser humano es morirse; ésta es la tragedia de nuestra vida.

Pues bien, las corridas de toros nos presentan patéticamente, ante los ojos y dentro del corazón, esa tragedia natural del destino; y no por simulacro, como en las tragedias escénicas, sino en vivo, mano a mano con la muerte de verdad... En esta tragedia natural, el toro representa a la Naturaleza, eternamente indómita y en acecho[22].

La corrida, pues, es un eco, una simbolización en miniatura de la «tragedia natural» de todo ser humano; pero el toreo retiene mucho del dramatismo y emoción honda de ésta, porque en cada enfrentamiento en el ruedo siempre hay muerte (se supone, la del toro) y riesgo de muerte (para el torero). Las fuerzas ciegas de la Naturaleza (simbolizadas por la fiera) intentan matar a la inteligencia y la razón hu-

---

21 Pérez de Ayala, «La crueldad de las corridas», *ibid.*, págs. 1267-68.
22 Pérez de Ayala, «La ética de los toros», *ibid.*, pág. 1273.

manas (simbolizadas por el torero). Por cierto, esta interpretación no es, ni pretende ser (por parte de Ayala), muy ingeniosa o novedosa, puesto que otros autores han dado en ella también. De esta manera, el arte del toreo es, en su opinión, en cierto sentido superior a las otras artes humanas, porque es una condensación emocional y, además, artística, del último sentido de cada vida humana; es, para usar sus palabras exactas, «paradigma estético de la propia vida humana». Así lo explica el autor:

> De una parte, la vida humana no es sino la razón, el canon, lo normativo, en perpetuo ajuste con lo aleatorio, fatal y siempre vario, las fuerzas ciegas de la naturaleza externa. El primer elemento de la conjugación vital lo representa el torero; el segundo, el toro. De otra parte, y por eso mismo, la vida no es sino el combate continuo con la muerte. Tal es el sentido trágico de la vida [23].

¿No recuerda esta última frase aquel «sentimiento trágico de la vida», de Unamuno? Es, en efecto, el mismo combate continuo o «lucha agónica» unamuniana con la muerte y con la vida. La interpretación metafísica de la corrida entronca claramente con la gran preocupación de Unamuno; éste lo reconoció en principio («esta vida nuestra que es trágica tauromaquia»), pero no quería desarrollarlo hasta darle una calificación benigna al espectáculo.

Como especie de «postdata» o «coda» a esta sección sobre Pérez de Ayala, hagamos como hicimos con Cossío, esto es, examinemos unas declaraciones suyas hechas recientemente a un periodista. En el caso del presente escritor, son opiniones manifestadas a través de varias entrevistas con un reportero durante el último año de su vida (1961-62). Como en el caso de Valle-Inclán, vemos que también Pérez de Ayala

---

[23] Pérez de Ayala, «Artes espaciales y temporales», *ibid.*, pág. 1277.

tenía mucha admiración artística y humana por Juan Belmonte. Dijo de éste que era «encantador. Yo he rodado por el mundo como un baúl y puedo decirle que no he encontrado a nadie que supere su humanidad y su bondad». ¡Alabanza algo extremada, por cierto! También dice de este torero que era hombre «muy inteligente», «sagaz», «prudente», y que tuvo siempre «una gran inquietud por la vida», además de poseer la gran virtud de la asimilación rápida de impresiones mentales. Revela una vez más su afición a los toros, amén de su admiración por el toreo de Belmonte, cuando confiesa: «Desde muy joven lo seguí. Él fue el creador del toreo de verdad» [24].

Sin duda lo más importante de estas entrevistas es lo que declara sobre el espectáculo de los toros en general. En cuanto a la persistencia de la tauromaquia, a la pregunta «¿Cree usted que desaparecerán los toros?», contesta sin vacilar: «No. Nunca... Los toros no pueden morir. Moriría España.» Le preguntan sobre sus detractores, que la consideran como «símbolo de la incultura nacional». «¡Tonterías! Si los toros no se universalizan más es porque no es posible. Porque no tienen en todos los países la posibilidad de tener nuestras ganaderías. Los toros son un arte y un drama.» Esto nos inclina a pensar que, al final de su vida, Ayala había abandonado ya su primitiva postura de ambivalencia hacia el tema, y que se mostraba acaso más a favor que nunca. Urge subrayar que nuestro autor hace sonar el mismo «toque de alarma» que vimos hacer a Cossío y que veremos hacer a otros. Reconoce el estado actual de decadencia de la tauromaquia (en cuanto a la calidad del toro bravo y su disminución de poder y de peligrosidad), y se queja de ello:

[24] Miguel Fernández, «Ramón Pérez de Ayala, Juan Belmonte y los toros», *Dígame* (Madrid), 17 marzo 1967, s. p.

«Los toros son un arte y un drama. Ahora son menos drama, menos peligrosos. Ni toreros ni caballos tienen tanto peligro.» «¿El menor riesgo ha restado calidad a la fiesta?» «Indudablemente. No se puede admitir el toreo sin peligro. Los toros
actuales no se pueden comparar con los de la gran era de Juan
Belmonte» [25].

Esta aflicción que aqueja a la Fiesta es de tanta seriedad
que llega hasta sus propias bases. Así como quince años antes, había escrito en el segundo libro de su *Política y toros*
(«Una conferencia sobre toros», pág. 1240): «No es que el
público de toros... desee que el torero sea herido...; pero
le hace falta tener la certidumbre de que el riesgo existe y
el torero puede ser herido. Si se aboliese esta certidumbre,
los toros se convertirían en un simulacro, para ejecutarlo
sobre un tablado de baile flamenco...» Preocupación por la
Fiesta, por su autenticidad y por su futuro; preocupación
sostenida a través de toda su vida madura, por esta arraigada
«institución fundamental hispana».

LA TAUROMAQUIA HECHA VERDADERO PRO-
BLEMA INTELECTUAL: ORTEGA Y GASSET

Hay que esperar hasta la llegada de este genial pensador,
filósofo, figura cumbre del pensamiento español del siglo XX
y de este capítulo nuestro sobre los novecentistas, para ver
iniciarse el verdadero enfrentamiento intelectual (en el sentido de su problematismo) con el tema de los toros. Digo
sólo «iniciarse» porque, como veremos, Ortega no penetró
más allá de la superficie de la cuestión; pero, de todas maneras, fue mucho más de lo que había hecho cualquier otro

---

[25] *Ibid.*

pensador español antes de él. Aunque criado intelectualmente en el seno mismo de las corrientes filosóficas alemanas,
y aunque era verdaderamente un «hombre europeo», Ortega,
como español, no pudo menos que hacer filosofía desde su
perspectiva de español, tomando en cuenta, forzadamente,
la «circunstancia» española; su esencial punto de partida
tuvo que ser, necesariamente, el problema de qué es España.

Como ha dicho Laín, la visión orteguiana del futuro posible del país no fue puro ensueño del espíritu (como en los
del 98); todos los de su generación tenían esperanza, pero
también creían que había que efectuar una acción inteligen-
temente organizada. No quería Ortega ni una España «pre-
dicadora ni una España imperante; se conforma con 'querer
imperiosamente una España en buena salud, una España
vertebrada y en pie'». El mismo autor apunta el sensible
cambio de la actitud de Ortega (paralelo a lo que ocurrió
con los del 98), del radical europeísmo de su juventud (antes
de 1914), cuando creía que la única salvación para España
era la importación y nacionalización de lo europeo, al casticismo significado por «esa esperanzada apelación a la 'íntima
pauta del carácter y los apetitos' de España» de sus años
de madurez[26]. Tienen los novecentistas algo del practicismo
de Costa y los regeneracionistas. Ortega cambia su mira más
y más «para adentro»; siendo el pensador tan abierto y comprensivo que fue, es lógico que afinara sus sensibles capaci-
dades analíticas a este fenómeno tan español (y tan olvidado
por los pensadores) de los toros.

Enfocando nuestra atención sobre la filosofía de Ortega,
encontramos que los conceptos de «conocer» y «conocimiento» hacen su aparición, pero con significaciones muy específicas. (Recordemos el imperativo de conocer, menos desarro-

---

[26] Laín Entralgo, *España como problema*, págs. 655, 663.

llado teóricamente, que regía la vida intelectual de Pérez de Ayala). Según Ortega, la vida para el ser humano no le es dada hecha, sino que tiene que hacérsela él mismo; su vida no es una «cosa», sino un «quehacer». Mi vida es constitutivamente libre; me es forzada la necesidad de elegir a cada paso entre las varias posibilidades de acción que me brindan mis circunstancias (todo lo que está a mi alrededor). Pero, para poder elegir, tengo que ser capaz de percibir, luego interpretar y analizar mi realidad circundante. Para poder manejar esa realidad hace falta el *conocimiento;* el conocimiento, en efecto, pregunta ¿qué es? una cosa, pregunta por su *ser.* El *conocer* es una forma particular del pensar, que consiste en hacer (o intentar) una *interpretación* de alguna parcela de la realidad, preguntar por su consistencia, por su ser. Ortega creía que la misión del hombre, para poder funcionar en este mundo, es *iluminar* las cosas, iluminar la realidad para poder escoger entre sus posibilidades, interpretarla. El afán de conocer, entonces, es un imperativo de todo hombre; pero para Ortega, habiendo destacado esta idea y habiendo sido filósofo y pensador de mente inquieta, el fino observador o «espectador» con horizonte ilimitado de temas posibles, ensanchó su afán de conocer hasta los temas más diversos, algunos de importancia trascendental y otros no tanto. El tema de las corridas de toros, por supuesto, formaba parte bien evidente de su circunstancia madrileña de entonces; el hecho de que otros pensadores no lo habían considerado tema bastante «serio» para su análisis, o que otros, reaccionando sentimentalmente, habían solamente vituperado las corridas por su brutalidad, no era bastante para disuadirle a Ortega de su intento de una confrontación seria, filosófica, con esta cuestión. Forma una cuestión humana, y «las cosas humanas —como él mismo declaró— reclaman ser miradas desde su interioridad, y si andan casi siempre tan mal es porque, siendo ellas tan precisas, nos obstinamos en verlas de manera gruesa y, cuando más, a ojo de buen cubero» [27].

En nuestro apartado sobre Pérez de Ayala hicimos mención, de paso, de aquellas dos «necesidades apremiantes» y primarias de todo ser humano: conservación de su propio ser y perpetuación de la especie. Después de satisfechas éstas, se entra en el campo de la diversión. Ortega también investiga esto de la diversión y el deporte, lo cual tiene aplicación a nuestro tema, puesto que la tauromaquia cae dentro de aquella área «lujosa» y «secundaria» de las actividades. Pero uno puede preguntarse: ¿vale la pena, intelectualmente hablando, considerar esta cuestión general del ocio humano? Para nuestro autor no hay lugar a dudas: «... quería de pasada hacer constar que el problema de la diversión nos lleva más directamente al fondo de la condición humana que esos otros grandes temas melodramáticos con que nos abruman en sus discursos políticos los demagogos» [28].

En su ensayo «El origen deportivo del Estado», escrito en 1924, Ortega expone una tesis que, aunque dirigida en términos generales a «los deportes», creo que bien podría aplicarse además a una actividad hasta cierto punto parecida: la tauromaquia. Empieza diciendo que las nuevas investigaciones biológicas e históricas tienden a invalidar nuestra enraizada visión principalmente utilitaria y práctica de la vida humana y de sus orígenes. Según estas nuevas teorías —las cuales comparte Ortega—, la primera y original actividad de la vida es siempre «espontánea, lujosa, de intención superflua». Todas aquellas actividades que considerábamos como las primarias, aquellos actos adaptativos y de

---

[27] José Ortega y Gasset, «Sobre la caza», en *La caza y los toros* (Madrid, Revista de Occidente, 1960), págs. 83-84.

[28] *Ibid.*, pág. 5.

fines utilitarios, «todo lo que es reacción a premiosas necesidades», son nada más que vida secundaria. La originaria
es la ocurrencia espontánea, el apetito imprevisible, la actividad no-utilitaria. Además, viene naturalmente de lo anterior la inversión de la acostumbrada jerarquía, considerando
a esta última actividad como por encima y de más alto valor
que la actividad utilitaria:

> Esto nos llevará a transmutar la inveterada jerarquía y con-
> siderar la actividad deportiva como la primaria y creadora,
> como la más elevada, seria e importante en la vida, y la activi-
> dad laboriosa como derivada de aquélla, como su mera decan-
> tación y precipitado. Es más, vida, propiamente hablando, es
> sólo la de cariz deportivo; lo otro es relativamente mecaniza-
> ción y mero funcionamiento.

Lo tajante de la aseveración de esta última frase podrá
darnos la equivocada noción de que Ortega aboga por el ideal
de una vida completamente improvisada, frívola, insustancial,
falta de seriedad, responsabilidad y autenticidad. Nada más
lejos de la verdad. Aunque teoriza que «la primera sociedad
humana, propiamente tal, es todo lo contrario que una reacción a necesidades impuestas», que más bien se parece a un
Athletic Club, no defiende que toda sociedad posterior debe
basarse y regirse por normas tan insustanciales. Su obra
entera escrita y sus intentos en el campo de la acción política
creo que sirven para probar esto[29]. Me parece que sería interesante ver ahora lo que han dicho y cómo han interpretado
otros pensadores este ensayo de Ortega.

Luis Araquistáin, que no tenía gran opinión de Ortega en
general, dice que este ensayo suyo, aunque bello, es poco

---

[29] Las citas de estos dos párrafos vienen de Ortega, «El origen
deportivo del Estado», en *El espectador*, t. VII (2.ª edic., Madrid, Revista de Occidente, 1930), págs. 109-12, 128.

científico y más bien romántico o poético, «como son casi siempre las últimas realidades filosóficas de ese pensador tan imaginativo». Resume así el ensayo orteguiano:

> La cosa no puede ser más sencilla y lírica: un buen día, en la sociedad primitiva constituida sobre las clases de edad, los hombres jóvenes se reúnen para vivir en una casa común y para dedicarse a la alegre algarada de raptar mujeres en las tribus vecinas... Y así nace también el primer Estado... El lector enterado le dirá [a Ortega] que eso no es todavía un Estado... [30].

Una mente acaso más clara y reposada, José Luis Aranguren, en un libro de 1953, se pregunta qué será la conexión entre la actitud ética de la filosofía de Ortega (que mantiene que el hombre es constitutivamente moral porque tiene que hacerse su vida, pero intentando ser fiel a su proyecto o vocación personal; ser auténtico, en otras palabras), y el modo de ser lúdico o deportivo, de que habla en este ensayo. «¿Cómo ha de entenderse la vida según Ortega: como quehacer moral, responsable, auténtico, o como deporte y juego?» Y, más adelante, concluye Aranguren:

> Si la filosofía orteguiana no es vitalista, sino raciovitalista, tampoco su ética es deportiva o lúdica, como en algún momento pudo parecerlo, como incluso pudo parecérselo acaso, en esta etapa de su pensamiento, al propio Ortega. Sin embargo, nunca llegó a afirmarlo como posición propia, sino como característica tipológica del hombre de la época [31].

El propio Aranguren hace referencia a las siguientes palabras de José Ferrater Mora, escritas en 1958, que explican esta aparente contradicción orteguiana entre la ética del talante deportivo y la ética del quehacer auténtico:

---

[30] Araquistáin, *El pensamiento...*, pág. 86.
[31] José Luis Aranguren, *La ética de Ortega* (3.ª edic., Madrid, Taurus, 1966), págs. 31, 34.

... la vida humana es un «proyecto vital», un «programa vital»... Podemos, por supuesto, realizar o no tal programa vital. Y en este «poder realizar o no nuestro programa» encontramos el boquete en el cual se instala una condición permanente de nuestras vidas: la inseguridad. No ignoro que esta tesis de Ortega no parece siempre compatible con otras afirmaciones suyas no menos insistentes; por ejemplo, la de que la vida es una actividad llena de brío, dispuesta a aceptar el riesgo con una actitud casi deportiva. Sospecho, empero, que de haberse formulado tal tipo de objeción Ortega hubiese contestado dos cosas. La primera, que el sentimiento de la inseguridad no está necesariamente en conflicto con el despliegue de una alegre vitalidad. La segunda, que la definición de la vida como inseguridad no excluye en modo alguno el anhelo, siempre renovado, de encontrar alguna seguridad. Ortega ha proclamado en numerosas ocasiones que la vida es naufragio. Pero también que el hombre bracea —a veces desesperadamente— para salvarse de él. Nada menos que lo que llamamos «cultura» puede ser entendido desde este punto de vista. La cultura no es, así, un inútil lujo en la vida..., no es un entretenimiento; es una «salvación» [32].

Dado el hecho de que Ortega trató en su vida muchísimos temas (o, mejor dicho, se apasionó por gran número de temas), y que varias veces no pudo «decirlo todo» sobre este o aquel otro, esta explicación de Ferrater nos parece muy acertada.

En efecto, en su ensayo «Sobre la caza» (escrito en 1942), vemos cierta atenuación de sus ideas sobre la deportividad esencial de la vida humana avanzadas en el 24. Dice aquí que la vocación general de todo hombre es procurar ser feliz. Pero se logra la felicidad sólo cuando uno se dedica a su autenticidad, a su auténtica y verdadera vocación. «He aquí —por lo tanto— a los humanos colocados frente a dos reper-

---

[32] José Ferrater Mora, *Ortega y Gasset. Etapas de una filosofía* (Barcelona, Seix Barral, 1958), págs. 109-10.

torios opuestos de ocupaciones: las trabajosas [que se hacen
para poder sostenerse] y las felicitarias... en las ocupaciones
felicitarias, repito, se revela la vocación del hombre.» Está
hablando aquí específicamente de la caza, especie de deporte,
distinta pero a la vez parecida al toreo. Otra declaración
suya del mismo escrito, que también puede aplicarse a los
toros, es ésta:

> sin duda que en toda felicidad hay placer, pero el placer es lo
> menos en la felicidad... Las ocupaciones felices, conste, no son
> meramente placeres; son esfuerzos, y esfuerzo son los verda-
> deros deportes [y la tauromaquia, podemos añadir] [33].

Esto nos lleva por necesidad a una consideración más
detallada de este ensayo que trata de la caza, porque muchos
de sus puntos de vista pueden ser aplicados fácilmente a los
toros. (Hasta nos atreveríamos a adivinar que muchos de
ellos, o sus ligeras variantes, hubieran formado parte del
nunca escrito *Paquiro*.)

Empieza, siguiendo su afán de esclarecer y hacer com-
prensibles las cosas, por definir y analizar las diferencias entre caza, lucha y toreo:

> ... es la caza una faena entre dos animales, de los cuales uno
> es agente y otro paciente, uno cazador y otro el cazado. Si el
> cazado fuese también y en la misma ocasión cazador, no habría
> caza. Tendríamos un combate, una lucha en que ambos intere-
> sados se comportarían con la misma intención y análoga con-
> ducta. La lucha es una acción recíproca... Si el animal que es
> pieza luchase normalmente y desde luego con el hombre, de
> modo que la relación entre ambos consistiese en ese pugilato,
> tendríamos un fenómeno completamente distinto del cazar.
> [Sería algo parecido al toreo.] Por eso torear no es cazar.
> Ni el hombre caza al toro ni éste, al acometer, lo hace con

[33] Ortega, «Sobre la caza», *op. cit.*, págs. 10-11, 17-18.

intención venatoria. La tauromaquia es, en efecto, *algo así* como
una lucha tan *sui generis* que, en rigor, tampoco es eso.

Existen, pues, líneas divisorias muy precisas entre estas
tres actividades que parecen tener la misma raíz. Hay que
subrayar que el toreo *no es* caza. La finalidad que persigue
ésta es su término, el apoderamiento (viva o muerta) de la
pieza. En el toreo, además de ser la persecución recíproca,
el torero no pretende «apoderarse» del toro (dominarlo, que
no es lo mismo, y hacer arte con él, sí), ni el toro del hombre. La intención de la fiera, al embestir, es —según Ortega—, casi lo contrario del «apoderamiento». El toro «no quiere *tener* al torero ni vivo ni muerto, sino, al contrario, lo
que quiere es suprimirlo, aniquilarlo, 'quitárselo de delante',
desmaterializarlo». Todos los actos de la cacería, en cambio,
van orientados hacia el fin de «tener» la pieza; matándola
es la forma más natural de «cobrarla». Ahora bien: ¿qué es
lo que pretende el torero con el toro? Si nuestro autor con-
testara esta pregunta, estaríamos plenamente en materia
de su *Paquiro*. Pero Ortega sólo nos satisface a medias. En
una nota a pie de página dice lo siguiente:

> En cuanto a qué sea lo que el torero se propone hacer con
> el toro no se puede decir en pocas palabras, porque es materia
> muy sutil. Desde luego, no se propone lo que el toro respecto
> a él. Lo que le interesa no es suprimir al toro matándolo...
> Espere el lector la publicación —que no presumo remota [esto
> escribe en 1942; murió en 1955]— de mi libro *Paquiro o de las
> corridas de toros*, donde procuro irme a fondo en esta ma-
> teria... [34].

Hemos examinado, algo más arriba, las pocas ocasiones
que rozó el tema de los toros dentro de este ensayo. Ahora

---

[34] *Ibid.,* págs. 31-34.

nos quedan por estudiar algunos puntos que hace sobre la caza (sin ni siquiera aludir al toreo), que se prestan a la aplicación directa a nuestro tema. Subraya, por ejemplo, que en la caza deportiva (y —añadimos nosotros— en el toreo), al revés que en la utilitaria, lo que le interesa al hombre no es tanto la muerte del animal (aunque esto necesariamente *tiene que* ocurrir), sino todo lo que tiene que hacer para lograrla, o sea, cazar (o torear). En otro ejemplo, declara que cualquier refinamiento en la actividad de cazar (o torear, decimos nosotros) tiene que conservar su estructura esencial. El hombre ha de tener cuidado no en intentar igualarse con el animal, sino en evitar el exceso de su superioridad sobre él. (En la corrida, el torero podría llevar más protección que su frágil «traje de luces»; podría además llevar un arma más potente y más eficaz que un estoque para matar al toro.) Hay que mantener el juego libre de inferior con superior.

> En rigor, el sentido de la caza deportiva [y del toreo] no es elevar al bruto hasta el hombre, sino algo mucho más espiritual que eso: una consciente y como religiosa humillación del hombre que liga su prepotencia y desciende hacia el animal.

Ligado en cierto sentido con estas últimas palabras (con la mención de «religiosa») está lo que dice Ortega sobre la simbología y el fondo misterioso de la caza deportiva (cuya misma tesis hemos visto a Álvarez de Miranda y Pérez de Ayala aplicar a los toros). Califica a la vida en general como un «terrible certamen», un «concurso grandioso y atroz» donde cada uno tiene que luchar con sus circunstancias para hacerse la vida. «La caza deportiva [o el toreo] sumerge al hombre deliberadamente en ese formidable misterio, y por eso *tiene algo de rito y emoción religiosos* en que se rinde culto a lo que hay de divino, de trascendente en las leyes de la Naturaleza»[35].

Vimos en el caso de Pérez de Ayala que este autor dedica unas líneas a su definición de qué es el toreo. Ortega hace lo mismo, más extensamente, porque añade también una discusión de las intuiciones que debe poseer todo verdadero torero bueno. Hace la siguiente definición «circunstancialista» del vocablo «toreo»:

> ... todo lo que hacen en la plaza los toreros; pero en la plaza no hay sólo toreros, porque hay además el público, pero sobre todo hay además, y antes que nada, el toro. El conjunto de todo esto es lo único que no es abstracción, sino precisa, concreta e integral realidad: lo que se llama 'corrida de toros'... [36].

Para el que conozca el concepto «circunstancia» y la importancia capital que juega en todo el sistema filosófico orteguiano, resultará muy lógica y consecuente esta definición de una corrida de toros. Hay que considerar al conjunto, a todos los elementos constituyentes del ambiente inmediato alrededor del torero; todos forman la circunstancia, y hay que contar con ellos. Para Ortega, el hecho aislado de la acción de torear en sí es una especie de cinemática o, más bien, «sutilísima geometría», un teorema geométrico en el cual toro y torero son dos puntos que han de variar en relación el uno con el otro. La comprensión de esta sutil geometría es precisamente lo que se escapa a la mayoría de los espectadores [37].

Hablando en otra parte de esta «geometría tauromáquica», el autor la ensancha hasta llegar a una consideración

---

[35] *Ibid.*, págs. 84-86. Los subrayados son míos.
[36] Ortega, «Notas para un brindis», en *La caza y los toros*, pág. 168.
[37] Ortega, «Enviando a Domingo Ortega el retrato del primer toro», epílogo a *El arte del toreo*, de Domingo Ortega (Madrid, Revista de Occidente, 1950), pág. 54.

de las cualidades que debe poseer el buen torero. Los dos
puntos geométricos del toreo (toro y torero) constituyen, en
terminología matemática, un «grupo de transformación»; los
aficionados, que no son matemáticos, hablan de «terrenos»
y de «querencias». Es precisamente la intuición acertada de
los terrenos (del toro y del torero), que es «el don congénito
y básico que el gran torero trae al mundo». Las otras cualidades necesarias a la profesión (valor, afición, gracia, recursos técnicos, etc.) son secundarias. Pero es más complicado
este asunto. Esta «intuición tauromáquica» no es algo geométrico, sino más bien un don psicológico; es, a fin de cuentas, la «comprensión del toro». Pero esta expresión tiene un
significado muy preciso para Ortega: comprender al toro
equivale a comprender su embestir. Es una «compenetración
genial, espontánea» y casi instintiva entre el hombre y el
cornúpeta que le permite a aquél comprender toda la embestida del animal durante su transcurso. He aquí el «don
primigenio» que todo gran torero (o futuro gran torero)
encuentra, misteriosamente, dentro de sí apenas empieza[38].
La descripción algo vaga e imprecisa de esta intuición especial que describe nuestro autor madrileño, ¿no suena mucho
como una versión intelectualizada y castellanizada del «duende» andaluz descrito por Lorca?

Ahora nos estamos acercando a lo más importante sobre
Ortega y los toros: hace la jactancia atrevida de que es el
único que de verdad sabe de toros. Esta aseveración auto-
elogiosa fue casi una obsesión en él, puesto que la he encontrado en dos obras suyas e insinuada en otros dos escritos
que forman parte de *La caza y los toros*. Durante 1948-49,
Ortega dio una serie de conferencias para el recién fundado

---

[38] Ortega, «[Borrador del epílogo para Domingo Ortega]», en *La caza y los toros*, págs. 145-48.

(por él y Julián Marías) Instituto de Humanidades madrileño. Uno de los asistentes a ellas era el torero Domingo Ortega. Al principio de la lección VII el conferenciante dice que algunos periodistas habían puesto en duda la seriedad de este curso de conferencias, puesto que asistía a ellas un torero (hombre, se suponía, sin grandes intereses ni dotes de tipo intelectual). A manera de defensa, Ortega dice: «Pero —refiriéndose a aquellos periodistas— ¿... qué idea tienen de lo que es y ha sido el torero en España esos mentecatos?» Ellos no saben lo que es un torero, y tampoco son capaces de presentirlo o sentirlo, como hacen muchos españoles; pero, confiesa el filósofo, la pura verdad es que ni éstos, los españoles, saben mucho de este tema: «... forzosamente y con pena —incluso con pena estrictamente científica— he de decir que tampoco saben lo que es un torero» —y aquí viene la jactancia—, «pues saber, lo que se llama saber lo que es el torero, no lo sabe nadie en España y, por ende en el mundo, más que yo...» Y añade que el mismo Cossío, el mejor conocedor de todo lo relacionado con la tauromaquia, y que estaba presenciando estas palabras, sería el primero en darle la razón, en reconocer que «si hay alguien en el mundo que sepa de verdad lo que es el torero —esa bicentenaria realidad histórica española—, ese alguien resulto ser yo» [39]. En su libro *Velázquez* (compuesto de varios escritos de 1934, 47 y 54), reincide en la misma vanagloria, esta vez sobre la historia tauromáquica:

> ... de la historia de los toros..., ningún español sabe nada que merezca la pena..., resultando que soy yo, el menos llamado a ello, el único que de verdad, en serio y con todo el rango de la más reciente intelección científica, ha tenido que elaborársela... [40].

[39] Ortega, *Una interpretación de la historia universal. En torno a Toynbee* (2.ª edic., Madrid, Revista de Occidente, 1966), págs. 174, 176.
[40] Ortega, *Velázquez*, pág. 156. Es al leer palabras como éstas, aun-

¿Pero cómo es que Ortega, un pensador y filósofo intelectualmente honrado y sensato, pudo hacer tales acusaciones a los españoles? ¿Es posible que ningún aficionado que va siempre a las corridas sepa nada verdaderamente importante sobre lo que es el torero y sobre la historia de los toros? De veras, estas acusaciones, seguidas de sus desaforadas jactancias, son bastante chocantes para el que las lee. Explica Ortega que se han publicado muchos libros, algunos muy buenos y eruditos, sobre los toros. Pero han sido escritos siempre desde el punto de vista del «aficionado» y no del «analizador de humanidades». No se ha estudiado nunca el fenómeno taurino con el mismo rigor de análisis científico-filosófico que los otros hechos e instituciones humanos[41]. La erudición tauromáquica mostrada por Cossío y otros es muy meritoria y necesaria, pero ellos —opina nuestro autor— tampoco hablan en serio de los toros, sino que es materia escrita «por pura curiosidad de aficionado, y nada más»[42]. Es el claro aristocratismo o elitismo orteguiano el que le induce a colocarse por encima de los otros escritores que no han pensado en serio sobre el tema. Lo que empaña su actitud es que él mismo nunca produjo la obra escrita que hubiera apoyado estas declaraciones; cualesquiera que sean las razones de esto, el hecho es que todo quedó en censura de otros escritores, jactancia hueca, unos (muy pocos) indicios de lo que posiblemente hubiera escrito, y nada más. ¿Cómo es que otros españoles nunca han pensado «en serio» sobre el tema? Puede ser que nadie antes que Ortega haya tenido la capacidad analítica y filosófica necesarias para la tarea; también puede ser que, aunque hayan podido hacerlo, no

---

que sean un poco exageradas, cuando uno siente la frustración del hecho de que Ortega no llegó a escribir su *Paquiro*.

[41] Ortega, «Enviando a...», en *El arte...*, págs. 55-56.
[42] Ortega, «Notas para...», en *La caza y los toros*, pág. 163.

hayan tenido suficiente interés en el tema, o no lo hayan
considerado bastante importante para hacer «cuestión» de él.
Nuestro autor dice que es porque los otros españoles (él no)

> son incapaces de acercarse con frescura de alma y mente a un
> tema que parece trivial —como si hubiera realidad alguna que
> al ser realidad pueda ser trivial ante el entendimiento—, inca-
> paces de enfrentarse con un tema no consagrado, que no sea
> tópico, lugar común, porque los tales son los perpetuos lugar-
> comunistas [43].

Todo esto de que Ortega se califique como el único que
de verdad entiende de toros no tiene nada que ver, aclara
él, con la esparcida «leyenda» de que es muy aficionado a los
toros. Protesta que si por «aficionado» se entiende uno que
va a menudo a las corridas, entonces él no lo es, porque desde
hace más de cuarenta años (desde antes de 1908) apenas ha
asistido a las corridas de toros, sólo «las estrictamente necesarias para poder hacerme cargo de 'cómo iban las cosas'» [44].
Pero si no ha ido con frecuencia a los toros, se jacta de que
«he hecho lo que era mi deber de intelectual español y que
los demás no han cumplido: he pensado en serio sobre ellas,
cosa que no había hecho nadie antes. Y noten que ese des-
cuido o desatención es de mala ley». A pesar de la evidencia
arrolladora de la gran importancia que para el pueblo tienen
las corridas, y su importancia como tema estético, prosigue
el autor,

> ningún español se había hecho cuestión de ella —que eso es
> la misión del intelectual, hacerse cuestión de lo que por sí no
> parece cuestión, sino lo más natural del mundo—, ninguno se
> había preguntado qué es en su sustancial realidad eso de las
> corridas de toros, por qué hay en España corridas de toros en

---

[43] Ortega, *Velázquez*, pág. 156.
[44] Ortega, «Enviando a...», en *El arte...*, pág. 55.

lugar de no haberlas, cuándo comienza ese extraño hecho... y por qué comienza a haberlas precisamente en esa fecha... [45].

Vemos aquí que Ortega quisiera que se esclareciesen varios aspectos claves del tema de los toros: qué es una corrida (cuál es su esencia); cuáles son las condiciones históricas, sociológicas, psicológicas, etc., que determinaron que los toros se implantasen precisamente en la Península Ibérica; cuáles son los hechos histórico-sociales que causaron durante determinado período el surgimiento del toreo de a pie; hasta qué época se remonta la costumbre. Hay que dar por cierto que él había pensado seriamente sobre estas distintas facetas; pero, desafortunadamente, no nos dio casi nada de sus cavilaciones y conclusiones sobre ellas. Casi se pudiera decir que sus insistencias sobre la importancia del tema y de la necesidad de pensar sobre él fue el gran valor de sus escritos sobre el tema; por desgracia, y paradójicamente, ha sido un «clamar en el desierto», porque, aparte de un ensayo penetrante de Laín, ninguno de sus seguidores ha intentado siquiera llevar a su fruición este tema.

¿Qué importancia veía Ortega en la tauromaquia en España? Hemos ya tocado brevemente esta cuestión, como parte de nuestra justificación del presente estudio del tema, en el Prefacio (cf. su nota 4). Además de lo dicho allí, en *Una interpretación de la historia universal* vemos estas palabras suyas:

> Opínese lo que se quiera sobre aquel espectáculo, es un hecho de evidencia arrolladora que durante generaciones y generaciones fue, tal vez, esa fiesta la cosa que ha hecho más felices a mayor número de españoles, que ha nutrido jovial y apasionadamente sus conversaciones en pláticas y tertulias, que ha engendrado un movimiento económico..., que ha inspirado el arte pictórico desde Goya —nada menos—, la poesía, la música...

---

[45] Ortega, *Una interpretación...*, págs. 176, 177.

Estos son los efectos que han tenido los toros sobre la cultura y la vida cotidiana españolas; son los hechos verificables, lo que se podría encontrar en una obra enciclopédica sobre el tema, como «el Cossío». ¿Y la *interpretación* de estos hechos, la teoría orteguiana, más reveladora de la mente analítica y filosófica de su autor? La tenemos en las siguientes aseveraciones suyas:

> En efecto, las corridas de toros no sólo son una realidad de primer orden en la historia española desde 1740 [46]..., sino que, cuando se le presta atención y se hace actuar sobre ella la razón histórica, lleva, como me llevó a mí, a descubrir un hecho, hasta ahora arcano, de importancia tal que *sin tenerlo con toda claridad* —lo sostengo de la manera más expresa y formal— no se puede hacer la historia de España desde 1650 a nuestros días. Ahí tienen ustedes cómo para saber lo que es un torero hay que saber muchas cosas y, viceversa, sólo quien sabe lo que es un torero averigua ciertos secretos *fundamentales* de nuestra historia moderna... [El efecto de aquel hecho] es, nada menos, que cambiar profundamente, más aún, invertir la estructura social de España, inversión que ha durado más de dos siglos, dando al cuerpo colectivo español caracteres opuestos a los que han tenido las demás naciones europeas... [47].

Nótese en estas palabras el casamiento con su obra filosófica en general: hay que aplicar a este hecho español («vivencia» se podría decir) de los toros la *razón histórica* para poder entenderlo en todas sus implicaciones. El punto de vista que exige es el de la razón histórica, la «razón vital» aplicada a los hechos pasados; expresiones claves de la filosofía orteguiana. Deducimos de las palabras citadas arriba que, para nuestro autor, el principal significado e importancia del fenómeno taurino cae dentro del campo de la socio-

---

[46] Ortega sostiene lo mismo en «Enviando a Domingo Ortega...», página 55.
[47] *Una interpretación...*, págs. 177, 177-78.

logía: sus repercusiones más sentidas han recaído sobre la estructura de la sociedad española. Algunos de los secretos hondos de la vida nacional son revelados por el estudio analítico de la historia de las corridas.

Hiciera o no Ortega este análisis de la historia de los toros —y él mismo nos da a entender que sí lo realizó (pero no por escrito)—, de todas maneras saca esta conclusión rigurosamente científica: «la historia de las corridas de toros resulta ser, una vez construida, un paradigma científico ideal, por su sencillez y transparencia, aplicable a la evolución de todo otro arte— arquitectura, pintura o poesía—» [48]. ¿Quiere decir con esto que la trayectoria del desarrollo de los toros coincide con la de las otras artes? ¿*Todas* las artes? ¿Sólo en España, o fuera de ella? ¿Cuáles son las pruebas «científicas» de esta aseveración? Desafortunadamente, estas y muchas otras preguntas parecidas quedarán sin contestar, porque Ortega no amplía, apoya ni desarrolla estas ideas.

Entremos ahora en el asunto de los toros y la ética. No parece gran cuestión para Ortega, porque, como pensador, lo principal para él es intentar derramar luz sobre cualquier fenómeno humano a fin de entenderlo. En cuanto a los toros, «no es, pues, cuestión de afición o desafección, de que parezca bien o parezca mal este espectáculo tan extraño. Cualquiera que sea el modo de pensar sobre él..., no hay más remedio que esclarecerlo» [49]. No el juzgar, sino el «imperativo luciferino» es lo que prevalece con él. Además, parece que era muy flexible en esta cuestión de la rigidez o pervivencia incólume de tal o cual canon de la moral. No se debe, según él, acatar a una ética que recluya para siempre en un cerrado conjunto de valoraciones nuestro albedrío: «... será inmoral toda moral

48 *Ibid.*, pág. 178.
49 Ortega, «Enviando a...», en *El arte...*, pág. 56.

que no impere entre sus deberes el deber primario de hallarnos dispuestos constantemente a la reforma, corrección y aumento del ideal ético» [50]. El ideal ético existe para él, pero sin dogmatismos ni absolutos; todo lo humano debe estar abierto a los cambios. Hablando de la caza (y también en este caso, como hemos visto, se puede aplicar esto a los toros), dice que se siente obligado a tratar la dimensión de su ética, hecha ineludible por la muerte necesaria del animal. Pero esto es un asunto muy complicado y problemático, porque «la ética de la muerte es la más difícil de todas, por ser la muerte el hecho menos inteligible con que el hombre tropieza» [51]. Hace entonces el autor unos rodeos a la cuestión, hablando en general sobre ella; no da «soluciones» hechas, acaso porque no las hay. Sugiere, lanzando insinuaciones y posibilidades. Con una clara (pero velada) referencia al rito de la corrida de toros, por ejemplo, opina: «No está dicho siquiera que el mayor y más moral homenaje que podemos tributar en ciertas ocasiones a ciertos animales no sea matarlos con ciertas mesuras y ritos» [52]. Nuestro trato con los animales es un poco vago, porque son como un estrato intermedio entre el hombre y lo inanimado; son *algo así* como los seres humanos, pero son cosa distinta. El filósofo nos está diciendo, me parece, que no hay que aplicar la misma ética del trato entre humanos al trato del hombre con los animales. Hay gran número de ingredientes que constituyen la moral; evitar el sufrimiento del otro (sea animal o ser humano) es sólo *uno* de ellos.

Siguiendo con esto de la moral y los toros, son interesantes sus opiniones sobre la Sociedad Protectora de Animales, manifestadas en «Sobre el vuelo de las aves anilladas» (tomado

[50] Ortega, *Meditaciones del Quijote*, pág. 42.
[51] Ortega, «Sobre la caza», en *La caza...*, págs. 74-75.
[52] *Ibid.*, pág. 79.

de artículos aparecidos en *El Sol*, 13 y 18 de agosto de 1929).
Dice que quiere escribir algo sobre la moral de esta Sociedad,
cuya protección es necesaria en algunos casos, pero cuyos
principios no son claros. No es suficiente decir que es inmoral maltratar a los animales; ¿qué se entiende por maltrato?
Hay que definirlo. «Si la Sociedad concretase sus ideas sobre
el asunto, veríamos que no estábamos nadie o casi nadie de
acuerdo con ella.» Esta cuestión de la ética entre hombre
y animal es dificilísima de resolver. En cuanto a las corridas,
¿es tan evidente —se pregunta Ortega—, como presumen los
simpatizantes de la Sociedad Protectora, que (moralmente
hablando) no se debe hacer daño ni al toro ni al caballo?

> ¿Es de mejor ética que el toro bravo —una de las formas
> más antiguas, en rigor arcaica, extemporánea, de los bóvidos—
> desaparezca como especie y que individualmente muera en su
> prado sin que muestre su gloriosa bravura? Es un error creer
> que la capacidad de sentir resonar en nosotros el dolor sufrido
> por un animal sirve de medida para nuestro trato moral con
> él. Apliquese el mismo principio al trato de los hombres y se
> verá su falsedad. *La evitación del sufrimiento* es *una norma
> ética; pero nada más que una,* y sólo adquiere dignidad de
> mandamiento cuando se articula con las demás [53].

Creo que aquí también Ortega nos está diciendo que hay
que aplicar la razón histórica a esta cuestión de los toros
y la moral. Las bases sobre las cuales se juzga (si es que se
debe juzgar) la moralidad o inmoralidad de este fenómeno
no deben ser cerradas y limitadas; se le debe mirar desde
la perspectiva de su inserción en la trayectoria vital histórica del pueblo español.

Ortega también habla brevemente sobre la sangre y la
muerte en conexión con los toros y el público de toros. De

[53] Ortega, «Sobre el vuelo de las aves anilladas» (1929), en *La caza
y los toros*, pág. 181. Los subrayados son míos.

nuevo adelanta unas señales o indicaciones enjundiosas, y pronto las corta sin desarrollar, prometiendo una vez más su *Paquiro*. La sangre encierra un «misterio pavoroso», dice, porque simboliza el verdadero «dentro» o intimidad de la vida. Fluye, oculta y secretamente, por el interior del cuerpo. Hay un trastorno esencial, un efecto de terror y asco producido cuando este «dentro» sale fuera, cuando se derrama la sangre, «como si se hubiese cometido el más radical contrasentido: hacer externidad lo que es pura interioridad». Pero lo interesante, en lo que atañe a nuestro tema, es que el filósofo pone a estas palabras citadas una nota a pie de página que dice lo siguiente:

> Hay un caso en que la sangre no produce ese asco: cuando brota en el morrillo del toro bien picado y se derrama a ambos lados. Bajo el sol, el carmesí del líquido brillante cobra una refulgencia que lo transubstancia en joyel. La excepción, única que conozco, es tan extraña como la regla que quebranta.

Notemos aquí varias cosas: primero, que sólo cuando el efecto estético ha sido bastante positivo («... toro *bien* picado») es cuando no nos produce asco el derramamiento de sangre; la sangre derramada del toro forma parte del colorido, de la atracción visual del espectáculo; el por qué no produce aquella reacción normal en este caso es un profundo misterio. Y si la sangre continúa derramándose, ¿qué efecto tiene sobre el público? Según Ortega, y coincidiendo con lo que expresó Unamuno (cf. nota 51 del capítulo III), produce el efecto de exaltar, embriagar y frenetizar al animal y al público espectador. Éste, en efecto, quiere ver sangre (pero no necesariamente sangre humana, como sostiene Unamuno):

> Los romanos iban al circo como a la taberna, y lo mismo hace el público de las corridas de toros: la sangre de los gla-

diadores, de las fieras, del toro, opera como droga estupefaciente... La sangre tiene un poder orgiástico sin par [54].

Contrariamente al caso unamuniano, no creo que debamos atribuir motivos de censura a estas palabras orteguianas; sencillamente, observa esta realidad e intenta analizarla y esclarecerla. La consideración de la sangre, que simboliza y *es* la vida, por fuerza nos lleva a una consideración de la muerte. La muerte, dice Ortega, es doblemente trágica para el hombre, porque no sólo ha de esperar la suya propia y sufrir la de los otros a su alrededor, sino que, como es la especie superior, tiene que producirla y manejarla. Claro está, la corrida de toros es ejemplo perfecto del hombre que maneja y decide cómo debe ser la muerte (del toro). La muerte sí que es trágica y horrible, pero «la situación es, pues, que se ha dicho muy poco sobre la muerte cuando se ha dicho que es horrible, porque este adjetivo, como en general los adjetivos, no resuelven nada». Y aquí es donde el autor nos deja «pendientes de un hilo», al anunciar que este aspecto queda para su libro taurino... [55].

Hay que incluir aquí un apartado de miscelánea: unos puntos menores sobre Ortega y los toros. Acaso el más interesante para nosotros es su completa divergencia con una tesis básica de Unamuno. El lector recordará que la objeción básica de éste es que los aficionados malgastan tanto tiempo discutiendo los pormenores del espectáculo taurino. Pues Ortega, en las palabras siguientes, nos presenta el polo contrario:

> Noten [los aficionados] que su papel y misión en cuanto aficionados no es hablar de toros seriamente, sino apasiona-

---

[54] Ortega, «Sobre la caza», en *La caza...*, págs. 76-77, 77-78.
[55] *Ibid.*, págs. 78-79.

damente. De no hacerlo así faltarían a su cometido y quedaría
amputado todo un hemisferio de la fiesta taurina consistente
en la resonancia inacabable de lo que acontece dentro de las
plazas, en las tenaces e incesantes discusiones alrededor de
las mesas en tabernas y cafés, en casinos, tertulias y periódicos. *Una de las gracias mayores de las corridas de toros* es
que, siendo el toreo ocupación silenciosa, que se ejercita taci-
turnamente, sin embargo, da enormemente que hablar [56].

No podía haber mayor contraste entre Unamuno y Ortega
sobre este punto: Ortega señala como «una de las gracias
mayores» de los toros lo mismo que Unamuno vilipendia
como su objeción más seria al espectáculo.

Muy sabido es el interés que tenía nuestro autor en los
problemas de la historia y la historiografía (recuérdese su
*Historia como sistema, Una interpretación de la historia
universal*, etc.). El concepto de la «razón histórica» es un
punto clave de su filosofía, y que tiene cabida en nuestro
tema, como vimos antes. Veamos ahora otro caso en que
Ortega hace hincapié en la importancia de estudiar y entender la historia de las corridas de toros. En una carta que
escribió en diciembre de 1943, destinada a José María de
Cossío (pero nunca recibida por éste), le habla de los dos
primeros tomos de su obra *Los toros*. Critica el libro, alabán-
dolo y también dándole sugerencias para su mejora. En una
parte recalca que «importa mucho acusar en todos los elementos de la fiesta las etapas por que ha pasado». Las etapas,
o sea, su evolución o desarrollo, su historia. Dice en otra
parte: «La objeción que necesito poner al modo general de
tomar todo el tema (en los dos volúmenes publicados)... es
que el toreo está visto demasiadamente de su momento ac-

----

[56] Ortega, «Notas para un brindis», en *La caza...*, pág. 162. Los
subrayados son míos.

tual» [57]. Quería, entonces, que se tuviera una perspectiva más amplia de la Fiesta, más histórica, para que luego se la pudiera colocar dentro de la historia de los cambios en la estructura de la sociedad española.

Hemos dicho de Ortega que era un gran observador (espectador) y un esclarecedor de realidades. Examinaba bajo su lupa, y con pasión, un número grande de temas de toda estirpe. Su fin era comprenderlos y revelarlos a la gente para que ella los comprendiera también. La comprensión de una cosa, ese «dejarla ser» para que se nos revele, se logra por muchos medios. Uno de ellos, acaso el más importante y necesario, es por medio del contraste o comparación. «La comparación es el instrumento ineludible de la comprensión. Nos sirve de pinza para captar toda fina verdad...» [58], dijo Ortega en 1927. En efecto, la comparación es el elemento insustituible para nuestra valoración de cualquier realidad, que sólo puede ser relativa. Nuestro aprecio o desaprobación de algo depende del previo contacto y experiencia con su contrario. Para ilustrar este punto filosófico con un ejemplo, la mente orteguiana echa mano de la tauromaquia:

> ... la misión del pensamiento es construir ejemplaridades; quiero decir, destacar entre las figuras infinitas que la realidad presenta aquellas en que, por su mayor pureza, esa realidad se hace más patente. Una vez entendida en su caso ejemplar, la realidad se esclarece también en sus formas turbias, confusas y deficientes, que son las de mayor frecuencia. Quien no ha visto una buena corrida de toros no puede entender lo que son las mediocres y las pésimas. Porque las malas corridas, que son casi todas, existen sólo a expensas de la buena, que es tan

---

[57] Ortega, «[Sobre el libro *Los toros*]», en *La caza...*, págs. 171, 172-173.

[58] Ortega, *Teoría de Andalucía y otros ensayos* (Madrid, Revista de Occidente, 1944), pág. 19.

insólita. En el orden humano al menos, lo depravado, lo torpe o lo trivial son parásitos tenaces de la perfección [59].

Por último, subrayemos unas declaraciones hechas por Ortega en su libro *Velázquez*, paralelas al mensaje «toque de alarma» sobre el toreo actual que ya vimos en Cossío y Pérez de Ayala. No habla Ortega de fraude, o de inautenticidad del toreo, o de debilitación del elemento de peligrosidad, sino de estilismo. Empieza por declarar esta regla general: «... Toda evolución humana muere en el estilismo...» Para ilustrar esta aseveración, escoge de nuevo el arte del toreo:

> El arte taurino, irremisiblemente, está en la agonía porque desde hace un cuarto de siglo entró en la zona etérea, remilgada y aniquiladora del estilismo. Claro que las causas de que en ella entrase son muchas y hondas —son, ni más ni menos, un escorzo de toda la transformación social de España [60].

Tema que, sin duda, hubiera desarrollado a fondo en su *Paquiro*. En efecto, si examinamos la historia del toreo, vemos que comenzando con los años de apogeo de Joselito y Belmonte (1914-20), el toreo se aquieta más, se hace más estético y menos atlético; antes de ellos, las suertes de picar y de matar eran las principales; después, toda la atención se centra en la faena de muleta, con sus nuevos cánones de «parar, templar y mandar». Acaso nos está diciendo Ortega que si el toreo sigue esta línea del estilismo, se convertirá en puro ballet (sistema de movimientos estilizados por excelencia).

Para dar fin a esta sección sobre Ortega y Gasset y los toros, veamos brevemente lo que han dicho dos o tres autores sobre esta combinación. Después de hablar de sus gran-

[59] Ortega, «Sobre la caza», en *La caza...*, pág. 72.
[60] Ortega, *Velázquez*, págs. 155-56.

des dones de observación perspicaz y de intuición estética, Salvador de Madariaga, en su ensayo «Impresión de Ortega», señala la gracia de éste. Gracia en el decir y en el escribir. Lo que le mueve a Madariaga a esta consideración es una anécdota que recuerda: después de conocer *la Argentinita* por primera vez a Ortega, y hablar con él un rato, Madariaga le preguntó a ella qué le pareció el filósofo. Ella contestó: «Pues mire usted. Un torero malagueño.» Madariaga luego hace el siguiente comentario y ampliación simbólica de lo dicho por la bailaora:

> ¡Qué maravilla! Porque lo demás, la inteligencia, la elevación del pensamiento, la universalidad, la nobleza y grandeza ribeteada de una sensibilidad hasta lo susceptible, eran... cosa de clavo pasado. ¿Para qué hablar de lo evidente? Pero la gracia... Qué penetrante definición: torero malagueño. Viene el toro de la idea corriendo hacia él que lo ha citado con los brazos en alto y él aguarda a pie firme, lo recibe con elegancia segura y lo vierte en el fluir del tiempo hacia el pasado con un movimiento de capa infalible y lleno de gracia [61].

Esto de considerar a Ortega, simbólicamente, como «torero intelectual», que «torea» las ideas, es la misma comparación metafórica que veremos desarrollar a José Ferrater Mora en su «Introducción» a la traducción inglesa de *El tema de nuestro tiempo* (cf. capítulo VII del presente trabajo).

A lo largo de esta sección sobre Ortega, hemos insistido varias veces en el incumplimiento de su promesa, reiterada más de una vez por él, de publicar un libro a fondo sobre el tema taurino. Hemos insistido, no para buscarle faltas a Ortega, sino porque es un hecho, un hecho que frustra al

[61] Salvador de Madariaga, «Impresión de Ortega», en *De Galdós a Lorca* (Buenos Aires, Sudamericana, 1960), págs. 111-112.

que le interesa vivamente el tema y quisiera ver un estudio
de interpretación serio, definitivo, sobre las corridas. Parece
que este autor muchas veces iniciaba temas o sugería otros
tangenciales que luego no desarrollaba, lo cual no escapa
a la atención de comentaristas, entre ellos el historiador de
la literatura Torrente Ballester, que le reprocha por ello:

> ... suscita a cada paso temas afluentes y subalternos, cuyo
> camino inicia a veces, arrojando sobre él una chispa de luz
> para abandonarlo en seguida. Es típica la inquietud del lector
> de Ortega condenado al ofrecimiento perpetuo de frutos que,
> apenas entrevistos, desaparecen. Nuestro reproche a Ortega se
> refiere a esas promesas incumplidas. Le perdonamos fácilmente
> el que no haya escrito una *Metafísica*, pero no el que su *Paqui-
> ro* haya quedado en mero e insistente propósito [62].

Nos inquieta y frustra la conjetura del tratamiento magistral que Ortega pudiera haberle dado al tema.

Pero Ortega y Gasset nos dejó mucho de atractivo sobre
los toros, lo más sugeridor que ha escrito cualquier pensador español acerca del tema en lo que va de siglo. Ortega,
filósofo de dimensiones universales, era a la vez un «íbero
irreductible» que, para que permaneciera fiel a sí mismo,
tenía que reflejar en sus escritos las dimensiones hispánicas
de su personalidad y de su circunstancia. Vio en su contorno
las corridas de toros, y pronto se dio cuenta de la gran injusticia que habían cometido con el tema los intelectuales
en relegar su importancia dentro de la cultura española a
un tercer lugar. Él nos azuzó, nos despertó a la necesidad
de mirarlo con más mesura y ecuanimidad, pero no le quedó
tiempo para escribir su libro prometido.

---

[62] Gonzalo Torrente Ballester, *Panorama de la literatura española
contemporánea*, I (2.ª edic., Madrid, Guadarrama, 1961), pág. 250.

EUGENIO D'ORS: AMIGO DE TOREROS;
VISIÓN ESTÉTICA DE LA TAUROMAQUIA

En la misma línea de «estilo de vida y pensamiento» que
Ortega, Eugenio d'Ors es el más importante teorizante y
propugnador del concepto generacional de «novecentismo».
Forma, en cierto sentido, el polo contrario de Unamuno.
Aunque era, como éste, figura contradictoria y difícil de ca-
tegorizar, trajo al pensamiento español no la pasión vasca,
sino la serenidad mediterránea. En Barcelona, durante los
primeros años del siglo, llegó a ser el portaestandarte del
«intelectualismo novecentista»: un mensaje de orden, claridad, racionalidad, proporción, armonía, serenidad, equilibrio,
medida y elegancia; en una palabra: clasicismo [63]. En una
ocasión, D'Ors se autodefinió como «mundano servidor de
la causa de las luces; soldado impertérrito bajo las banderas
de la unidad, de la inteligencia, de la ciencia, de las ideas claras, de la puntual objetividad, del conocimiento crítico y lúcido» [64]. Notamos aquí aún mayor énfasis teórico que el de Ortega sobre su «misión luciferina» como pensador y filósofo:
«servidor de la causa de las luces», «las ideas claras», «el
conocimiento... lúcido». D'Ors fue auténtico e importante
filósofo de la cultura (y de la historia). Igual que Unamuno
y los otros noventayochistas, miró por debajo de los superficiales acontecimientos históricos para encontrar una serie
de «constantes» histórico-culturales que él denominó «eones».
Éstos se presentan siempre en pares que se contrastan entre

[63] Eusebio Colomer, «El pensamiento novecentista (1890-1936)», en
Historia general... hispánicas, t. VI, págs. 260-61.
[64] Eugenio d'Ors, *Introducción a la vida angélica* (Buenos Aires,
1939), pág. 23, citado por Colomer, *op. cit.*, pág. 262.

sí. Uno de ellos, que tendrá importancia luego para nosotros, es lo Clásico y lo Barroco. Como hemos visto, él era clasicista, hasta el punto de que

> toda la empresa restauradora del joven D'Ors, su ardiente campaña por los ideales del Novecentismo, está presidida por la afirmación de la sobriedad y serenidad clásicas frente a la embriaguez romántica [lo Barroco] [65].

¿Qué tipo de relación tenía D'Ors con el mundo taurino? Parece que no iba mucho a las corridas, pero, por su personalidad receptiva y simpática, su mente abierta y su importancia como filósofo, los toreros destacados trababan con él relaciones amistosas, que él reciprocaba. Nicolás Barquet, que lo conocía íntimamente, nos dice que

> D'Ors no suele ir con frecuencia a los toros, pero los toreros sí suelen acudir frecuentemente a su casa para visitarle. En la Ermita [de San Cristóbal, su residencia en Villanueva y Geltrú, en la Costa Brava] hemos visto desfilar a Martín Vázquez, Bienvenida, Dominguín, Ortega... En vida trató mucho al malogrado Manolete.

En otro lugar del mismo libro revela que «el diestro Luis Miguel Dominguín, amigo del maestro [D'Ors]..., ha acudido [a él] en diversas oportunidades para formularle consultas filosóficas» [66]. En cuanto al trato humano, entonces, sí que mantenía relaciones con los protagonistas del espectáculo taurino. Sólo por este hecho podemos calificarle como claramente más «a favor» que lo contrario. Pero todo esto tiene que ver con su vida personal, extraliteraria. ¿Cuál será la actitud que manifiesta en sus trabajos escritos?

---

[65] Colomer, *op. cit.*, pág. 269.
[66] Nicolás Barquet, *Eugenio d'Ors en su ermita de San Cristóbal* (Barcelona, Barna, 1956), págs. 15, 35.

En primer lugar, hay que hacer constar que casi no escribió nada sobre el tema. Lo menciona de paso varias veces, y sólo escribió un breve artículo de importancia sobre los toros. Dada su estatura como portavoz de las teorías del novecentismo, las cuales incluyen la serenidad objetiva y la abertura mental, casi podríamos conjeturar de antemano que trataría el tema de los toros sin juicios preconcebidos, con objetividad y frialdad analíticas. Y, como Ortega, no consideraría al tema como demasiado trivial e insustancial para merecer su consideración. Esto es porque sostiene como norma que «en cada obra del hombre —del hombre que trabaja o juega— se esconde una semilla de eternidad. Filosofar sería hacer brotar y florecer esta semilla. Es claro que un pensamiento así no reputará 'nada humano ajeno a la filosofía'» [67].

Nuestro autor utiliza el tema de los toros, de pasada, como término de comparación con Picasso. En la traducción inglesa de su libro que lleva el nombre del pintor, dice lo siguiente:

> As for presentday Spanish art, here again I formulated a prophesy some time ago in this image: Picasso may be likened to a nimble matador, who is destined to give the death-stroke to the bull of Spanishism in it, after having provoked it and enlivened it and excited it in a myriad of ways and with a myriad of capers [68].

Su propósito aquí es puramente estético; es una imagen feliz que describe muy atinadamente lo que el autor quiso comunicar sobre el papel que cree que desempeñará el pintor en cuanto a «lo español» en la pintura del país. Nada hay aquí que indique su postura hacia los toros.

---

[67] Colomer, *op. cit.*, pág. 263.
[68] D'Ors, *Pablo Picasso*, trad. Warre B. Wells (Paris, Éditions de Chroniques du Jour, 1930), pág. 29.

Con igual intención (o falta de ella, mejor dicho) he encontrado dos casos más en que menciona la corrida de toros, pero ahora en sentido histórico. En un libro de 1943, hablando de Goya, dice que el toreo, a pesar de su reputación de ello, no data de tiempos inmemoriales; el toreo como lo conocemos hoy es del siglo XVIII, precisamente de los años del pintor de Fuendetodos. Da luego extractos, con su vocabulario taurino aún vacilante, de la reseña de una corrida publicada en 1793 [69]. Como se ve, se trata de historia taurina, contada objetivamente, y nada más. Hay también en *La palabra en la onda*, de 1950, otra mención de la historia de la tauromaquia, esta vez para sacar un paralelo con la evolución de la danza en Europa. Dice así:

> La fiesta de los toros fue en su día una diversión activa de señores. Se toreaba por caballeros en plaza y los lances se ejecutaban noblemente a caballo. Vino que el caballero bajase del caballo. La lidia pasó a ejercicio de infantería. Entonces, las mismas suertes a caballo, reducidas a una, quedaron para groseros practicones. ¡Cuán raro, en el toreo moderno, que al picador se le aplauda! El hidalgo, en la fiesta de los toros, pasó de torero a aficionado, de actor a espectador... Pues bien, pudiera ser que en la danza se estuviese operando a nuestros ojos una transformación parecida [70].

Para el que sepa un mínimo de historia de las corridas, D'Ors, en estos dos casos, no le ha dicho nada que fuera revelador.

En el libro de Barquet antes citado, el autor trae unas palabras de D'Ors que claramente revelan una actitud posi-

---

[69] D'Ors, *Epos de los destinos* (Madrid, Ed. Nacional, 1943), páginas 82-84.
[70] D'Ors, *La palabra en la onda* (Buenos Aires, Sudamericana, 1950), pág. 180.

tiva hacia la Fiesta y, especialmente, admiración por uno
de sus más preclaros practicantes: Domingo Ortega:

> ... es el único diestro contemporáneo que me ha dado en el
> ruedo diez minutos consecutivos de perfección en el arte tau-
> rino [n. b. *arte* taurino]. Otros tienen arranques magistrales,
> improvisaciones magníficas, pero sólo Ortega, en una buena tar-
> de suya, consigue producir una impresión de perfecta conti-
> nuidad de dominio y maestría[71].

Habla D'Ors aquí con más mesura y menos exageración
que ellos, ¿pero no nos recuerda esto las alabanzas que hicieron Benavente de Guerrita y de Lagartijo, y Valle-Inclán
de Belmonte? Su postura «a favor» de los toros (cuando el
torero tiene una buena tarde, cuando hace arte) es patente.

Lo más importante de lo que ha escrito sobre el tema
taurino se contiene en un artículo periodístico, de una sola
página, publicado en el suplemento de un diario madrileño
en el año 1943. Se trata del escrito «Estética y tauromaquia
(Notas de un profano)», en que considera el aspecto estético
de la corrida, encajándolo luego en su concepción general
de la cultura, de acuerdo con su preferencia personal por lo
clásico (lo armonioso y ordenado).

Empieza D'Ors por confesar, modestamente, su «incom-
petencia en lo taurino», y procede entonces a subrayar el
muy reconocido barroquismo de la Fiesta. Según el autor,
una prueba de su barroquismo es, precisamente, el ser reco-

---

[71] Barquet, *op. cit.*, pág. 15. D'Ors, que siempre prefirió lo perfecto y clásico, en un escrito periodístico titulado «Sobre la perfección y sobre Domingo Ortega», en *Arriba*, 19 de junio de 1946, pág. 5,
hace una comparación entre el estilo de ciertos toreros y los órdenes
arquitectónicos, para encumbrar el valor clásico del toreo de Domingo
Ortega: «Entre el orden dórico, representado aquí por el aplomado
Manolete, y el impresionismo, demasiadas veces fugado, de tanto corin-
tio matador galardonado por mil orejas, Ortega y su orden jónico
alcanzaban la madurez de la maestría.»

nocida comúnmente como Fiesta *Nacional,* es decir, «hija de
la íntima fuente, popular y espontánea de un grupo humano,
que encuentra ahí la expresión inconfundible de su 'carácter'; cual si la existencia de aquélla y su estilo fuesen dicta-
dos por la misma naturaleza». Evidentemente, D'Ors clasifica
las manifestaciones de «lo popular» dentro del «eón» de lo
Barroco. Al establecerse el toreo de a pie (durante los tiempos de Goya), lo barroco le invade y desde entonces deter-
mina su morfología toda:

> ... sus suertes, su rito..., la indumentaria de los toreros, sus
> armas, su coleta, la solemnidad que el espectáculo reviste, la
> misma estructura de la plaza y, sobre todo, el ya democrático
> apeo, gracias al cual se convirtieron en infantes los antiguos
> caballeros de plaza.

Todo esto, más el cromatismo de la corrida (del cual ha-
blaremos en seguida), constituyen los ingredientes barrocos
presentes en la corrida de toros [72].

Entrando ya en el tema del cromatismo de los toros, declara el autor que lo que más le llama la atención sobre los
principios del toreo de a pie es «la exuberancia de una policromía, no ya lujosa, sino viciosa en los matices...». Procede
entonces a hacer una aseveración atrevida, que contradice
lo generalmente aceptado por los «enterados» de la historia
del arte taurino: «... que en el estilo que el siglo XVIII implan-
tó y ha llegado hasta nosotros, el arte taurino responde, más
que al modo grave y ganadero de Andalucía, al espumoso y
florido de Valencia» [73]. D'Ors, gran conocedor del arte y de
los estilos artísticos, ha aislado los elementos estilísticos
de la tauromaquia y ha creído ver más parecido entre ellos

---

[72] D'Ors, «Estética y tauromaquia (Notas de un profano)», *Sí,* suplemento semanal de *Arriba,* Madrid, 6 de junio de 1943, pág. 20.
[73] *Ibid.*

y el estilo artístico valenciano del siglo xviii (época en que también tomó forma el toreo actual) que con el estilo andaluz de entonces.

El autor hace más personal este aspecto de la policromía de los toros, emitiendo el juicio de que este colorismo (barroco) es precisamente el elemento de la corrida que *no* vale gran cosa para él, a pesar de que otros observadores lo han subrayado como uno de sus indudables atractivos. Estéticamente hablando, los colores de la corrida desentonan entre sí; no son armónicos (recuérdese que la nota clave de lo Clásico es la armonía, precisamente). D'Ors justifica su opinión de esta manera:

> Por de pronto, la cambiante intervención del sol en el espectáculo... producirá siempre el que la parte postrera de aquél, con la lividez creciente que va invadiendo el ámbito de la plaza, traiga... un malestar y una tristeza... En el gris del último cuarto de lidia, el cromatismo de cuanto en ella se mueve toma tonos tan ácidos, en contraste con la opacidad del ambiente, que apenas si la retina puede intentar guardarse, con la distracción, de la fealdad. Pero esta acidez ya se encontraba inclusive cuando el apogeo de la tarde y bajo el cielo sin nube. Aquel rancio rosa-morado de las medias que llevan los toreros...; lo agrio, en fin, del conjunto todo, fuerzan a reconocer que andamos ahí en el mundo más contrario de la armonía... [74].

El autor, cuya pupila posee una fina sensibilidad para los valores artísticos, no encuentra armonía (clasicismo) en los colores de la corrida. ¿Existen, entonces, otros elementos de la tauromaquia que le gusten, desde el punto de vista estético?

A esta pregunta podemos contestar rotundamente «¡sí!». Personalmente, D'Ors favorece, sobre lo colorista y dinámico del toreo, sus aspectos puramente *plásticos* y *escultu-*

---

[74] *Ibid.*

rales. Para él, el verdadero valor estético de la corrida viene
«de la majestad estatuaria que va engranando la faena del
matador, de su continuo y, si improvisado, *reposado triunfo
sobre las asechanzas de la muerte, en constante desafío y
burla de ella».* (Nótese que en las palabras subrayadas —por
mí— de esta cita tenemos la definición orsiana de qué es
una corrida de toros.) Estéticamente, le interesa del toreo
la forma, la figura del «hombre-estatua», la «serenidad victo-
riosa» del torero[75]. Claramente, éstos son valores de «lo clásico», y no de «lo barroco», en opinión y definición de Eugenio d'Ors (como los define en su libro *Lo barroco*).

Dada esta fuerte presencia del cromatismo barroco en los
toros, observa D'Ors, los pintores que han intentado interpretar la Fiesta han buscado, «instintivamente», la solución
al problema de la multiplicidad cromática en el impresionismo. Pero la técnica impresionista es la de captar lo momentáneo, lo superficial y la sensación. Esta disolución impresionista, presente al principio sólo en la interpretación
pictórica de la Fiesta, más tarde ha ido invadiendo el toreo
mismo, descomponiéndolo «en las modalidades de su estilo».
El toreo, desde los años veinte —opina el autor—, ha ido
sacrificando sus esencias intelectuales a los efectos superficiales de la sensación; el toreo de hoy día es ya más y más
patético, efectista y colorista, aproximándose a aquella superficial «estética valenciana» del arte[76].

Vemos, entonces, que también Eugenio d'Ors, allá por
los años cuarenta, veía cierta decadencia en el toreo; esta
descomposición, sin embargo, no es por parte del toro, sino
en cuanto al estilo artístico del toreo de moda entre los matadores de entonces. Pero a pesar de este juicio algo nega-

---

[75] *Ibid.*
[76] *Ibid.*

tivo del toreo de su tiempo, toreo predominantemente «barroco», el autor ve la posibilidad de que cambie esta tendencia y tome un rumbo positivo: «... así, para la... estética de la tauromaquia, puede empezar un turno de favor en que lo plástico venza a su vez a lo colorístico y en que alivien su coeficiente de barroco los aspectos estilísticos de la fiesta»[77]. De esta manera más bien optimista termina su breve ensayo Eugenio d'Ors; un ensayo en que bien notamos —como observó Cossío— varias «diferencias que le separan de la consideración tópica de la fiesta»[78].

Era de esperar, en el caso de un pensador como Eugenio d'Ors, que en un ensayo dedicado específicamente al tema no nos diera lo «ya trillado» y tópico sobre los toros. El barroquismo de la tauromaquia que destaca D'Ors cabe muy lógicamente dentro de las concepciones estéticas generales del autor. Pero —se preguntará algún lector— ¿cómo puede esto encajar con sus preferencias estéticas, puesto que hemos visto que D'Ors favorecía y propugnaba el clasicismo, que era todo serenidad, medida y armonía? La explicación sería ésta: si él luchaba por implantar y mantener las características clásicas, esto, hasta cierto punto, quiere decir que él *aspiraba* a ellas; por lo tanto, se podría conjeturar que D'Ors, en el fondo, no era originalmente así. Ya vio esto Aranguren en 1945, cuando opinó que esta brega por lo clásico delataba, en el fondo, su alma apasionada y *barroca,* su «levísimo incurable barroquismo»[79].

Vemos en otra obra suya unas declaraciones que hablan de lo que tiene el toreo de «lo Barroco». Precisamente en su libro de este título establece unidades o parecidos estético-

[77] *Ibid.*
[78] Cossío, *Los toros,* t. II, pág. 1988.
[79] Aranguren, *La filosofía de Eugenio d'Ors* (Madrid, EPESA, 1945), página 54.

espirituales entre parte de la obra de Mozart (la de inspiración netamente folklórica) y el arte escultórico y arquitec-
tónico de Bernini, y luego, el parentesco de estos dos con
Floriaɪɪ, Pope y el cantor Farinelli. Y agrega entonces: «En
otros dominios, y guardadas todas las distancias, ¿no puede
añadirse a estos nombres el de Pepe-Hillo o el de Costillares,
astros de primera magnitud en el firmamento del toreo español...?» El toreo en general, entonces, y el torear de cualquier
matador que sea (escoge a estos dos nombres no por su sin-
gularidad, sino porque son entre los primeros nombres de
toreros de a pie que conocemos y, por tanto, representan a
todos los matadores), constituyen una actividad barroca, con
todas sus características peculiares. Pero hay que advertir
que los conceptos orsianos de «lo Barroco» y «lo Clásico»
tienen un significado mucho más amplio que el meramente
artístico o histórico. Son nada menos que «estilos de cultura»; éstos se diferencian de los «estilos históricos», como el
gótico, por ejemplo, un concepto más limitado. «No hay una
'prosa gótica'... En cambio, existe, nadie lo duda, una 'prosa
barroca'; existen 'costumbres barrocas' —acabamos de recordar la tauromaquia—» [80].

En fin, aunque clasificó al toreo como algo barroco, tuvo
Eugenio d'Ors una clara inclinación hacia él, pero más bien
en su aspecto personal (conocimiento y trato con toreros),
estético (sus valores plásticos y esculturales) e histórico;
pero nunca de manera exagerada o excesiva, y siempre con-
servando aquella claridad, serenidad y mesura clásicas (y
novecentistas).

---

[80] D'Ors, *Lo barroco* (Madrid, M. Aguilar, s. a. [¿1944?]), páginas
148, 152.

EL DOCTOR MARAÑÓN: SENTÍA AFICIÓN, PERO ESCRIBIÓ CON ACTITUD ANALÍTICO-OBJETIVA

> La pasión por injertarse el espíritu de Europa, principalmente —pero no sólo— el alemán, el sentido de la ética social elevada, el amor a la España típica... Y todo ello impregnado de una aurora de optimismo que seguía a la noche amarga de los pesimistas del 98 [81].

Así caracterizaba Gregorio Marañón a la generación de los novecentistas; y así también estos rasgos son un retrato fiel del mismo Marañón, representante típico de su generación. En el caso de este autor, hay que destacar una cualidad en particular: su honda humanidad y apertura a todos los temas humanos. En cuanto al tema de los toros, lo único algo sustancial que escribió fue un prólogo al volumen de poesía taurina titulado *Púrpura y oro*, del poeta colombiano Miguel Rasch Isla (publicado en Bogotá el año 1945). Nos sorprende que, al contrario de lo que pudiéramos suponer, no trató en este prólogo ni en otra parte el aspecto psicológico-biológico-histórico del toreo y de sus protagonistas. (Como en el caso de Ortega, decimos: ¡Ojalá hubiera escrito...!).

¿Qué postura personal mantenía, en general, ante la fiesta taurina? Afortunadamente, no hay que conjeturar sobre esto, porque lo tenemos declarado por el mismo autor en una carta personal escrita sólo doce días antes de morir. Dice así: «Estoy muy retirado de los toros, pero conservo la afición antigua y el gran interés que me inspiran sus lances. Sobre todo, claro es, todo lo referente a Belmonte» [82]. Nota-

---

[81] Gregorio Marañón, *Raíz y decoro de España* (Buenos Aires, Espasa-Calpe, 1952), pág. 145.

[82] Marañón, carta al doctor R. Abarquero Durango, en el libro

mos aquí tres cosas importantes: como todos los ensayistas
bajo nuestra consideración (con la posible excepción de
Cossío), no asiste con mucha frecuencia a las corridas; no
tiene recelos en proclamarse «aficionado a los toros»; igual
que ocurre con Valle-Inclán y Pérez de Ayala, su afición se
centra más bien en un hombre, en el gran torero de entonces, Juan Belmonte. Además de estas palabras suyas sobre
su afición, tenemos las siguientes de su hijo:

> Si Marañón no escribió, pues, nada, o casi nada, sobre los
> toros, no quiere ello decir que no fuese un aficionado, un gran
> aficionado. Fue aficionado toda su vida, si es que por afición
> se entiende lo que realmente es, es decir, la inclinación y la
> propensión a alguna cosa; el ahínco y el esfuerzo en conocer
> y gozar de una cosa.
>   Toda su vida sintió y vivió los toros con entusiasmo fervien-
> te, con juvenil emoción, con inteligencia y reposada crítica [83].

Añade Marañón Moya que los atractivos del arte taurino
fueron observados y analizados por su padre temporada tras
temporada; sus familiares, amigos y discípulos todos saben
que el tema de los toros fue una de sus constantes lecturas
y tema permanente de muchas de sus cartas y conversaciones.

Veamos ahora algunas ideas y opiniones de aquel «Prólogo» que escribió el doctor Marañón. En seguida nos llaman
la atención sus primeras palabras, que son a manera de justificación por haber querido escribir sobre tal tema. He aquí
sus palabras estupendas:

---

de éste *El toro no es una fiera ni la Fiesta Nacional una barbarie*
(Madrid, 1963), copia fotomecánica entre págs. 166 y 167.
   [83] Gregorio Marañón Moya, «El doctor Marañón y los toros», en
Los toros en España, t. III, ed. Carlos Orellana (Madrid, Orel, 1969),
página 131.

... escribo sobre lo que se me ocurre porque quiero. Me place hacer uso de la facultad que Dios nos ha dado a los hombres de contemplar y comentar el espectáculo maravilloso de la vida tal como es, en su vasta plenitud. Nada hace amar la vida como la consideración de su infinita variedad. Y un modo noble de servir a Dios es el afán de que nada de cuanto se ha creado sea ajeno a la curiosidad nuestra [84].

Es la misma conclusión a que llega Ortega: nada humano es trivial; hay que conocer... Por supuesto, los medios son distintos: Ortega sostiene esto, habiendo pasado por un proceso puramente y rigurosamente intelectual, casi científico; Marañón parece fundir el razonamiento intelectual con lo espiritual, con las motivaciones cristiano-católicas. El espectáculo taurino forma parte del «espectáculo maravilloso de la vida»; no importa que pueda haber objeciones éticas o estéticas a él; hay que *conocerlo*. Esta actitud de «liberalismo intelectual» le coloca a Marañón en la misma línea de los otros novecentistas en su manera general de enfrentarse con la vida.

Habla también aquí de que, para él, el «insuperable atractivo» del arte taurino consiste en su perenne renovación. Hay en la corrida una serie de trámites reglamentarios que forman su núcleo, pero la verdadera creación estética taurina se hace sobre este núcleo. El matador tiene abiertas todas las posibilidades de improvisación; a veces improvisa tales o cuales pases y lances motivado por la inspiración artística, a veces sólo por la necesidad [85]. Precisamente en este «no saber qué pasará» está su atractivo. Los momentos estéticamente satisfactorios, como para Ortega, sólo existen gracias

---

[84] Marañón, «Prólogo» a *Púrpura y oro*, de Miguel Rasch Isla (Bogotá, 1945), en antología de Salabert, *op. cit.*, pág. 205.
[85] *Ibid.*, pág. 207.

a los otros momentos (que son la mayoría) cuando sólo hay
trámite o el «salir del paso».

En otra parte hace una declaración algo contradictoria
a la manifiesta afición suya que hemos observado. En la mitad de dicho «Prólogo» dice esto: «Empezaré por decir que
no figuro entre los entusiastas de las corridas de toros, aunque reconozca la insuperable belleza de algunos de los lances
que, a veces, ofrece esta fiesta al espectador»[86]. Parece que,
siendo un intelectual español en un ambiente en que no muchos pensadores habían hablado en serio o manifestado una
afición a los toros, se le había pegado algo de aquella ambivalencia que vimos en Pérez de Ayala. Notemos, sin embargo,
el hincapié que hace en la belleza estética de los lances bien
ejecutados.

Aquel profundo sentido humano de Marañón se hace presente aquí en su encomio del tipo humano «torero». Para
nuestro ensayista, es el héroe más digno, amable y sencillo
de todos, que no sólo tiene que luchar con y vencer al toro,
sino también al «monstruo de veinte mil cabezas que le
acecha desde los tendidos». Reconoce muy bien el doctor
Marañón esa especialísima y volátil relación amor-desprecio
que existe entre torero y público. La actitud inteligente y
digna del matador ante el éxito y la declinación es lo que
más merece sus elogios:

> No hay comparación entre la actitud inteligente que adopta
> el torero, en general, ante el triunfo, y la trivial de cualquier
> literato que ha estrenado o publicado su primera obra con
> éxito... Ningún otro artista en el ocaso guarda, como el torero,
> postura tan digna ante la popularidad que se fue, porque nadie
> sabe como él lo que había de vanagloria en el triunfo[87].

---

[86] *Ibid.*, pág. 208.
[87] *Ibid.*, págs. 209-10.

Nótese que se refiere al torero como «artista»; el toreo, bien ejecutado, es un arte, y el matador un artista.

Volviendo a la gran admiración de Marañón por Juan Belmonte, se puede decir que era más bien una amistad y un respeto mutuo entre los dos. Su hijo dice:

> Con Juan Belmonte tuvo mi padre una entrañable amistad, de sobra conocida. Siempre les unió una mutua comprensión, llena de recíproca admiración, de afecto y de íntima y pública lealtad. Juan Belmonte fue su amigo y su torero [88].

En aquella carta escrita pocos días antes de morir, habla del gran interés que le suscitan los lances taurinos y, «sobre todo, claro es, todo lo referente a Belmonte. Por ser *su definidor irreprochable*, definitivo fue también *el que terminó con ellos* [con los toros]» [89]. No puede haber preconización más exaltada de un torero por un intelectual.

Terminamos ahora nuestras consideraciones de Gregorio Marañón poniendo de manifiesto que también este ensayista, como vimos hacer a Cossío y a Pérez de Ayala (y como veremos hacer a Fernández Suárez y a Pedro Caba), hace la advertencia o «toque de alerta» sobre la decadencia actual del toro y, como consecuencia, del toreo. Lo expresa con estas palabras, ya por los años 40:

> ... he sacado la convicción de que las corridas de toros evolucionan... hacia una completa transformación de lo que hasta ahora fueron... [La tauromaquia de ahora está] caracterizada por el hecho de que el toro... deja de ser una fiera... para convertirse en animal casi doméstico, con reacciones específicas creadas y heredadas por la domesticidad, que le permiten colaborar con el torero mismo... Es posible, es seguro que la belleza

---

[88] Marañón Moya, *op. cit.*, pág. 132.
[89] Marañón, carta a Abarquero Durango, *op. cit.*, entre págs. 166 y 167.

de los lances sea ahora mayor que nunca... [pero] el toro sabe
ya su papel, y esto disminuye no sólo el peligro, sino el rapto,
la posibilidad de inspiración del lidiador. Es un problema de
orden biológico... [90].

Éstas son las mismas advertencias que están haciendo
los comentaristas y críticos taurinos hoy día, veinticinco años
más tarde. Marañón renueva estas mismas ideas años después, «antes de marcharse para siempre para encontrar la
paz del Señor» (no indica el año exacto), en una carta a su
hijo que dice así:

> Los toreros de nuestros días, nietos de Juan Belmonte, son,
> como ha escrito Agustín de Foxá, «jóvenes atléticos, cultos, que
> hablan varios idiomas, flirtean con las señoritas de la alta socie-
> dad y se curan con penicilina». El que los toreros de hoy sean
> así, que se curen con penicilina y no con aguardiente, como el
> Pepe-Hillo, a mí me parece muy bien. [Adviértase en estas últi-
> mas palabras el Marañón médico y lleno de compasión huma-
> na.] Es en otras cosas del toreo de estos nuevos tiempos en lo
> que ya no estamos de acuerdo. De todas, quizá la más grave,
> es que los toreros de hoy han matado al toro en la imaginación
> del aficionado. El toro ha desaparecido del festejo taurino y el
> público de hoy no va «a los toros». Si no se rectifica urgente-
> mente, restableciendo al toro como parte fundamental de la
> lidia, podemos decir, sin temor a equivocarnos, que la Fiesta
> Nacional marcha hacia el futuro con plomo en el ala [91].

Su sentida preocupación aquí por el futuro de los toros
nos revela que, en el fondo, Gregorio Marañón tenía mucho
interés y bastante afición por la fiesta taurina.

---

[90] Marañón, «Prólogo» a Rasch Isla, *op. cit.*, págs. 210-11.
[91] Marañón, carta a Marañón Moya, en artículo de éste, *op. cit.*,
página 133.

MADARIAGA: QUE LOS INGLE-
SES ENTIENDAN EL TOREO

El espíritu británico de este grupo de los «hijos del 98» está representado por Salvador de Madariaga. Nacido en 1886, residente ya largos años en Inglaterra, ha contribuido principalmente al ensayo, en castellano y en inglés, de tipo cultural, literario y biográfico. Su espíritu comprensivo y tolerante le hace ser ecuánime y objetivo en sus análisis de las características de los pueblos que conoce íntimamente. En su obra maestra y más conocida, *Ingleses, franceses, españoles* (1928), penetrante estudio de psicología nacional comparada, se echa muy de menos, a nuestro entender, la inclusión del tema taurino, por ser uno de los campos que ilustra perfectamente algunos de los rasgos de «lo español».

En su deseo de difundir por su tierra de adopción su amor y conocimiento (sin prejuicios, en lo posible) de las cosas españolas, ha escrito varios libros en inglés; uno de ellos, *Essays With a Purpose*. El capítulo titulado «Spanish tradition» contiene una clara apología del toreo, a la vez que se esfuerza el autor por hacer comprender a sus lectores de habla inglesa el toro bravo y la corrida desde el punto de vista de la mentalidad española. El español, por ejemplo, no mira el toro de lidia de la misma manera que un británico mira el toro de su tierra. Explica en detalle que en España, «the bull is thus associated with Spanish life from the oldest times till the present day». ¿Qué es lo que ve el público español en el toro bravo? ¿Por qué lo admira? Madariaga contesta así:

> That the inherent beauty of the animal is the chief element in this popularity cannot be doubted; nothing more eloquent

in this respect than the sensibility of a Spanish crowd to the
sudden coming out of the bull from the dark into the glaring
light of the ring... The Spanish crowd sees a picture, a dynamic
scene, and if, as is usually the case, the animal is a thing of
beauty, the feeling that goes out to it is not one of pity but
of intense admiration [92].

El público español, entonces, ve principalmente la belleza
fisiológica del animal, se identifica con los atractivos estéticos y dinámicos de la escena.

Entremos ahora en lo más sustancial de este ensayo: su
apología de los toros como espectáculo (no deporte) muy
por encima de los otros espectáculos. Lo explica de esta
manera:

> True, bullfighting was once a sport. It was the privilege of
> horsemen, therefore of knights, who, with a spear, «ran» the
> animal. As such, it lingers on [representado por los rejoneado-
> res: caballeros en plaza]... But the usual thing is not a sport,
> anymore than boxing is for all but two of the persons present;
> it is, fundamentally, like boxing, a spectacle. And, I submit, a
> far better one.

Claramente, el toreo no es un deporte; no hay dos equipos
o dos individuos de poderes más o menos iguales que se
enfrentan en competencia, y cuya finalidad es «ganar». ¿Pero
por qué está este espectáculo por encima, como espectáculo,
de los otros? ¿Cuáles son los variados elementos integrantes
suyos que contribuyen a darle esta valoración positiva tan
alta?:

> To begin with, there is no betting, and that is that... The point
> to remember is that the Spanish spectacle partakes of nearly
> every art: fundamentally, it is a drama; the men are in constant
> danger; and the bull... is doomed from the outset; this fact

---

[92] Salvador de Madariaga, «Spanish tradition», en *Essays With a
Purpose* (London, Hollis & Carter, 1954), págs. 124, 124-25.

lends to the spectacle a tension of its own. But this dramatic
art in bullfighting is served by a number of other arts. A bullfight is a picture of the utmost beauty, in which color [and the
changing light] plays a prominent part... And a bullfight is also
a masterpiece of the sculptural art... It is also a spectacle in
which the ballet element is prominent, for it is a synthesis
of colour and movement... And there is no bullfight without
music [93].

Para Madariaga, el toreo no es sólo un espectáculo, sino
principalmente un drama (mejor dicho, una tragedia). Alrededor de este núcleo contribuyen al espectáculo una serie
de artes que forman su periferia: el colorismo de las artes
gráficas, las formas plasmadas de la escultura, las líneas del
ballet y la música. Tenemos aquí una concepción grandiosa
de la corrida de toros, que lo abarca todo; es un punto de
vista parecido a la concepción wagneriana de la ópera como
drama musical que incluye las otras artes, la ópera como
«arte totalizador». Por supuesto, su actitud a favor de la
Fiesta es evidente aquí.

Terminemos con un pasaje de nuestro autor que es «di-
dácticamente magistral», en que aclara unos conceptos erróneos que tienen los ingleses (y otros) hacia la tauromaquia:

Now the wrong approach to the bullfight is to forget that
all these elements are the very essence of the spectacle for the
Spanish public. The idea that the Spaniard goes to a bullfight
to take a sadistic joy in the sufferings of a poor animal is
simply grotesque. The Spaniard who goes to a bullfight goes
to enjoy beauty made with danger as a raw material...; the
misunderstanding about bullfights... springs from the tendency
to attribute to the other fellow the feelings we would be guilty
of if we did what he is doing... If a Briton —often slow to be
aroused by or to aesthetic pleasures— goes to a bullfight with
his own mental make-up, he can only conclude that the inte-

---

[93] *Ibid.*, pág. 122.

rest the audience felt is that sadistic interest which his would
be, if he felt any [94].

Las ideas de la última mitad de este pasaje, ¿no nos acercan a la «doctrina del punto de vista» orteguiana? Los españoles, mirando desde su perspectiva y tomando en cuenta,
subconscientemente, su «razón histórica», en general pueden
aceptar y gustar del complejo que se llama «corrida de toros». Américo Castro, que veremos en el apartado que sigue,
habla de «vividura»: el modo particular como los hombres
manejan su vida, dentro de su «morada vital»; dice que para
entender la realidad de cualquier fenómeno expresivo de
cierto grupo humano hay que estar en la misma «morada
vital», tener su misma perspectiva (cf. nota 96). Para Salvador de Madariaga, el imperativo de comprender, de entender
la verdadera realidad del fenómeno taurino es lo más importante, como lo era para los otros de su generación.

AMÉRICO CASTRO: LAS CORRIDAS
COMO ELEMENTO DE LA AUTÉN-
TICA FORMA DE VIDA HISPANA

Este erudito investigador (1885-1972) ha publicado muchos artículos y libros sobre temas lingüísticos, literarios
e historiográficos de España e Hispanoamérica. Desde la publicación, en 1948, de su *España en su historia: cristianos,
moros y judíos*, su atención se ha centrado preferentemente
en el deseo de desentrañar las verdaderas esencias de la cultura y la historia de España. Como otros autores españoles
antes y después de él, se ha preocupado también por el «problema de España», por definir su auténtico ser.

---

[94] *Ibid.*, págs. 123-24.

Castro hasta señala que la vida en España desde hace siglos consiste precisamente en una honda insatisfacción con el curso de la propia vida y también con la de los antepasados. Esta actitud, según el autor, es privativa del pueblo español:

> Los españoles... son tal vez el único pueblo de Occidente que considera como nulos o mal venidos acontecimientos o siglos enteros de su historia, y que casi nunca ha experimentado la satisfacción gozosa de vivir en plena armonía con sus connacionales. Se vive entonces como si la vida, en lugar de caminar hacia adelante, sintiera la necesidad de desandar, de comenzar nuevamente su curso.

Ha existido y todavía existe en España una radical inquietud respecto del propio ser o existir español. Cuando se quiere considerar la historia de España, entonces, hay que tener en mente este fenómeno primordial, esta peculiar disposición de vida cuyo problema constante es nada menos que «la inseguridad y la angustia en cuanto a su mismo existir, el no estar en claro, el vivir en dudosa alarma» [95].

La tauromaquia, siendo un elemento cultural tan español, tiene que (o debe) entrar en cualquier consideración del «ser» o de la «esencia» de España. Castro habla del tema de los toros como uno de los fenómenos ilustrativos de sus teorías, pero no se extiende mucho sobre él. Además de sus referencias directas a la tauromaquia, expone otras ideas que fácilmente pueden ser aplicadas al tema de los toros. Mencionemos éstas primero, para luego proceder a su trato directo del tema taurino.

Como la receptividad o apertura intelectual es la nota clave de los pensadores novecentistas, nuestro autor también

---

[95] Américo Castro, *La realidad histórica de España* (edic. renovada, 3.ª edic., México, Porrúa, 1966), págs. 80, 95. La obra de 1948, *España en su historia*, está contenida en ésta.

la ensalza, pero no sólo para sí mismo, sino además como condición previa para quienes quisieran apreciar las acciones y creaciones del pueblo español (o de cualquier pueblo). El analizador de una determinada realidad nacional debe sentir una previa simpatía por sus acciones o creaciones; debe tener una adecuada receptividad para las clases de valores del pueblo bajo consideración, a la vez que intente mantener cierta objetividad estimativa. Hablando específicamente de los valores españoles, se agrega, además de las dificultades normales al examinar los valores de un pueblo, su carácter «evasivo y huidizo», la «resistencia a estimarlos en muchos casos», tanto por parte de extranjeros como por los mismos españoles. Para poder entender de verdad las particulares expresiones concretas de la vida española, Castro insiste en que el que quiera juzgar sobre lo español debe tener la misma instalación vital que los españoles, que esté adaptado a sus «extraños ritmos» [96].

Haciendo aplicación de estas ideas al terreno de los toros, entendemos, por ejemplo, que no sería lícito, a juicio de Américo Castro, hacer ni un análisis ni mucho menos un juicio valorativo sobre las corridas de toros sin que el que juzgue intente primero ponerse al mismo nivel vital que el español, y que además intente comprender el contexto histórico-psicológico de esta manifestación cultural. Y este intento de comprensión y de acoplamiento de punto de vista no debe proceder, en su opinión, por el camino de la razón (pura), sino por el del espíritu, por el de la vida:

> ... los fenómenos máximos de la civilización española no son calculables racional, sino vitalmente, y así casi nada parece indiscutido... Los habituales criterios pierden su eficacia al ir

---

[96] *Ibid.*, págs. 109, 124-25.

a aplicarlos a la historia de España, siempre encerrada en un antagónico y enigmático vivir-morir [97].

¿Y qué ejemplo mejor y más representativo del modo español de existencia, siempre alternando entre el vivir y el morir, que la institución de la tauromaquia? Las menciones directas del tema taurino que hace nuestro autor no son muy numerosas. Encontramos la primera en su artículo «Ilusionismo erasmista», de 1939. En una parte de este escrito está hablando de una de las «formas de vida» que caracteriza al español: el mesianismo, o sea, el poner la esperanza en un «ideal» que le «sobrevenga y llueva... sobre él benéficos manás»; es también el aferrarse completamente a la ilusión de que tal o cual hombre fuerte y dictatorial vaya a solucionar todos los problemas nacionales, o que la lotería le vaya a tocar y así se solucionarán todas sus dificultades económicas. Dentro de semejante «forma de vida», opina Castro, «el hombre ha de jugársela integralmente a cara o cruz» (como hace el torero). Esta particular forma de vida de los españoles creó de por sí el clima favorable para el desarrollo de las corridas de toros en tierra española. El autor lo explica de la siguiente manera:

> Tal forma de vida sólo podía universalizarse en valores a través de los cauces de la creación artística, del valor personal [e. g., el torero] o del anhelo de la eterna infinitud. Pedestal de semejantes grandezas fueron la prestancia de la persona, su enérgica conciencia de ser lo que se es a todo riesgo. En el horizonte hispano, la ceja sombría de la muerte y la aurora prometedora han solido confundir sus destellos.

---

[97] *Ibid.*, pág. 77. Expresa esta misma idea en un escrito de 1939, «Ilusionismo erasmista», que forma parte del libro *Aspectos del vivir hispánico* (Madrid, Alianza, 1970), pág. 107, donde dice: «Repito que es inútil aplicar métodos de intelección lógica al estudio de nada hispánico —historia política, religiosa, literaria o lingüística— si no se incluye en la explicación el modo español de existir.»

De ahí que las corridas de toros se volvieran espectáculo
nacional y símbolo del vivir como riesgo absoluto frente a un
destino amenazador, sólo conjurable mediante heroicas destre-
zas... [Cuando el toreo de a pie se instauró en el siglo XVIII,
la corrida se convirtió en] un rito solemne en que el auténtico
hispano, sin saberlo, rinde culto a *la esencia de su forma de
vida* [98].

Si se fija en las palabras subrayadas, uno se da cuenta de
que el toreo tiene, en opinión de Américo Castro, una gran
importancia, de raíces profundas y ocultas, para el hombre
hispánico. La tauromaquia resulta ser nada menos que una
parte de la *esencia* de la forma de vida hispánica.

Cuando nuestro autor habla de «forma de vida hispánica», no se refiere a *una* sola e incambiable forma de vida.
Castro subraya que la realidad histórica de un pueblo (o de
una vida humana) no es una cosa dada ya hecha, sino que
un pueblo lo es cuando tiene conciencia de existir «fuerte
y valiosamente» como tal y, además, tiene siempre conciencia «de estarse haciendo, creándose, en una dirección ascen-
dente». La vida historiable de un pueblo consiste en un curso
o camino a recorrer. Un pueblo no posee un fijo «carácter
nacional». Castro evita los términos «carácter» y «rasgos
psicológicos» de un pueblo. Estos términos denotan algo
estático y ya fijamente dado, mientras que a él le interesa
la vida «como movimiento, curso y dirección, como algo
variable, conjugado con una 'invariante' que haga captable
lo que persiste a lo largo de las mutaciones temporales».
Introduce entonces el autor su concepto de «morada vital»,
que define como «*el hecho de* vivir ante un cierto horizonte
de posibilidades y de obstáculos (íntimos y exteriores)».

---

[98] Castro, «Ilusionismo erasmista», *op. cit.*, págs. 129-30. El subrayado es mío.

Aclara luego un poco más este concepto de «morada de vida»:

> En la morada vital... aparecen estabilizados y estructurados hábitos de preferir, iniciados a favor de nuevas situaciones sociales; las originadas por la conquista musulmana lo fueron en grado sumo.
>
> ... La morada vital se va constituyendo al hilo de impulsos ascendentes, eficaces y que dan lugar a nuevas situaciones colectivas. El punto de partida, naturalmente, son los usos establecidos...; pero esos usos sirven y valen ahora como instrumento, no como base estática [99].

Antes de proceder al examen de lo que Castro dice sobre los toros en relación con toda esta idea de morada vital, hay que mencionar un derivado de este concepto, que es lo que él llama «vividura», y que define de la siguiente manera: «[se refiere] *al modo como* los hombres manejan su vida dentro de esta morada, toman conciencia de existir en ella». Vividura es el concepto dinámico de un grupo o pueblo humano que se siente existir en su morada vital; es «el modo 'vivencial', el aspecto consciente del funcionar subconsciente de la 'morada'» [100].

Al hablar muy brevemente, en *La realidad histórica de España*, de la costumbre hispánica de la tauromaquia, el ensayista lo hace, en primer lugar, para refutar el equivocado concepto historiográfico de un pueblo español con características permanentes, de un español con fisionomía fija. Explica que, entre otras razones, la pervivencia de muchas tradiciones populares en España

> ha contribuido a la creencia de que los españoles continúan en lo biológico y en lo humano el mismo tipo de hombre presente

---

[99] Castro, *La realidad histórica de España*, págs. 121, 110, 109, 112, 129.

[100] *Ibid.*, págs. 109-10, 117.

en la Península hace miles de años... Se alega también la continuidad de la tauromaquia, como si quien hoy va a contemplar la lidia de ganado bravo prestara a ésta la significación sacra que tenía hace milenios.

La manifestación exterior de esta (o de cualquier otra) costumbre puede tener la misma o casi la misma forma desde hace siglos, pero el ambiente humano (o la morada vital) nacional que constituye hoy día su fondo no es el mismo que el de hace unos siglos. Castro explica que las costumbres y los espectáculos de un pueblo existen sólo en función de una determinada estructura humana temporal; «desgajados de ella se desrealizan y se despojan de su sentido». La costumbre de lidiar toros bravos fue primero diversión espectacular de caballeros de la clase noble. Durante el siglo XVIII, llegó a ser brega de a pie para algunos de la clase baja, que lo hacían por precio.

> Mas el hecho de que el denuedo y la hombría del matador, fuese o no «caballero», sedujese a los españoles, es fenómeno que adquiere sentido dentro del culto del poder imperativo de la persona, de la dimensión social, de la casta vencedora de moros y conquistadora de mundos. Lidiar contra toros o contra moros, lo mismo daba [101].

La morada vital que crearon los habitantes de la Península Ibérica durante la invasión musulmana y la subsiguiente campaña de reconquista que duró casi ocho siglos, fue la que determinó la preferencia española (y portuguesa) por las corridas de toros, manifestación reciente de aquel lejano «culto del poder imperativo de la persona» y de aquella «casta vencedora y conquistadora».

---

[101] *Ibid.*, págs. 16-17.

La lidia de toros bravos echó raíces en España y llegó a ser considerada comúnmente como «espectáculo nacional» precisamente porque la trayectoria histórica y la morada vital del pueblo español han sido propicias a ello. Pero lo que la tauromaquia significa para los peninsulares, o cómo ellos la sienten en esta o en aquella otra época determinada de su historia, varía según sea su morada vital. Américo Castro explica esto de la siguiente manera:

> La «realidad» de la lidia de toros en la prehistoria y en la vida española no es la misma, como no es tampoco la misma en la vida de quienes gustan de ese espectáculo en el sur de Francia. Cualquier uso o institución se presta a parecidas observaciones... Hay, por consiguiente, que partir de la «morada vital»... para entender todos esos hechos humana e históricamente. Las supervivencias tradicionales [la tauromaquia, por ejemplo, significan]... simplemente que el modo de existir como español ha hecho posible conservar muchos arcaísmos junto a grandes modernidades de auténtica creación española y nada rústicas... Lo español consiste precisamente en la coexistencia de la rusticidad más primitiva con el artístico refinamiento... [102].

Con esto hemos visto todo lo significativo que ha expresado Américo Castro sobre el tema de los toros. Como se habrá notado, el ensayista en ningún momento permite que se vislumbre el menor rastro de una opinión personal o a favor o en contra de los toros. Tampoco dedica demasiado espacio a este tema. Mantiene siempre una actitud de historiador e investigador de realidades hispánicas, con el deseo novecentista de querer comprender (y no de censurar o aprobar) esa esquiva realidad que es España. Actitud ésta todo lo contrario de la que ostenta el ensayista que veremos ahora: Luis Araquistáin.

---

[102] *Ibid.*, págs. 17-18.

LUIS ARAQUISTÁIN: EL TORO
BRAVO COMO SÍMBOLO DE RAZA

El único ensayista, además de Noel, de esta generación novecentista que muestra una actitud resueltamente antitaurina es Luis Araquistáin. Como se incluye entre los dos o tres autores de nuestro estudio menos conocidos dentro de la literatura española, repasemos brevemente alguno de los escalones más importantes de su vida. Nació en la provincia de Santander en 1886. Fue en un tiempo director de la revista *España;* luego fue editorialista de *El Sol,* de Madrid. Ha sido concejal del Ayuntamiento de dicha villa. Más tarde fue diputado socialista a las Cortes Constituyentes de la República Española (1931), y después sirvió de embajador de la Segunda República en varios países. Durante la Guerra Civil Española vivió en París, y en Londres durante la Segunda Guerra Mundial; luego en Ginebra, donde murió en 1959. Cultivó casi todos los géneros: libros de viajes, novelas, dramas y ensayos [103].

Hemos encontrado en dos libros ensayísticos suyos tratamiento del tema taurino. Procediendo cronológicamente, en su obra de 1926, *El Arca de Noé,* se halla un capítulo sobre «Los sacrificios de sangre». Hablando históricamente, pero en realidad con poco rigor histórico-antropológico, nos habla de los primeros tiempos de la sociedad humana. Surgieron primero los juegos, que pronto se cambiaron en sacrificios sangrientos (para aplacar a los dioses), los cuales vinie-

---

[103] Datos biográficos de su libro, *El pensamiento español contemporáneo* (Buenos Aires, Losada, 1962), solapas y «Prólogo».

ron a ser luego los gladiadores en el circo romano, que a su vez evolucionó en la moderna corrida de toros [104].

Empieza declarando que el juego constituye el principio y el final del espíritu humano. Pero mientras en la infancia el juego es placer y creación, en la madurez viene el terror, porque el hombre se da cuenta de que el mundo no es su juguete, sino que él mismo es juguete de las fuerzas ciegas e incomprensibles de un mundo hostil. Para aplacar y saciar a estos dioses crueles y vengativos los hombres primitivos les dieron carne y sangre de los seres vivos; así nacieron los sacrificios sangrientos. Con el tiempo se mezclan los sacrificios de los animales con los de los humanos. Estos sacrificios sangrientos, por supuesto, tienen raíz religiosa (pagana). Llegamos ahora a los tiempos del Imperio Romano: «... en ninguna parte la barbarie íntima del hombre, la barbarie nacida del terror, logra tan prodigiosa floración como en Roma.» Ahora, aparte de los muchos animales y gladiadores que se matan en los circos romanos, llega el cristianismo, y con él «los dioses ultrajados por la nueva religión reciben en holocausto propiciador la sangre de los mártires» [105].

Hoy día, añade, perduran todavía, en todos los países del mundo, estos sacrificios humanos y animales:

> Ya no se matan los hombres como en los circos antiguos; pero hay pugilatos de boxeo y de lucha cuerpo a cuerpo... Un boxeador vencido produce a la ebria muchedumbre la misma emoción que un gladiador tendido sin vida en la Roma de la decadencia. Sin embargo, ningún juego moderno reproduce como las corridas de toros la impresión de un circo romano, trasunto... de los sacrificios sangrientos de los pueblos salvajes,

---

[104] Araquistáin, «Los sacrificios de sangre (con motivo de un torero muerto en la plaza)», en *El arca de Noé* (Valencia, Sempere, 1926), páginas 251-58.

[105] *Ibid.*, págs. 251-256.

estremecidos de terror ante el enigma del mundo. Claro es que nadie va a los toros por consciente religiosidad atávica; pero no es el espíritu de Grecia..., sino el de Roma —eco de sacrificios de sangre— el que preside nuestras fiestas cornúpetas [106].

La moderna corrida de toros, entonces, es para Araquistáin el descendiente directo de las barbaridades de los circos romanos, costumbre que, a su vez, viene de los sacrificios cruentos de los hombres primitivos. Está en contra de los toros porque es una costumbre atávica, retrógrada y no a la altura del progreso moderno. Pero nótese bien que no condena solamente la tauromaquia, sino también aquellos deportes crueles que practican muchos pueblos «más civilizados» que el español: el boxeo y la lucha libre.

En un lugar de su libro crítico *El pensamiento español contemporáneo*, escrito durante los años que van de 1937 al 59, sale el autor por la tangente y se pone a hablar brevemente de toros. Discurre sobre los orígenes prehistóricos de las corridas, nombrando algunos antiguos testimonios literarios y arqueológicos que dan fe del culto al ganado vacuno en la Península. Sobre la cuestión de que si la costumbre fue importada de Creta o de algún otro pueblo, opina que, con toda probabilidad, el culto del toro «ha sido espontáneo y común a muchos pueblos en su fase pastoral» [107].

Pasa entonces nuestro autor a lo más sustancioso de sus ideas y opiniones sobre los toros, al decirnos que los españoles ya no adoran al toro como símbolo mítico o religioso, pero sí siguen considerándolo como símbolo perfecto de la raza. Tiene que ser así, porque llaman a la corrida de toros la «fiesta nacional». ¿Y qué hay en el fondo de este símbolo? Las características del toro de lidia poseen un sentido meta-

---

[106] *Ibid.*, pág. 257.
[107] Araquistáin, *Pensamiento...*, págs. 183-84.

fórico que se puede aplicar perfectamente a la historia
malaventurada de España. Araquistáin lo explica así:

> Admiran del toro la fiereza y la nobleza. Por nobleza se en-
> tiende que embista al trapo y no al bulto: que sea poco inteli-
> gente. Cuando es inteligente y ataca al hombre y no al trapo,
> le llaman «marrajo», que quiere decir astuto y desleal a su des-
> tino de dejarse matar inocentemente; se le censura y desprecia.
> En el toro noble, poco inteligente, ve quizá el español el sím-
> bolo de su propia historia. Todos los pueblos principales, los
> grandes toreros de la historia, los del Norte y los del Sur han
> toreado alguna vez a España y con frecuencia en la misma
> España, y el español, como su noble toro, ha embestido siem-
> pre al trapo, al artificio engañoso o ilusorio, y rara vez al bulto,
> a las realidades positivas [108].

Los supuestos básicos del toreo forman, en la interpretación de Araquistáin, como un paradigma casi científico aplicable a toda la historia del país; van también implícitas en
esto las medidas generales que se pueden y deben tomar para
que España resurja de nuevo, para que no reincida en los
mismos errores que la impiden llegar a su plenitud.

El último punto de interés que presenta el autor sobre
los inconvenientes de las corridas de toros coincide con una
objeción que tuvo Unamuno, y que veremos tener a Noel,
contemporáneo de Araquistáin: el gran problema económico
para el país que significan las corridas. En su opinión, no
hay en el mundo otro «deporte» tan costoso de sostener. En
primer lugar, los españoles malgastan muchos millones de
pesetas en entradas para las corridas. Pero aún más trágico
y costoso para la economía nacional es lo que significa la
cría de reses bravas; no son ya una fuente de riqueza:

---

[108] *Ibid.*, pág. 184.

Las ganaderías de reses bravas necesitan tierras muy extensas y con pastos especiales, generalmente a orillas de los ríos. El toro es un insaciable devorador de terrenos. Una sola provincia, la de Sevilla, destina 50.000 hectáreas al mantenimiento de toros de lidia. Y había ganaderías de reses bravas [durante 1865-1900]... en unas veinte provincias. Puede calcularse lo que esto significa para la agricultura del país y para la ganadería corriente [109].

Hemos pasado revista a la actitud hacia los toros de las principales figuras de esta generación novecentista, la posterior a la del 98 [110]. Con la excepción de Araquistáin, autor menor y no muy conocido, hay una sorprendente homogeneidad, mayor que en la generación anterior, entre estos ensayistas en cuanto a su punto de vista respecto a la tauromaquia, aunque cada uno aborda la cuestión a su propia manera particular. Hemos creído oportuno hacer un resumen de esta actitud generacional, citando estas palabras acertadas de Cossío:

Tal generación tiene entre sus componentes más ilustres resueltos aficionados a la fiesta, para los que el aspecto artístico y castizo de ella vence los inconvenientes que tantas veces han sido argumentos valiosos. No les desconocen ni desdeñan; pero sin duda piensan que, con todos sus defectos y hasta posibles fallos morales, que los militantes antitaurinos han exagerado hasta lo inverosímil, vale la pena de no dejar morir un espec-

---

109 *Ibid.*, págs. 184-85.
110 Acaso habrá que explicar por qué no hemos incluido a Ramón Gómez de la Serna. Aparte de las novelas *El torero Caracho* y *Suspensión del destino* —corta ésta y «novela grande» aquélla— que, por su género, no nos interesan aquí, no ha escrito nada que revele de modo inequívoco su postura hacia los toros. Nos enteramos por su *Automoribundia* de que Ramón daba a veces conferencias sobre toros ¡vestido él mismo de torero! En su biografía *Goya* hace un análisis estético-histórico de *La tauromaquia;* en *El Rastro* tiene un capítulo incidental, «El traje de luces».

táculo tan singular e impresionante por su color y por sus lances. Esto aparte lo instructivo para penetrar en muchos recovecos de la idiosincrasia española y para explicarse tantas reacciones nuestras, ni mejores ni peores que las de los demás pueblos [111].

---

[111] Cossío, *Los toros*, t. II, pág. 196.

CAPÍTULO V

EL ANTITAURINISMO HECHO OBSESIÓN
DE TODA UNA VIDA: EUGENIO NOEL
(1885-1936)

UNOS DATOS BIOGRÁFICOS

En el capítulo anterior hablamos de la generación novecentista, los nacidos entre 1881 y 87, que, en general, muestran una común actitud hacia el tema taurino. Por su año
de nacimiento (1885), Eugenio Noel cae cronológicamente
dentro de este grupo. Hay varios factores, no obstante, que
le hacen un verdadero «caso especial», al que hemos creído
oportuno dedicar todo un capítulo aparte. No es que sólo
disienta de la postura general de los novecentistas, sino que
es el único ensayista de todos los que hemos estudiado y
estudiaremos que hace del antitaurinismo el eje central de
su vida, la preocupación absorbente de toda su existencia.
Su actitud es tan acendradamente en contra de los toros,
que parece más bien un continuador exagerado y exacerbado
de la fisionomía de los años juveniles de los noventayochistas; muchas veces hasta parece remontarse a la vehemencia
practicista de los regeneracionistas, especialmente Costa.

Por ser el ensayista más importante en cuanto a nuestro tema, y a la vez un autor de menor categoría literaria dentro de la literatura española (y, por tanto, no tan conocido), vamos a repasar los puntos salientes de su pintoresca y agitada vida. La mejor y casi la única fuente para estos datos biográficos es la misma pluma del autor: su *Diario íntimo*, notas escritas a través de los años de comienzo y apogeo de su campaña antiflamenca[1].

Eugenio Noel ve la luz del día en Madrid, el 6 de septiembre de 1885. De familia pobre, su padre era barbero y practicante (sangrador) y la madre servía de criada y a veces cocinera. Uno de cuatro hijos varones, Eugenio es el único que sobrevive, muriendo en la infancia sus hermanos Julián y Nicolás, y en 1899, Hipólito. La familia vivía siempre de fiado, pasando hambre a veces, y se mudaba de casa a menudo, pero sólo dentro de Madrid. Parece que no tenía relaciones muy estrechas con su padre, y de su madre recuerda que ella le pegaba con «extrema dureza». Las Escuelas Pías de San Antón le sirven de escenario de su enseñanza primaria.

Por el año 1897, su madre servía de criada a la duquesa de Sevillano. Ésta se interesa por el futuro del niño Eugenio y le manda hacerse cura, costeándole un puesto en el Colegio y Casa Misión de Tardajos (Burgos), a los doce años de edad. Era también una ayuda a la madre, porque «la única puerta abierta que tiene la miseria es la Iglesia» (I, 105). Después de unos meses se hace evidente su poca vocación de sacerdote, aunque sí tenía muchas ganas de ser misionero. (Y, en efecto, llegó a serlo, aunque no en la esfera religiosa.)

---

[1] Eugenio Noel, *Diario íntimo (la novela de la vida de un hombre)* (2 vols., Madrid, Taurus, 1962, 1968). Cuando demos en este apartado biográfico una breve cita, indicaremos, al final y entre paréntesis, el tomo seguido del número de la página.

Regresa a Madrid después de haber pasado un año en Tardajos. «No fue la razón quien quitó mi fe, fue el propio
seminario» (I, 145). La duquesa, persistiendo en sus pretensiones de hacerle cura, le mete a estudiar en el Seminario
Conciliar, de Madrid.

Por estos años (1898-99) anda muchísimo por todas partes
de Madrid, observándolo y queriéndolo todo. Como sus pa-
dres venían del mismo pueblo, se hacen amigos entrañables
Noel y Julio Antonio, que luego sería renombrado escultor.
Años más tarde, al morir este último, declara Noel que era
«el amigo que más quería» (II, 154). Empieza a leer voraz-
mente, especialmente obras de fantasía: el *Quijote*, las obras
de Julio Verne, etc. «Mi pasión fue siempre la lectura», confiesa (I, 211). Escribe muchos ejercicios de redacción sobre
temas diversos, y también cuentos y poesías. Debido a su
negativa experiencia como seminarista, empieza a perder
su fe religiosa; sus anteriores creencias religiosas se trans-
forman ahora en fe en la Ciencia. Esta fe formará la básica
condición previa para su objeción a los toros.

Durante 1901-02 empieza a acudir a la Universidad Central de Madrid de manera irregular. Muerta su madre en
1904, al año siguiente, a la edad de veinte años, comienza su
vida bohemia, con sus melenas, frecuentando las cervecerías
madrileñas, viviendo en un miserable sótano de una casa
de la calle Leganitos, sufriendo una gran miseria económica.
Este mismo año se enamora de María Noel («Mimí»), can-
tante de zarzuela y ópera. Idealiza su amor hacia ella, y este
idilio, reciprocado, dejará grandes huellas en nuestro autor,
aun después de casarse con otra. Prueba de ello es que él,
cuyos verdaderos apellidos eran Muñoz Díaz, escogiera como
nombre de pluma «Noel».

Muere su padre en 1908, el mismo año en que encontramos a Noel estudiando en la Universidad de Madrid las

carreras de abogado y Filosofía y Letras. Conoce allí al futuro doctor Marañón, estudiante como él, y a Ortega, recién vuelto de Alemania. Éste, a quien Noel califica como «psicólogo admirable», le aconseja marcharse a la guerra de Marruecos para que se hiciera hombre, para que encontrara su «verdadera vida» (I, 212).

Va al año siguiente, a los veinticuatro años de edad, de voluntario a Melilla. Desilusionado con su vida de soldado y con la inutilidad de aquella guerra, escribe desde Marruecos sus *Notas de un voluntario*. Publicadas primero en un periódico madrileño, tienen gran éxito, y valen al autor el encarcelamiento por contener opiniones en contra de la política nacional sobre la cuestión de Marruecos. Es encarcelado por segunda vez en 1910, año en que ya está casado con Amada. Es por entonces cuando entabla amistad en Madrid con Ramón Gómez de la Serna.

Su campaña antiflamenquista se inicia en 1911 con la publicación de *República y flamenquismo*. Sus andares sin cesar de conferenciante antiflamenquista comienzan de verdad en marzo de 1912, cuando tiene veintiséis años. Desde entonces su vida es un continuo peregrinar por toda la extensión territorial de la nación, hasta los pueblos más pequeños, llevando con vehemencia su mensaje, su único mensaje en contra del espectáculo taurino y del flamenquismo. Vive en la mayor miseria durante estas andanzas azarosas, cobrando poco y malgastando dinero en cerveza y décimos de lotería, cuando lo tiene. Llega muchas veces a una «situación límite» en cuanto a lo económico y lo espiritual. Recibe amistad y ayuda económica del ceramista Daniel Zuloaga y de su hermano Ignacio, el afamado pintor. Tiene que escribir muchos artículos periodísticos y libros para poder sobrevivir, y aun así tiene que luchar con editores para que los publiquen. No parece querer tener quietud, porque lleva su campaña como una verdadera obsesión vocacional, con un gran fervor misionero, contra viento y marea.

En junio de 1913 interrumpe su campaña por un mes para ir de nuevo a la guerra de Marruecos, esta vez como redactor corresponsal del diario *España Nueva*. Al año siguiente funda, dirige y escribe la revista antitaurina *El Flamenco*, que muere después de varios números. Funda luego otra revista parecida, *El Chispero*, que no tiene mejor suerte que su predecesora. En 1916 le nace a Amada un niño, «Pupú» (Eugenio), que será durante muchos años la única alegría, el único rayo de luz en la vida sombría de Noel. En 1919 nace una hija, Victoria Eugenia.

Va a Cuba en 1920, teniendo gran éxito sus conferencias antitaurinas en La Habana. Regresa a España después de dos meses. En 1923 emprende su primera gran gira de América, dando conferencias con éxito en Méjico, Guatemala, El Salvador, Honduras, Costa Rica, Panamá, Colombia, Venezuela, Ecuador, el Perú y Bolivia. Sigue allí al fenecer el año 1924 que es hasta donde llega el segundo tomo del *Diario íntimo*. Calculaba Noel que desde que empezó su campaña, en marzo de 1912, hasta diciembre de 1924, había dado un total de 706 conferencias antiflamenquistas. Sobre su vida desde 1925 hasta su muerte en 1936 ni él mismo ni las enciclopedias y las otras fuentes nos dicen casi nada. Sin embargo, se puede suponer, sin gran temor a equivocarse, que continuó su campaña por tierras de España e Hispanoamérica, aunque probablemente con menos ahínco y perseverancia que antes.

CARACTERIZACIÓN DE SU ESTILO Y OBRA

Noel llegó a publicar, sin mucho éxito, una treintena de novelas cortas y una sola novela extensa, *Las siete Cucas.* Su producción de más importancia y de más extensión cae dentro del género algo flexible del ensayo. Aparte de los dos volúmenes del *Diario íntimo,* hemos manejado catorce libros ensayísticos suyos que van cronológicamente desde *El flamenquismo y las corridas de toros* (1912) hasta *Taurobolios y verdades contrastadas* (1931). En ninguno deja pasar la oportunidad de hablar del antitaurinismo, aunque a veces se entremezcla mucha descripción costumbrista o relato novelesco con lo didáctico o propagandístico.

Casi se podría decir que su obra total tiene un solo tema central, presentado con machacona insistencia en todas sus posibles variaciones: el antiflamenquismo y su hermano gemelo el antitaurinismo. Su estilo literario concuerda con su personalidad exterior: enfático, vehemente, exagerado; una prosa recargada y barroca unas veces, otras veces llana y casi poética; es jactancioso y exclamatorio (a lo Unamuno), muchas veces chocarrero y vulgar, como los mismos flamencos que quería combatir. Su prosa, como él mismo, es a menudo pintoresca y de gran fuerza expresiva; de vez en cuando encontramos una descripción de lo horripilante o lo sórdido, que puede rivalizar con los poderes descriptivos de un Quevedo, por ejemplo. En total, un estilo y una producción literaria muy personal y de muy desigual calidad artística, pero que revela una gran capacidad observadora y un íntimo convivir con los tipos, el lenguaje y el mundo particular de la gente del pueblo.

¿Cómo era el ambiente de España durante aquellos años para que Noel viera la necesidad de llevar a cabo una campaña antitaurina tan enérgica? Sucintamente, este autor consideraba a las plazas de toros como los únicos centros de energía del país:

> Hoy por hoy, mi pueblo, burlándose de su siglo, llena esas plazas, templo de un furioso culto a la sinvergüencería y a la estolidez, y se deja allí, con el poco dinero que ahorra, los escasos sesos que tiene... En el siglo XX no hay otros centros de fuerza, en mi Patria, que esas plazas de toros[2].

Parece que los españoles no tienen energías creadoras que se encaucen hacia la Ciencia, hacia lo intelectual y «serio». Esta situación no cambia, al parecer, durante los años de su campaña, porque notamos que escribe estas palabras parecidas en 1921:

> Si las ciudades y pueblos españoles no viven sino durante la feria anual, y la feria anual no es otra cosa que un vago pretexto para cuatro o seis formidables corridas..., ¿no es cierto que las plazas donde éstas se celebran son el sol y centro de todas las energías de España?[3].

La situación está realmente mala. Lo taurino y sus efectos perniciosos invaden la vida de casi todos los españoles, desde sus años infantiles. Hasta los niños conocen los valores e incidentes de la Fiesta y juegan al toreo (aun lo hizo

---

[2] Noel, *República y flamenquismo* (Barcelona, A. López, 1913), página 16.
[3] Noel, *Diario íntimo*, t. II, pág. 253.

Noel, como veremos más adelante). Mueren en el ruedo los
ídolos nacionales de la tauromaquia, Joselito (en 1920) y
Manolo Granero (en 1922), y con tales motivos «España y
la Prensa demuestran cómo son, en su degeneración absur-
da»[4]. En realidad, lo que ha pasado, según Noel, es que el
veneno del taurinismo ha calado tan hondamente en el pueblo que el toro bravo se ha convertido, en la mentalidad
popular, en el perfecto modelo o término de comparación
para las cualidades positivas de la raza: «Se es en España
o más o menos o tanto como un toro... Ser o no ser como
el toro; he ahí el ideal»[5]. Los mozos que participan en las
capeas, y los aficionados de las corridas formales estudian
con gran seriedad las condiciones del toro porque envidian
sus cualidades, quieren ser como él. Precisamente de este
detalle proviene la gran pasión, ya desde hace dos siglos y
medio, de los españoles por las corridas de toros. Por sus
características particulares, el toro de lidia ha llegado a ser
una «completa talla de valores psicológicos» en el espíritu
nacional[6]. En otro libro del mismo año (1915), el autor añade
un nuevo matiz a esto del toro como símbolo de la raza:
esta fiera como paradigma de la decadencia y caída de la
España imperial, y las corridas como desviación o perversión de unas cualidades temperamentales que «nos... hicieron invencibles y únicos en la época de oro»[7].

El marcado anticlericalismo de Noel se hace patente al
discutir el estado decadente de la España que le rodea. Sin
sutilismos, en un artículo periodístico dice que «España es

---

[4] *Ibid.*, pág. 286.
[5] Noel, «Episodio de una capea de Villalón», en *Las capeas* (Madrid, 1915), pág. 27.
[6] *Ibid.*
[7] Noel, «Capea jocosa en Segurilla», en *Nervios de la Raza* (Madrid, 1915), pág. 146.

un país religioso. Prueba: nuestra ignorancia. De veinte millones, once son analfabetos: en Europa no hay otro país
que tenga menor cantidad de intelectuales notables...»[8].
Censura también, sin duda con más razón y menos exageración, la gran hipocresía que encierra el hecho de que siempre hay una capilla (y una enfermería) como parte de las
dependencias de las plazas de toros. Le parece esto absurdo
y trágico:

> La Religión dice que eso está bien, que un hombre puede
> retar a una fiera, que rezar en la capilla es legítimo. Veamos.
> ¿Es canónico o santo pedir a Dios nos libre de un peligro del
> que nosotros, sin esfuerzo alguno, podemos librarnos?[9].

Esencialmente, Noel hace hincapié en la casi completa
esterilidad de la raza española en todas sus esferas. En las
palabras siguientes notamos un más que leve parecido con
las vehementes declaraciones de Joaquín Costa sobre los
males de la patria:

> Mas la raza [española] es la misma. Una monarquía envi-
> diosa, glorificadora de sí misma, despótica y cruel, domina sobre
> los hombres, que son aún malos, y vagos, y religiosos. Europa
> no se cuida de nosotros... Por los mares no navega un buque
> digno de ese nombre. No tenemos colonias. El suelo indígena
> está seco, abandonado y erial. Los sacerdotes se reparten el
> gobierno con los políticos. Los desastres nada nos enseñan y
> vivimos y deambulamos con un infame orgullo hueco como
> corona de rey... ¡Oh raza mía, estéril como una mula![10].

El ambiente de España está lleno de una gran inercia
y un gran pesimismo. La gente no está satisfecha, pero pare-

---

[8] Noel, «Loterías y toros» (1914), en *Escritos antitaurinos* (Madrid,
Taurus, 1967), pág. 42.

[9] Noel, «Carta a Ricardo Torres (Bombita)», en *El flamenquismo
y las corridas de toros* (Bilbao, 1912), pág. 23.

[10] Noel, *Pan y toros* (Valencia, Sempere, s. a. [1912]), pág. 192.

ce que no le interesan sus miserias lo bastante como para
formular una acción coordinada para remediarlas. Además,
la gente media admira sólo los valores superficiales y frívolos, que no son, en realidad, los verdaderos valores importantes. El genio intelectual pasa inadvertido. Los extranjeros
(junto con Noel) miran a España como «un país encantador
en que la civilización no ha entrado todavía y en el que las
naturalezas amantes de sensaciones fuertes pueden recordar
cómo eran los hombres en las edades bárbaras» [11]. Retraso
científico, intelectual y moral: he aquí la España que percibe
Noel, una España sin civilización.

Está así el país, invadido por el flamenquismo, vicio que
lo está pudriendo todo. Los rasgos positivos que poseía el
español han sido desvirtuados por esta plaga nacional, controlándolo todo ahora:

> Los grandes ideales modernos han sido incapaces de dar
> carácter a España. El que tenía, aventurero, irreligioso, provi-
> dencial y cruel se ha transformado. ¿En qué? En flamenquis-
> mo... Hoy el flamenquismo, después de una labor tenaz, subte-
> rránea, formidable, ha soldado las voluntades, fundido el tem-
> peramento y dado a España el hombre representativo y el
> símbolo nacional [el torero] [12].

El flamenquismo, paradójicamente, ha hecho en España
lo que no han podido lograr ni los sacerdotes ni los guerre-
ros: la unificación del pueblo español. Según Noel, el flamenquismo, en la persona del torero, ha dado unidad a las
regiones dispares en cuanto a las costumbres y el lenguaje [13].
¿Y qué cualidades tienen estos «flamencos», que están cau-

---

[11] Noel, «La imagen de la energía», en *Escritos...*, pág. 73.
[12] Noel, «La suerte del quiebro», en *Flamenquismo y corridas*,
páginas 41-2.
[13] Noel, «Cuernos en Candelario», en *Las capeas*, pág. 140.

sando tantos males? El autor menciona algunas de ellas:
«... una incapacidad absoluta para toda virtud cívica..., una
total negación para el lento trabajo del espíritu. No poseemos vida interior, vivimos en la calle, fuera de nosotros mismos...» [14].

PRETENSIONES DE SU CAMPAÑA

¿Qué se propone Noel con su campaña? Evidentemente,
acabar con el flamenquismo y con las corridas de toros; pero
¿por qué? ¿Qué es lo que pretende lograr con la extirpación
de estas dos actividades gemelas? Examinemos la cuestión
en este apartado.

Eugenio Noel, tomando como modelo a imitar al insigne
Don Quijote, declara que pretende

> venir en auxilio de la Patria, el alma puesta en el ideal de su
> porvenir, la intención colocada en servir su cultura... Llama-
> remos en nuestro socorro las huestes del pensamiento europeo
> y emplearemos en nuestra obra de redención las energías del
> progreso moderno [15].

Sí; Noel se siente impulsado por una misión quijotesca
pero necesaria: la redención cultural, económica y moral
de España, actualmente metida en el marasmo del flamenquismo, con la superficialidad como tónica de vida. Igual
que Don Quijote (y Unamuno también), no le importa tanto
la victoria como el haber luchado por el ideal:

> Yo no cejaré... He acometido la empresa de revolucionar
> el ambiente contra el flamenquismo. ¿Lo lograré? Poco me im-
> porta... Alcance o no mi ideal, mi deber es combatir por él.

---

14 Noel, *República...*, pág. 8.
15 Noel, «Al público», en *Escritos...*, págs. 19-20.

Vengan risas, injurias, anónimos y agresiones. Eso es lo de menos... [16].

Nuestro autor, en efecto, se propone nada más (pero tampoco nada menos) que la empresa gigantesca de la regeneración completa de la patria. Quiere sólo «el bien supremo de la Raza, el progreso moral de nuestra Patria» [17]. Lo que le importa a Noel para su pueblo son los positivos valores europeos modernos: «... la revolución intelectual, la pureza de las costumbres, la salud, la sanidad del corazón, la austeridad, las grandes virtudes republicanas, el civismo, la gimnasia, los baños, el porvenir, Europa» [18]. Europa, la europeización de España: he aquí lo que quiere Noel; aspiración que no es, en el fondo, tan distinta de lo que querían los novecentistas y los noventayochistas.

Dado este gran problema que él percibe, Noel ve la necesidad, en primer lugar, de aplicar el talento analítico científico y médico a estas muchedumbres de aficionados, «estos seres babosos de regocijo, avarientos de sangre fresca, viciosos de 'la morfina de España'..., la gaya fiesta de los toros» [19]. Hay que analizarlos para poder luego encontrar maneras de sustituir como modelo en la mente del público al torero por el intelectual. El autor lo explica de esta manera:

> Aspiro a que el hombre representativo de España no sea el torero, que es, en substancia..., un hombre de suma ignorancia, poco moral y nada apropiado para dar a Europa días de gloria; puesto que Europa ha dado ya su opinión llamando a nuestra fiesta bárbara e indigna de los pueblos civilizados. El

---

[16] Noel, «En la Plaza de Toros de Madrid los mansos se llevan un mártir», en *Flamenquismo y corridas*, pág. 9.

[17] Noel, «Taurobolios: los toros del cubilete de Vafio y los relances de los bestiarios», en *Raza y alma* (Guatemala, 1924), pág. 63.

[18] Noel, *República...*, págs. 27-28.

[19] Noel, «Capea jocosa...», en *Nervios...*, pág. 149.

hombre representativo de España debe ser el inteligente, o,
como hoy se dice, el intelectual que es un hombre humilde
con los riñones en la cabeza, de cerebro y de corazón instrui-
dos en la ciencia de hacer la vida buena e interesante a los
demás... [20].

Hemos visto cómo Noel, por propia confesión, toma como
modelo constante a aquel batallador incansable del Bien,
Don Quijote de la Mancha. Pero en un nivel más práctico,
real y no-ficticio, no hay duda de que su inspiración más inmediata era el más afamado de los regeneracionistas, Joaquín Costa. En una parte, en una especie de identificación
personal con la situación existente entre el pueblo español
y Costa, dice que éste entendió muy bien a su pueblo, y que
España se dio cuenta de que él tenía razón, pero que se negó
a tomar las medidas adecuadas para su propia regeneración [21]. Pero donde advertimos con mayor fuerza la identificación de Noel con la obra de Costa es en las líneas de un
tipo de «fantasía onírico-autobiográfica» que forma parte de
un capítulo de *Pan y toros*, donde nuestro autor se imagina
el escogido continuador de la obra regeneracionista costista;
se figura el apóstol y mensajero personal de Costa, el portador de sus ideas. Reproducimos este pasaje a continuación:

> Soñé que estaba sentado en las raíces de aquel árbol viejo
> del camino de Graus, donde Joaquín Costa apetecía descansar...
> Y aquel hombre, en cuyos sesos todo el genio secular de Aragón
> había labrado el porvenir de España, levantó la piedra de su
> tumba y erguido en ella me habló así: «Necesitamos un ciru-
> jano de hierro. Vete por toda España gritando esas palabras,
> únicamente esas palabras. Si te oyen, le pedirán. Si no te oyen,
> les escupes. Yo tenía la médula mala. Este cuerpo mío no podía
> vestirse de torero. Tú, en cambio, puedes ponerte el traje de

---

[20] Noel, «Carta a Bombita», en *Flamenquismo y corridas*, pág. 24.
[21] Noel, *República...*, pág. 97.

luces, hablar con él, mover las caderas y escupir por el colmi-
llo. Es preciso hablar a España en flamenco, tener los gestos
de Prim; el talento de Aranda, Floridablanca o Jovellanos, estéril es sin la pupila de Paquiro o Cúchares y la sal de los brazos
de Reverte [22].

Y, en efecto, Noel conducía su campaña con la honda
dedicación de un verdadero apostolado, utilizando a menudo
en sus libros la jerga chocarrera de los mismos flamencos
que combatía.

SU CARACTERIZACIÓN DE LA CORRIDA

A través de toda su obra Noel tiene muchas maneras de
calificar al hecho de las corridas de toros, todas ellas negativas. Al espectáculo taurino lo llama un crimen; además,
«es la fiesta más soez e indigna del Universo» [23]. Hace también esta calificación declamatoria de la corrida:

> Las corridas de toros en la actualidad... son manifestaciones
> patológicas de una profunda pandemia moral de una epidemia
> psíquica colectiva semejante... a todas las epidemias morbosas
> colectivas que han azotado periódicamente los países... [24].

La comparación hecha es eficaz: las corridas de toros
son una plaga, una epidemia patológica que afecta negativamente a grandes sectores de la población.

---

[22] Noel, *Pan y toros*, págs. 224-25. Nótese aquí que en las dos últimas oraciones tenemos la explicación (o justificación o racionalización) de por qué Noel adopta el lenguaje y algunas costumbres fla-
mencas como parte necesaria de su esfuerzo para combatir el flamenquismo.
[23] Noel, *República...*, pág. 35.
[24] Noel, «Taurobolios...», en *Raza y alma*, pág. 49.

En el curso de sus definiciones de la corrida, el autor
unas veces entra en el hecho de que (para él) no puede
haber nunca descripción genial de la Fiesta en ningún idioma. Así lo explica:

> He aquí por qué las corridas no tienen descripción posible;
> porque son unas emociones fuera de todo arte..., que saltan
> desde el ruedo al corazón sin transición ni preparación alguna...
> Las corridas de toros no son del dominio del arte; son una
> pesadilla convertida en realidad por una serie de sorpresas vio-
> lentas e increíbles que pasman mientras se observan, que des-
> pués de vistas parecen mentira [25].

Noel opina que, decididamente, no hay (ni puede haber)
nada de arte en una corrida de toros; esto es precisamente
lo contrario de la apreciación esteticista que sienten Pérez
de Ayala, Marañón y otros novecentistas por los toros. Razona que la misma barbarie de la Fiesta es lo que impide
que un autor genial produzca una descripción magistral de
ella. La expresión artística de la especie humana puede ser
primitiva (como lo es, por ejemplo, la pintura rupestre) y
todavía ser arte; lo primitivo no equivale necesariamente a
lo bárbaro, y no hay, sencillamente, arte en la barbarie [26]. En
otro libro, publicado el mismo año (1923), Noel se contradice
algo, al declarar que «esa barbarie [los toros] ha inspirado,
sin duda alguna, obras de arte. Nadie niega eso». Pero luego
matiza, añadiendo que «si en la pintura o en cualquier otro
procedimiento artístico esa obra [que representa una escena
taurina] es una obra bien hecha, otra y muy otra cuestión
es que sea una obra bella» [27]. Según lo que se puede deducir

---

[25] *Ibid.*, pág. 42.
[26] *Ibid.*, pág. 75.
[27] Noel, «Taurobolios: síntesis», en *España nervio a nervio* (Madrid, Calpe, 1924), pág. 124.

de todo esto, la corrida de toros en sí no es arte, ni tampoco puede haber belleza en ella; sin embargo, una representación gráfica o escrita de la Fiesta sí que puede ser calificada como arte, pero nunca puede ser bella, a causa de la barbarie que retrata. Estos razonamientos suyos un poco confusos nos llevan a pensar: ¿Cuál es, en su opinión, la diferencia entre «arte» y «belleza»? ¿Puede haber arte *sin* belleza?

LA TESIS BÁSICA DE SU ANTITAURINISMO

Eugenio Noel dedicó casi la totalidad de sus años de madurez al antiflamenquismo y al antitaurinismo, porque tenía la firme convicción de que estos problemas formaban nada menos que la base y el origen de todos los males del país. La corrida de toros no significaba para él una mera diversión superficial y sin trascendencia. No; la corrida tenía un significado mucho más hondo, que afectaba a la configuración sociológica, económica, psicológica y moral del pueblo español. Declara el autor que

> el mal [de las corridas y capeas] es muy hondo... No se trata de costumbres adquiridas por este o aquel capricho, por aquella o esotra supervivencia de fiestas de antepasados; se trata de un mal que está en la entraña de nuestro ser; de una horrible saponificación de virtudes labriegas, de valores sarios y moedinos; de una amplificación cancerosa de células sentimentales, de emociones mantenidas a presiones bárbaras...

Considera Noel que lo que revelan de negativo las corridas de toros sobre el pueblo español es lo más fundamental y básico para poder llegar a entender sus problemas, porque —añade más adelante— «en ellas no hay simples casos de costumbres plasmadas, sino la parte más rica en realidades de nuestro heterogéneo e indomable modo de ser»[28].

Para el autor, la corrida toda denuncia una serie de detalles que son la decadencia y descomposición de grandes y positivos valores españoles que ahora no existen: los trajes de una noble sencillez, las posturas y gestos que antes eran sobrios y dignos, etc. En este mismo capítulo, titulado «Capeas pueblerinas», narra el trágico fin de un rudo mozo campesino, que en una capea trata bárbaramente al toro para mostrarse «más macho» que la fiera, y que al final muere de un cornalón terrible.

> ¿Es necesario —pregunta Noel— analizar esa escena? No. Es toda nuestra; es toda la raza. Ahí, en ese mozo, está nuestra historia en todo su esplendor y toda su decadencia. Una simple busca os da en esa alma que la envidia se ha transformado en crueldad, como antes en la sangre misma del pobre joven el valor purísimo de nuestros ancestros [sic] se pudriera en temeridad...[29].

Hemos visto que las corridas, según Noel, han determinado, en gran medida, muchas de las características negativas del ser español. En un artículo de 1914, hace esta larga enumeración específica de ellas:

> De las plazas de toros salen estos rasgos de la estirpe: la mayor parte de los crímenes de la navaja; el chulo; el hombre que pone la prestancia personal sobre toda otra moral; la grosería; la ineducación; el pasodoble y sus derivados; el cante hondo y las canalladas del baile flamenco, que tiene por cómplice la guitarra; el odio a la ley; el bandolerismo; esa definición extraña del valor que se concreta en la palabra riñones

---

[28] Noel, «Capeas pueblerinas» (escrito 1927-30), en *España fibra a fibra*, recopilación de José García Mercadal (Madrid, Taurus, 1967), páginas 74-75, 77.
[29] *Ibid.*, págs. 76-77.

y que ha sido y será el causante de todas nuestras desdichas;
ese delirio de risa, de diversión, de asueto, que caracteriza a
nuestro pueblo; el endiosamiento del valor físico y el desprecio
a lo que significa duelo, riña, engalle, orgullo, fastuosidad, irre-
verencia; la libertad de poder hacer lo que le dé la gana; el
echar por la boca todas las palabras soeces del idioma o del
caló; el teatro del género chico; la pornografía sin voluptuo-
sidad, ni arte, ni conciencia; el «apachismo» político; todos,
absolutamente todos los aspectos del caciquismo y del compa-
drazgo; el ningún respeto a la idea pura; el desbordamiento
del sentimentalismo sensual, grosero y equívoco, que roe hasta
las entrañas nuestra nación...; la crueldad de nuestros sentimientos; el afán de guerrear; nuestro ridículo donjuanismo...;
la trata de blancas y la «juerga», y, en fin, cuanto significa entusiasmo, gracia, arrogancia, suntuosidad, todo, todo está mali-
ciado, picardeado, bastardeado, podrido, por esas emanaciones
que vienen de las plazas [de toros] a la ciudad y desde aquí
a los campos [30].

Como se puede apreciar, la lista de características negativas que el autor atribuye directamente a los toros es bastante extensa y comprensiva. Sin embargo, éstas no son todas ellas. En otra parte del mismo *Escritos antitaurinos*,
pasa revista a más cualidades negativas: la costumbre que
tiene el pueblo de patear cuando no le agrada una cosa; la
crueldad de divertirse más con el aturdimiento del vencido
que con la derrota en sí; el arrojar objetos, groserías e insultos a un autor o artista que ha fracasado; el armar ruido y
vociferar cuando esto no encierra peligro próximo para él;
la cualidad de «crecerse» en la irritación: el no admitir la
discusión fría o el lance sereno. Y concluye, preguntando:
«¿De dónde ha salido todo esto? De la plaza de toros» [31].

---

[30] Noel, «Miscelánea taurina», en *Escritos...*, págs. 161-162.
[31] Noel, «Lo que hay en una plaza de toros», en *Escritos...*, páginas 86-7.

Creo haber mostrado con estas dos citas que, en efecto, Noel culpa a las corridas de toros, en la persona de su protagonista el torero, de todos los males de España, de «todos los defectos actuales de la Raza» [32]; el torero, inconscientemente, «es el causante de todas las desgracias nacionales» [33]. El problema del flamenquismo y de las corridas de toros, entonces, es, en su opinión, *el único* gran problema de España, el que abarca y da origen a todos los otros; es nada menos que el único obstáculo para la regeneración y salvación de la patria.

Hay que aclarar que nuestro autor no culpa personalmente a los toreros; el diestro es como el inocente agente portador de la bacteria nociva, ignorante de que la lleva. Hasta declara Noel que «el lidiador es, de todos los flamencos, el menos culpable y el flamenco primero que hay que anular» [34]. El público aficionado es el que carga con la responsabilidad de la propagación de este gran mal que es el flamenquismo y el taurinismo. En un libro de 1916, dice que

> los fenómenos [las figuras del toreo] no tienen la culpa... Son marionetas que el público mueve. Son síntesis de todas las cualidades buenas y malas de una Raza admirable que no ha creado progreso firme, que ha estado siempre en guerra o en revolución o en pronunciamiento sedicioso [35].

Hemos dicho que las corridas de toros y el flamenquismo son las grandes preocupaciones de nuestro autor, dando, a veces, la impresión de que estos dos fenómenos se entretejen y son casi la misma cosa; pues así los considera Noel.

---

[32] Noel, *República...*, pág. 29.
[33] Noel, «La oreja de 'Amargoso'», en *Escritos...*, pág. 111.
[34] Noel, *Señoritos chulos, fenómenos, gitanos y flamencos* (Madrid, Renacimiento, 1916), pág. 212.
[35] Noel, «Lo que hay...», en *Escritos...*, pág. 88.

En efecto, cree que el toreo y las corridas de toros producen o engendran el flamenquismo [36]. No son fenómenos independientes; al «hombre flamenco» necesariamente tienen que gustarle los toros, y tiene que adoptar como suyas las costumbres y maneras de ser del torero y de los otros del ambiente taurino (inclusive el toro). Nuestro autor dice esto sobre el «flamenco»:

> Un hombre «flamenco» es un ser humano a quien toda clase de cuestiones le tiene sin cuidado, a excepción de las que puedan afectar a su interesante persona. Y aun en este caso hay que descartar todo lo que no signifique garbo, prestancia personal, descoco, petulancia, traje y riñones... En todo flamenco hay un torero fracasado o un aficionado impenitente. Las corridas de toros constituyen su necesidad principal... El flamenquismo se da cita en las plazas de toros, engorda y se desarrolla allí. Copia al torero en sus actitudes, en esas actitudes asquerosas que parecen forzadas y no son otra cosa que exteriorización de un orgullo y vanidad infinitos [37].

No hay una clara línea divisoria para Noel entre el flamenquismo y el taurinismo como causas de los problemas nacionales. Hasta se podría decir que él considera el taurinismo y las corridas como el «contenido», y el flamenquismo como el «continente», el fenómeno más amplio que incluye a aquél. Pero en la misma mente del autor las dos manifestaciones se confunden y entrecruzan a menudo, hasta el punto de que, en un lugar, él las considera como la misma cosa: «... creemos que el flamenquismo y las corridas de toros son una sola cosa y tienen una sola causa...» [38].

---

[36] Noel, «El 'Lagartijo' de Julio Antonio», en *Escritos...*, pág. 79. También «Taurobolios...», en *Raza y alma*, pág. 56.

[37] Noel, *República...*, pág. 7.

[38] Noel, «Al público», en *Escritos...*, pág. 24.

Volvamos ahora de nuevo a la cuestión de los males que causa en la patria el flamenquismo (y las corridas). En su obra *República y flamenquismo*, declara el autor que las plazas de toros responden a la necesidad nacional de demostrar la «crueldad estéril» del pueblo español, y de demostrar además la vanidad de su «cuerpo sin gimnasia, pero con muchas pretensiones», y también el «raquitismo de nuestras aspiraciones» [39]. Habla en otros de sus escritos del torcido concepto del valor que tiene el español, y que proviene de las plazas de toros: «Un español es valiente siempre. Un inglés es valiente cuando debe serlo.» «... creo sinceramente que nuestro valor es un valor de inferioridad manifiesta... Ha producido en la raza una evidente hiperestesia, y somos histéricos, desenfadados y presuntuosos.» «Nuestro valor es torero» [40]. El valor del español es un valor de fachada, jactancioso, que nutre y satisface su soberbia. Lo importante para él es exhibirlo, para que los otros se den cuenta de él; no es un valor sereno y recatado, no tiene fines positivos más allá de la esfera personalista. Como ejemplo de este valor soberbio, Noel dice que

> no existe raza que después de un desastre [como el de 1898 en España] se quede como antes de la hecatombe, y si es posible, más rozagante y más fresca... Valor [para el español] es dejar llegar y después del trompazo reír como angelitos. Ahí tenéis los toreros [41].

Nuestro autor recalca también la influencia nociva que tienen las corridas sobre las mujeres que asisten a ellas. Dice que el hombre da a su mujer una idea equivocada del

[39] Noel *República...*, pág. 9.
[40] Noel, «La muerte del torero 'Dominguín' y la muerte del capitán Scott», en *Escritos...*, págs. 128, 129, 135.
[41] Noel, *Pan y toros*, pág. 194.

verdadero heroísmo cuando la lleva a ver una corrida, porque la obliga así a aceptar la noción de que la burla y el engaño pueden suplir el verdadero valor. En los tendidos de las plazas de toros se le educa a la mujer en «la ciencia repugnante de la desaprensión, la crueldad y la miseria moral». La mujer, en fin, no puede aprender allí ninguna virtud[42]. Es más: la mujer allí, igual que el hombre, se barbariza; además, se desfeminiza. Ella, al observar todo lo repugnante que ocurre en el ruedo y también entre los espectadores, se convierte «en maja pasional, en lo menos mujer posible. Y ahí tenéis cómo es verdad esta ley, que yo sintetizo así: a mayor recrudecimiento de la afición, idéntica explosión de pornografía... La pornografía actual es de origen flamenco»[43].

La afición del pueblo español a las corridas y su propensión de aceptar y aun admirar las cualidades de los de aquel ambiente, ha sido responsable hasta de los malos e ineficaces políticos y gobernantes que han aquejado el país:

> No han sido los políticos y gobernantes los que le han inutilizado [al pueblo español]. Ha sido él mismo, que ha dado su voto a los políticos que más se parecían a sus toreros, a los que simulaban como ellos un género de valor, de «riñones e hígados»; a los que mentían como en las plazas ese modo de salvar las dificultades que consiste en esquivarlas[44].

Vemos aquí, de nuevo, el punto de que los españoles no quieren inspirarse en los buenos modelos, sino en los malos: los toreros y otros falsos «héroes» que crea la cultura popular. Los políticos, y los otros españoles, han incorporado

[42] Noel, «El flamenquismo fibra a fibra», en *Piel de España* (Madrid, Biblioteca Nueva, 1917), pág. 20.
[43] Noel, «Carta a Bombita», en *Flamenquismo y corridas*, pág. 21.
[44] Noel, «Taurobolios...», en *Raza y alma*, pág. 56.

como suya aquella manera taurina de «resolver» los problemas: no enfrentándolos serenamente y haciendo actuar sobre ellos la razón, sino capeándolos, evitándolos con gracia
y engaño.

Unamuno ha hablado de que el español medio tiene afición a los toros, pero ninguna afición a las ideas, las ideas
verdaderas y puras (cf. nota 32 del capítulo III). Noel habla
del mismo punto, diciendo que el espectáculo de una corrida
no deja en el alma de ningún espectador ni una «idea noble»,
ni un «sentimiento elevado». Todos salen de la plaza «más
crueles, más estúpidamente crueles, más envilecidos; llena,
congestionada la cabeza con las faenas de los ídolos y tortu-
rado el corazón con las emociones del peligro de muerte en
que se pusieron los diestros...»[45]. La afición a los toros ha
llegado a sustituir a las ideas y a la opinión. En España se
discute y se opina, pero sólo sobre toros.

Ahora, como especie de cierre al presente apartado sobre
la tesis básica de Noel, citemos estas palabras suyas de denuncia del mal fundamental del flamenquismo-taurinismo y
de incitación a la regeneración:

> Por eso, porque el flamenquismo es una peste, una plaga;
> porque arrasa el genio de la estirpe...; porque *ha entronizado
> el espíritu torero hasta hacer desaparecer todo otro mérito*,
> industrial o artístico; los intelectuales emprendemos la cruzada
> contra el vicio funesto... Nosotros le confesamos [al pueblo] que
> es un crimen la diversión cuando ha de trabajarse sin cesar
> en la regeneración de una Raza que se pudre roída por la
> sarna[46].

Es claro que Noel no pondría ninguna objeción a los
toros si las malas cualidades que, en su opinión, engendra

---

[45] Noel, *República...*, págs. 32-33.
[46] *Ibid.*, págs. 26-27. El subrayado es mío.

el espectáculo se limitaran a lo que pasa dentro de la plaza, si no tuvieran tanta aceptación en todas las esferas de la vida española, fuera de la plaza de toros. Notamos que, en este respecto por lo menos, coincide con el parecer de Pérez de Ayala. Como resumen, estas palabras jactanciosas y bien gráficas de Noel:

> He demostrado millares de veces, con peligro de mi vida, con nobleza que llegó a conmover muchas veces, que ir a esas fiestas es ir contra el País y la Raza, es retardar el triunfo de la cultura... Se sabe ya que es una enorme mentira, que no trae bien alguno, que devora muchos millones, que causa la chulería y la ineducación, que es la escuela de las mayores degeneraciones, que es un baldón, un lazareto de lepra moral, una letrina y un foco de infección [47].

LOS TOROS COMO PROBLEMA ECONÓMICO NACIONAL

En por lo menos cinco de sus obras, Eugenio Noel dedica espacio a otra objeción principal a las corridas de toros: los grandes estragos que causan en la economía del país desde varios puntos de vista. Examinemos ahora algunos de ellos.

En primer lugar, subraya, apoyándose en datos y cifras, el gran número de corridas y novilladas y la gran cantidad de dinero que gasta el pueblo anualmente para asistir a ellas. En una obra de 1912, primera vez en que le vemos hablar con detalle sobre esto, dice lo siguiente, haciendo hincapié en la trágica paradoja de existir tantos problemas nacionales sin solucionar, mientras se dedican tantos millones de pesetas a los toros:

---

[47] Noel, «El flamenquismo fibra...», en *Piel...*, pág. 25.

España tiene 19 millones de habitantes, mal contados, de
los que 11 millones y medio son analfabetos... Todo lo demás
está abandonado, erial, polvoriento e inservible. Las mesetas
se suceden, sin encontrar una ciudad que valga la pena de
serlo... Los montes no tienen bosques, los ríos se desbordan,
y no existen caminos... No existe el maestro de escuela ni la
biblioteca pública... A cambio de esto, he aquí lo que posee:
396 plazas de toros, en las que da anualmente 872 corridas, y
a las que asisten, en cifras redondas, siete millones de personas. En esas orgías se matan 4.394 toros, cuyo valor es de
5.318.000 pesetas, 5.618 caballos, que fenecen entre los más es-
pantosos e inmerecidos martirios... El pueblo entrega 150.000.000
de pesetas, y sus toreros favoritos torean 50 corridas, lo que
les da un sueldo de 830.000 pesetas [48].

Cuando de nuevo se extiende sobre este tema, en escritos
de 1914 y 1917, siempre con su bagaje de cifras impresionantes, lo amplía para incluir bajo su censura las grandes cantidades malgastadas además en la lotería y en el culto y clero
(una vez más, el anticlericalismo noeliano). En un artículo
de 1914, así califica a España: «Toros y loterías, y el Papa
en medio: ahí tenéis una nación europea del siglo xx.» Luego
de lanzar las cifras de 126.120.000 pesetas gastadas anualmente en la lotería por dos millones de personas, y 72.000
curas y frailes en España que «rezan por esa raza estéril»,
dice que el pueblo español «tira todos los años en sus fiestas
de toros y gastos 'adyacentes' la espantosa cantidad de *dos-
cientos cincuenta y tres millones de pesetas*, repartidas, según fidelísima estadística, en (año 1913) *trescientas cincuenta corridas de toros, setecientas noventa novilladas...*», con
siete millones de personas que asisten a ellas [49]. Ya en el
año 1917, después de hablar primero de las cantidades gas-

[48] Noel, «La concesión de la 'oreja' en la Plaza de Toros de Madrid», en *Flamenquismo y corridas*, págs. 3-4.
[49] Noel, «Loterías y toros», en *Escritos...*, págs. 42-44.

tadas en la lotería y en el culto y clero, lamenta el gasto
«de 250 a 300 millones» que hace el pueblo en los toros, suma
suficiente, añade, «para resolver el problema de nuestra cultura y educación, saldar el déficit de nuestra falta de escuelas y poner la primera piedra de la regeneración, que desde
el 98 se está colocando todos los días, sin lograr asentarla» [50].
Como a veces ocurre con otros países civilizados del presente siglo, o el pueblo o el gobierno, o ambos, gastan parte
de su dinero en diversiones o en «lujos», cuando mejor se
podría aplicarlo a la erradicación de algunos de los grandes
problemas de la nación. De nuevo observamos el propósito
regeneracionista de Noel; cree que no ha empezado siquiera
la regeneración de España, y por eso quiere iniciarla él
mismo.

Nuestro autor también sugiere, pero sin tratarlo en detalle como lo hace Unamuno, el problema agropecuario cau-
sado por la cría de reses bravas. Sin duda, él también se dio
cuenta de las grandes extensiones de tierra que requieren
los toros de lidia, y el hecho de que se podrían criar muchas
más reses de carne y leche en el mismo espacio. Dice esto
sobre el toro bravo y su utilidad: «El toro es un animal
doméstico, feroz sólo cuando se le irrita, utilísimo desde
todos los puntos de vista, menos desde el punto de vista
flamenco» [51].

El aspecto social también entra en esta cuestión de la
economía de los toros. (Hemos visto ya que Unamuno ha
tocado este punto.) Mucha gente andaluza vive en tanta miseria económica y en la más baja clase social, sujeta por los
caciques terratenientes, que considera que casi la única manera de salir de estas condiciones y de vencerle al cacique

---

[50] Noel, «El flamenquismo fibra...», en *Piel*..., pág. 42.
[51] Noel, «Taurobolios...», en *Raza*..., pág. 50.

es haciéndose torero. Noel opina que la raíz principal de la idolatría por la tauromaquia que tiene el pueblo andaluz no es tanto el valor o la elegancia del diestro, sino

> la visión deslumbradora de un pobre hijo de sus entrañas, ayer golfillo, polvo, nada, que con su voluntad y por sólo su esfuerzo se eleva con increíble rapidez nada menos que a tirano de ese cacique, a igual, casándose con sus hijas, paseándose en sus coches, comprándole sus cortijos... [52].

Otro aspecto socio-económico que apunta el autor, subrayando de nuevo el deseo del torero de clase baja de subir de clase social, es la pasión que tienen muchos diestros por la caza. La caza, que siempre ha sido un lujo de la gente adinerada y de alta clase social, ahora atrae al torero, quien, sin duda, piensa que el participar en esta actividad le acercará a la nobleza. Pero la paradoja es que, mientras el torero aspira más alto, el «señorito chulo» de la alta clase social desciende hasta el torero, queriendo imitarle en sus maneras y en su hablar. Hay una especie de «contaminación recíproca» aquí que afecta a los dos, acercándoles cada vez más. Uno de los resultados de esto es que el diestro se ha afeminado un poco; los toreros de hoy día no son tan machos como los de antes porque copian al señorito [53].

CENSURA DEL PUEBLO ESPAÑOL

Hemos visto anteriormente los muchos defectos del público que Noel atribuye a la influencia perniciosa de las corri-

[52] Noel, *Señoritos chulos...*, pág. 20.
[53] *Ibid.*, pág. 94. Se recordará que la misma «contaminación recíproca» ocurrió en España, durante el reinado de Carlos III, entre la chulería madrileña y la baja nobleza.

das de toros. En este apartado vamos a examinar sólo una parte de ellos: el campo general de la inconsciencia del pueblo, de su indiferencia al desastre de 1898, mientras mantenía su idolatría exagerada por las figuras del toreo.

Inmediatamente antes, durante y aun después del desastre del 98, el pueblo sigue inconsciente de su significado y trascendencia, porque vive «paralizado y entregado como nunca a la fiesta sangrienta de los toros. Echa la culpa a sus políticos, y canta y ríe y hace ídolos a los toreros. Pero el cáncer está royendo a España, que se morfiniza en el flamenquismo» [54]. Lo trágico es el contraste entre la atención que se presta a los toros, o el gran duelo nacional que se manifiesta a la muerte de una figura taurina, y la casi completa indiferencia a la «muerte» de España en 1898, «muerte que a nadie interesó, que no hizo derramar a nadie una lágrima siquiera» [55]. El sistema de valores y de prioridades en España está todo puesto al revés; se concede una importancia desmesurada a lo que no la merece, y viceversa. En un capítulo de *Las capeas* (incluido también en el *Diario íntimo*), Noel habla de la paradójica coincidencia de las noticias del desastre y la celebración de una corrida en la plaza madrileña de Carabanchel. Concede gran importancia simbólica a aquella coincidencia; para él esa fecha del desastre y tal plaza de toros son un compendio, un capítulo de la historia patológica de la España de entonces.

> ¡Aquellas muchedumbres en marcha hacia la plaza!... ¡Aquellas escuadras en busca de la derrota!... ¡Aquellas locuras heroicas de las que una de ellas era consecuencia de la otra!... ¡Aquel caminar a la muerte con la sonrisa en los labios sin otro fruto inmediato o lejano que la muerte!...

---

[54] Noel, *Diario íntimo*, t. I, pág. 140.
[55] Noel, *Diario íntimo*, t. I (de *Nervios de la Raza*), pág. 93.

Parece que en las conversaciones de los cafés madrileños
se notaba un poquito de inquietud por la batalla con los
Estados Unidos. ¿Qué es lo que sucedía aquella tarde (el 13
de agosto de 1898)? Manila se había rendido al enemigo; en
Cavite, «87 proyectiles de 203 y 152 milímetros habían incen-
diado nuestra escuadra casi sin combatir. Pero, en cambio,
el 'Mico Chico' se había revelado como un coloso, arreando
un sopapo de órdago hasta los dátiles»[56]. Como resumen sarcástico de esta actitud frívola e inconsciente del pueblo español, suelta el autor estas palabras hirientes:

> No necesita más España. Tiene toreros a quienes aclamar,
> y todo lo demás, ¿qué importa? Lo indispensable es hacer un
> plantel de ídolos para que sean sustituidos los que se esfuman
> en el ocaso. ¡No más universidades! ¿De qué sirven?[57].

Nuestro autor, como ya sabemos, tenía una opinión más
baja del público de toros que del torero en sí. Este público
formaba una gran fuerza, fuerza en contra de la cual los
gobernantes no estaban dispuestos a ir; este hecho de por
sí hace de la afición a los toros un crimen, según él: «Nadie
se ha atrevido a decretar la prohibición absoluta y termi-
nante de estas fiestas por 'miedo' a la afición; lo que indica
que esa afición es criminógena y amoral»[58]. Censura especialmente las proporciones exageradas que tiene esta afición a
los toros; hacer del torero «figura» un ídolo nacional, más
y mejor conocido, y mejor retribuido y más estimado que
cualquier genio literario, científico, etc., revela una gran
enfermedad de la sociedad española. Dice Noel que

> la misión social de un torero es divertir; si esa diversión apa-
> siona, devora energías, días hábiles y millones de duros, el

---

Noel, *Diario íntimo*, t. I (de *Las capeas*), págs. 165, 171.
[57] Noel, «¡Oh, el arte de los toros!», en *Escritos...*, pág. 106.
[58] Noel, «Taurobolios...», en *Raza...*, pág. 39.

tiempo perdido se convierte en vicio nacional y el torero en un peligro. Ahora bien: *si la raza deifica este peligro*, preciso se hace examinar las entrañas de la Nación, porque algo desconocido logró envenenarlas [59].

Parece que el pueblo español, ya en general positivamente orientado hacia el mesianismo como solución posible de sus problemas (ejemplo: la lotería), y pasando por tantas privaciones, miserias, malos gobernantes, etc., ahora encuentra (y crea) su Mesías en el gran torero. Como señala Noel, esto es una especie de compensación psicológica, una manera en que el pueblo puede distraerse de sus penas: «No se trata de burlar un toro: se trata de divertirles a ellos, de hacerles olvidar su esterilidad» [60]. Claro está, Noel admite esta esterilidad de la raza, pero de ninguna manera quiere que ella se morfinice con toros o con cualquier otra diversión, sino que se enfrente cara a cara con sus problemas e intente resolverlos.

Aun el mismo Eugenio Noel, que siempre parece tener opiniones bien definidas y una explicación para casi todo, admite cierto misterio en cuanto a esta admiración desmedida a ciertos ídolos taurinos y la gran pérdida que siente el público cuando muere uno de ellos en el ruedo. ¿Qué es lo que perdió el público español al morir en Madrid el Espartero (en 1894), o en Talavera Joselito (en 1920)? No se sabe. Escribiendo sobre la muerte de éste, pero quince años después del hecho, el autor confiesa que no puede explicárselo:

> Pero ni aun así se concibe que una conducta muscular... asumiera en el espíritu de explosión de todo un pueblo... tan descomunal y despótica exclusividad de dominio...

[59] Noel, *Señoritos chulos...*, pág. 123. Subrayado mío.
[60] *Ibid.*, pág. 201.

... la Raza tomó muy a pecho la pérdida del joven [Joselito] y prendió en las coordenadas de la fecha siniestra un grave sentido de magnitud... Qué se perdió aquella tarde es lo que no se sabe aún; que un pueblo sufrió una disminución, sí, pero ¿de qué? [61].

Es un extraño fenómeno que, acaso desvelado a la luz de la introspección psicológica, revelaría algo de importancia sobre las profundidades del ser español.

Si Noel confiesa la existencia de este misterio que se acaba de describir, al contrario, no hay misterio sobre la clara manera injusta en que él es tratado personalmente por este mismo público. Lo injusto, señalado por él, es que «la crítica [a su persona y su obra] antecede al acto, y el comentario, nada bueno, a la apreciación real». Como ocurre, desgraciadamente, hasta hoy día con él y otros autores, «se le odia más que se le lee». Se da cuenta el autor de que el hecho de haber emprendido la titánica y quijotesca empresa de llevar a cabo una campaña en contra de una costumbre hispánica tan arraigada y tan popular ha motivado que mucha gente, sólo al oír su nombre, sonríe y le cree un tonto de remate, lanzándole palabras de desprecio y de burla. No dice nada del efecto de su estrafalario aspecto físico, que sin duda fue motivo en parte de estas risas y desprecios, pero parece intuirlo al declarar que, a veces cuando se ha sentido amargado por este tratamiento, ha creído «que no es su empresa, sino su persona, quien suscita esas suspicacias dolorosas [por parte del público y de los críticos]» [62].

---

[61] Noel, «La gran capea del 16 de mayo de 1920 en Talavera de la Reina» (1935), en *España fibra...*, págs. 183, 184.
[62] Noel, *Diario íntimo*, t. II, pág. 77.

EL PÚBLICO Y SU DESEO DE SANGRE

Podemos continuar hablando de este tema general de las opiniones de Noel sobre el público de toros, porque él habla bastante, en varios libros suyos, de un solo aspecto de este tema: el mórbido y trágico afán de ver correr sangre y de ver brutalidades. Por ejemplo, este detalle, que revela, según él, un síntoma claro de degeneración de la raza, se evidencia al ser herido un torero e ir a la enfermería:

> ... el trabajo más duro de los médicos es impedir se llene la enfermería de gente. ¿Qué quiere esa multitud? Muy sencillo: ver sangre. No sólo no se le pasa por la imaginación a ninguno de ellos que tienen la culpa de lo sucedido, sino que desean contemplar la humillación y el dolor del que asesinaron. Se ve en esa muchedumbre un deseo furioso de ver la herida y de tocar sus bordes sangrientos [63].

En su obra *Nervios de la Raza* habla de una situación muy parecida: en un pequeño pueblo, un «maletilla» es herido durante una capea. Los campesinos, con «bárbara tenacidad», se atropellan a codazos por entrar en la «enfermería» para ver al herido (o, mejor dicho, la herida). Quieren tener algo brutal, fuerte y «macho» para contar a los otros. «¡Oh aquellas caras de fortísimas barbas, de color cetrino, aquellos ojos agrandados desmesuradamente por el ansia de ver sangre» [64].

En opinión de Noel, esta sangre es, para los espectadores, una parte principal e indispensable de cualquier festejo taurino. Sin ir tan lejos como Araquistáin, quien había de-

---

[63] Noel, «El flamenquismo fibra...», en *Piel...*, pág. 17.
[64] Noel, «Cura trágica de un 'maletilla'», en *Nervios...*, págs. 74-75.

clarado que el público en realidad quiere ver sangre humana,
Noel afirma que el público tiene necesidad de «emociones
rojas», y que ver correr la sangre del caballo empitonado
o del toro no le causa repugnancia, sino que frenetiza, atur-
de, emborracha al público. Los espectadores se quedan hip-
notizados y atónitos, obrando en ellos la embriaguez de la
sangre derramada [65]. La necesidad de ver esta sangre es seña-
lada por nuestro autor cuando opina que el pueblo sufre
un desencanto con una novillada «sin caballos» (sin picadores). Al público también le gusta ver el derribo del picador:
«Eso de oír el zambombazo del piquero al caer en el santo
suelo...» Y luego añade que la gente prefiere una corrida con
picadores porque ellos satisfacen sus necesidades más degeneradas y brutales: «Un picador es promesa de sangre, con-
moción cerebral en potencia, palabrotas...» [66].

Noel, claro está, al señalar (según su enfoque y manera
de percibirlo) este afán de sangre del público, lo hace para
reforzar sus actitudes antitaurinas y para adelantar estas
ideas entre sus lectores. Este hecho, junto con el de que no
era él ningún filósofo ni pensador «hondo», da el resultado
de que casi no lleva más allá su desarrollo de este fenómeno;
específicamente, no entra de verdad en la cuestión de las
posibles causas de que el público sea así. Sólo en una parte,
y sin más explicación, adelanta esta teoría por el deseo de
ver correr sangre: «Muchos siglos de guerras exteriores y
civiles [y esto lo escribe antes de la guerra de 1936 al 39]
nos han dejado en el lastimoso estado de... [que] la emoción
nos está vedada si no viene directamente de la sangre ver-
tida» [67].

---

[65] Noel, «Taurobolios...», en *Raza*, págs. 36, 43.
[66] Noel, «Un toro 'de cabeza' en Alcorcón», en *Nervios...*, pág. 33.
[67] Noel, *Pan y toros*, pág. 88.

El deseo vivo que tiene el público de toros de ver brutalidades (y de comportarse de manera brutal) es otro aspecto afín que también incurre en la enérgica censura de nuestro autor. Casi todos los capítulos de por lo menos dos de sus obras, *Las capeas* y *Nervios de la Raza*, son, en efecto, breves cuentos de ficción que, por medio de sus descripciones algo quevedescas, tienen un claro fin didáctico: subrayar para el lector e impresionarle con lo brutal y horripilante que son las capeas y las corridas, y las trágicas consecuencias a que conducen. Fíjese el lector, por ejemplo, en esta descripción que termina un típico capítulo del primer mencionado libro:

> En poco tiempo la plaza ofreció el aspecto de un campo de batalla. Charcos de sangre, masas encefálicas, cuerpos desmembrados, agonizantes arrastrándose junto a las tapias, moribundos con los intestinos en las losas, montones de cadáveres en posiciones indescriptibles, hombres con cornadas tremendas por las que la sangre salía como de un caño... [68].

En muchas ocasiones, Noel da a entender claramente que, para él, el público que presencia las capeas y las corridas es tan (o aun más) bárbaro y brutal que los que lidian al toro. Sólo un ejemplo de sus escritos para ilustrar esto. En un capítulo titulado «Entremés de los mozos castizos», el autor nos pinta una escena en un pequeño pueblo cercano a Madrid, que va a celebrar una capea. En este lugar inmundo «no hay higiene, ni agua, ni otra educación elemental que el soportarse unos a otros sus brutalidades». Un personaje, «El señor de Madrid», les dice a algunos de los aldeanos: «Las capeas están prohibidas; siempre hay muertos...» A esto, un mozo, reflejando los sentimientos de los otros, repli-

---

[68] Noel, «Episodio de una capea en Villalón», en *Las capeas*, páginas 36-37.

ca: «Pues en eso está la sal de la cosa» [69]. ¡Así es el pueblo español, según Eugenio Noel!

LOS TOROS NO PRODUCEN SALUD FÍSICA

Como la misión vital de Eugenio Noel era el antitaurinismo, no dejó de aprovecharse para este fin de cualquier objeción que condenara un aspecto u otro de los toros. Una de estas objeciones suyas, menores, fue su acusación de que la fiesta de los toros no produce, ni en los toreros ni en el público, salud física ninguna (ya hemos visto cómo no produce buena «salud» mental ni espiritual). Noel, como Giner de los Ríos y los de la Institución Libre, favorecía un saludable régimen gimnástico, un programa controlado de ejercicios físicos como parte integrante de la educación total de los niños y jóvenes.

Según él, las corridas de toros de ninguna manera han contribuido a esta salud física a que aspira: «Las corridas de toros... no han producido un sistema gimnástico, de educación física, de higiene muscular. Antes, por el contrario..., nunca hemos tenido tantas enfermedades, tantos anormales, mayor depauperación de la sangre.» Decir, como él lo ha hecho, que las corridas no han contribuido positivamente a la educación física del pueblo, no sería muy difícil de admitir; pero, muy otra cosa y bastante arriesgada, es sostener (sin pruebas) que el hecho de existir en el país tantas enfermedades y anormales es, *ipso facto*, atribuible directa y únicamente a los toros. También añade el autor estas palabras sobre la clase de movimientos físicos que constituyen la corrida:

---

[69] Noel, «Entremés de los mozos castizos», en *Raza...*, págs. 160, 169.

> Todos, sin excepción de uno solo, todos los actos que integran el espectáculo de una corrida de toros, como gestos, movimientos, lances, suertes, actitudes y demás, son engendrados fuera de las condiciones serenas, graves y severas que la ciencia necesita para aprobar el ritmo muscular, la circulación perfecta de la sangre, el equilibrio del músculo y del nervio, la lógica del movimiento... Ese vigor taurino es ni más ni menos que la corrupción o afeminamiento de la fuerza bruta campesina... Todos los movimientos de los beluarios [los toreros] son falsos, simulados, fuera de toda ley de robustez y virilidad... [70].

Así que, de nuevo, vemos que Noel no admite el posible positivo valor estético formado por las líneas corporales del torero en el conjunto que forma con el toro.

Una vez más, con sus muchas cifras en la mano, nuestro autor nos pinta la degeneración fisiológica del pueblo español, llegando hasta la denuncia del pobre estado fisiológico de la gran pareja de figuras taurinas de entonces, José y Juan:

> No pasa del 47 por 100 el número de mozos declarados útiles en cada reemplazo [del ejército], y... además de los inútiles hay cerca de un 8 por 100 de reclutas disponibles que manifiestan signos de pobreza fisiológica... Los dos fenómenos del toreo, Belmonte y Joselito, han acusado, el uno, un perímetro torácico casi cercano a la depauperación, y el otro ha sido desechado [71].

En esta denuncia está implícito el gran orgullo que seguramente sentía Noel al comparar a estas dos figuras con su propia persona, que había sufrido los rigores de la guerra de Marruecos y que estaba aguantando diariamente las privaciones y sacrificios físicos de una campaña antiflamenquista tan intensa y rigurosa.

---

[70] Noel, «Taurobolios...», en *Raza...*, págs. 31, 32-33.
[71] Noel, «El flamenquismo fibra...», en *Piel...*, pág. 12.

CENSURA DE LOS INTELECTUALES DE SU TIEMPO

Dada la gran energía y aplicación que puso Eugenio Noel en su campaña antitaurina, con un sentido de misión que toca lo obsesivo, no nos debe extrañar que él sintiera gran insatisfacción en cuanto a las contribuciones al antiflamenquismo y al antitaurinismo de los otros autores de su tiempo. Es lógico: ninguno de ellos tomó como Noel la extirpación de esta «plaga nacional» como su principal ocupación (y preocupación) de toda la vida.

La generación ya establecida al llegar nuestro autor a su juventud literaria es la del 98. Como ocurre con toda verdadera generación nueva, sus primeras repudias y censuras van contra los valores, el estilo, la actuación, etc., de la generación inmediatamente anterior a la suya. Así que, en el caso del presente autor, sus reprobaciones más insistentes y fuertes, especialmente durante sus años jóvenes, tienen como blanco la generación del 98. En un artículo de 1914, lanza esta áspera condenación de ella:

> Preciso es hablar claro a los intelectuales: sobre todo a aquellos que, nacidos a la vida pública el año del desastre —el 98—, no han realizado ninguno de los pensamientos que se propusieron. Todos sin excepción han ido acomodándose al medio ambiente que maldijeran, y unos, pasando a la literatura como admirables modelos de bien escribir; otros, ocupando pensiones y puestos del Estado, se han convertido poco a poco de recios protestantes en ortodoxos oportunistas [72].

En otro artículo del mismo año, el autor subraya como falta del 98 el hecho de que sus miembros han criticado mu-

_____

[72] Noel, «Arte de dar una conferencia antiflamenquista», en *Escritos...*, págs. 34-35.

cho, pero que no han hecho casi ninguna síntesis, que es lo que hace falta para progresar. Dice en el escrito «Ignacio Zuloaga» que «el año 98 es un enorme dedo índice colocado en los labios. En la fiscalización a que se sometieron los valores intelectuales de la raza se fue muy lejos y los jóvenes aprendieron mejor la crítica que la síntesis, olvidando que solamente ésta produce progreso firme»[73]. Lo paradójico de esta declaración es que casi toda la obra del mismo Noel fue crítica (negativa); además, ¿qué quiere él decir por falta de «síntesis»? El término queda vago en su presente contexto, y el autor no lo explica. La generación del 98, en resumen, no es la generación llamada a la tarea tan necesaria del exterminio del taurinismo en España; esta faena recae sobre la siguiente:

> Los del 98 son todos hombres que cierran una época. Hombres broches. ¿Qué horizontes nuevos abren? Contribuyen a la anquilosis de la raza. Intelectuales sin dinamismo. Sentimentales. Seremos los novecentistas los que extirparemos el cáncer que está royendo la vitalidad de la raza[74].

De nuevo surge la paradoja: la generación novecentista, en líneas generales, resultó ser muchísimo menos antitaurina que la del 98.

Además de condenar el grupo noventayochista en su totalidad, Noel se dirige también individualmente a algunos de sus hombres componentes, en particular a Unamuno. Hablando de la época de los años 1898-99, describe lo que llama el «rotundo fracaso de ese gran viejo que se llama Unamuno». Cuenta que por entonces se agruparon en torno a éste los otros escritores del 98, eligiéndole como su portavoz y confiando en que concretase el programa a seguir para la

[73] Noel, «Ignacio Zuloaga», en *Escritos...*, pág. 52.
[74] Noel, *Diario íntimo*, t. I, pág. 141.

verdadera regeneración del país después del desastre. En
una conferencia en el teatro de la Zarzuela, a la que había
mucha concurrencia, todos esperaban del gran vasco las
«cruentas verdades» y la incitación a la resurrección de España. Pero Unamuno no dice nada de esto. «Desde ese instante fracasa como apóstol y hombre de acción. España necesita al conductor de masas. No lo es él, ni lo son los otros.
Son hombres sin proyecciones.» Por «proyecciones», lo que
quiere decir Noel es un sistema organizado e inmediatamente práctico de remedios de tipo económico, agrario, peda-
gógico, político, jurídico, etc., para el país. El lector se da
cuenta de esto, porque, a renglón seguido, añade el autor
que el único que pudiera haberlo hecho era Joaquín Costa,
pero el pueblo no le entendió y murió acongojado y paralizado por aquel «león prodigioso» que es España [75].

Otro «fracaso» de Unamuno que enumera nuestro autor
ocurrió años más tarde, en 1922. En este año Unamuno visita
al Rey, indicando con esto cierta simpatía por la monarquía
y causando un gran revuelo en el Ateneo y en el pueblo. Al
ocurrir esto, cuenta Noel, «recuerdo mis cuentos contra el
Rey, y que soy su verdadero, único y digno enemigo» [76]. Una
vez más, la típica exageración noeliana, y también la jactancia personal.

El autor ataca también a Valle-Inclán, en una obra de 1917
(uno de los años de apogeo de Juan Belmonte, como se recordará), criticándole su admiración por este torero:

> ¿Dónde están ya aquellas faenas de locura y embrutecimiento
> en las que el que tenía sentido común le perdía cuando los lite-
> ratos más insignes —¿verdad, Valle-Inclán?— miraban a los
> fenómenos desnudarse y vestirse en sus alcobas de hotel, y se

[75] *Ibid.*
[76] *Ibid.*, t. II, pág. 285.

asombraban de ver lo que sin duda miraban por vez primera?... [77].

No sólo les critica (a Valle y a otros del grupo noventayochista) su admiración por Belmonte (lo cual tiene todo
derecho a hacer), sino que excede claramente los límites de
la razón y del buen gusto con su insinuación al final: de
que estos «literatos insignes» son todos afeminados, y que
intentan captar indirectamente la masculinidad mirando a
los toreros desnudos.

Por supuesto, la censura noeliana de los escritores de entonces no se limita a los de la generación del 98. Tiene mucho que decir en contra de los «intelectuales» (pensadores,
se supone que quiere decir) de su tiempo. Pero antes de entrar en este aspecto hagamos constar su reprobación de los
dramaturgos, poetas y autores españoles en general. Declara
que España es un pueblo de cobardes morales, y por eso
ningún escritor o autor dramático tiene el coraje de protestar públicamente contra los toros [78]. Censura especialmente
a los poetas, que utilizan el tema taurino a menudo, para
escribir versos en loor de un torero o de una corrida me-
morable: «No abrís un libro de versos que no traiga el elogio
de un diestro o de una corrida, homenaje doloroso que veis
en boca de los que sólo debieran cantar la eterna belleza del
dolor humano en su marcha hacia la nunca hallada felicidad» [79]. (¿No se entrevé en estas últimas doce palabras la
imagen autobiográfica del mismo Noel, siempre sufriendo
las adversidades de la vida y nunca consiguiendo la felicidad?)

---

[77] Noel, «El flamenquismo fibra...», en *Piel...*, pág. 22.
[78] Noel, «Lo que hay en una plaza de toros», en *Escritos...*, pág. 86.
[79] Noel, «El flamenquismo fibra...», en *Piel...*, págs. 46-47.

Enfrentémonos ahora con este tema de su censura de los «intelectuales» (de los cuales él no se consideraba uno). Lo que le molesta más de la actitud de estos pensadores es que muchos de ellos reconocen y desaprueban las malas características que posee la gente del pueblo (y que Noel enumeró en larga lista como los resultados de las corridas de toros), pero no aceptan que el espectáculo taurino sea la causa de haberlas producido. Según el autor, lo que hacen ellos es aceptar el efecto y rechazar la causa; esto no puede ser:

> Es necesario enterarse, amigos míos, de que aceptando el espectáculo hay que reconocer la bondad [dicha esta palabra irónicamente] de sus consecuencias. Si en las corridas de toros hay esa belleza, casticismo, arte y trascendencia étnica que cantáis, ¿por qué asustarse de lo que cuesta conservar todo eso o concederme que es inicua la preponderancia del torero y canallesca su imitación? O todo o nada... Hay que renegar de ellas absolutamente o no lamentarse de que tal causa amada produzca efectos lamentables [80].

Nuestro autor hasta sostiene que los intelectuales y otros hombres reflexivos, justos y honrados, que no son «flamencos», aunque no hablen ni a favor ni en contra de los toros, si asisten a una sola corrida, «autorizan con su presencia los desmanes y los absurdos del espectáculo, contribuyen a su propagación y no podemos absolverlos del crimen de lesa Patria» [81].

Como se ve en esta última cita, Noel no quiere pasividad o neutralidad entre los intelectuales sobre este problema nacional tan importante para él. Lo que quiere es incitarles al activismo, en contra, claro está, de la fiesta de los toros. Veamos en las siguientes palabras lo que él quiere para su patria y lo que exige de sus intelectuales:

---

[80] *Ibid.*, pág. 19.
[81] Noel, *República...*, págs. 33-34.

... lo que deseo es que mi patria deje de ser el país del escarnio; quiero verlo, contribuir a ello y no creer en las calendas griegas. Deben saber esas inteligencias que, una vez liberadas por el trabajo, tienen la obligación de ocupar los lugares estratégicos del Estado y clamar contra él [el espectáculo taurino]; porque esperar a que la voz adivinadora del pueblo se les adelante y allane el camino, es tan cobarde como poco intelectual.

Así que, para Noel, no es suficiente que los intelectuales y hombres responsables hablen o escriban un poco contra los toros. Como quería Unamuno en el campo religioso, nuestro autor exige nada menos que lucha activa, una guerra despierta y valerosa de los pensadores contra el común «enemigo» que mantiene a España en la barbarie y el retraso:

Para ser apóstol de un ideal no es suficiente hablar o escribir bien acerca de ese mismo ideal; lo necesario es lanzarse a la provocación del contrario, a la guerra, salir a su encuentro y vencer... Las muchedumbres buscan su salvación si sienten la palabra, si el verbo encarna en la sangre, y el espíritu, no la lengua, habla.

En efecto, lo que quisiera ver este misionero antitaurino es que saliera de batalla en contra de los toros todo un ejército de hombres responsables dotados de la dedicación, la seriedad, el activismo y la energía inacabable de... Eugenio Noel. Los intelectuales deben dejar ya de ideologizar y lanzarse en seguida, sin miedo, al combate, a la lucha por la regeneración verdadera de la patria [82].

Por último, hay que examinar también la poca censura que hizo de los autores de su propia generación, la novecentista. Esto no ocurrió hasta muy tarde en su vida, cuando había recibido o silencio o escarnio de algunos de ellos, y

---

[82] Noel, *Pan y toros*, págs. 181, 182-83, 241.

cuando empezó a darse cuenta de que ellos no iban a ayu-
darle llevando a cabo cada uno de ellos su propia e individual campaña antitaurina. La única relación sostenida con
uno de los ensayistas importantes de la generación novecentista fue con Ortega y Gasset. Examinémosla ahora, porque ilustra bien esta evolución suya de la esperanza hasta
el desengaño que sufrió respecto a los novecentistas.

En diciembre de 1914, escribe sobre la resonancia que
empieza a tener su campaña, mostrándose esperanzado porque, entre otras razones, Ortega ha prometido escribir un
libro sobre las corridas (Noel, claro está, supone que en contra de ellas), y añade que «se va abriendo paso mi idea». En
abril del año siguiente, Ortega le ayudó, pidiendo que cola-
borase con un artículo a su revista *España*. En diciembre
del mismo año de 1915, se pone muy orgulloso porque «los
jóvenes dicen, con toda naturalidad: 'Ortega y Gasset y
Noel'» [83].

Ocho años más tarde, en 1923, habiendo sufrido un sin-
número de dificultades y decepciones a causa de su campaña,
ocurre un incidente que causa una desavenencia entre los
dos. En enero, Noel le escribe una carta a Ortega pidiéndole
recomendación a la editorial Calpe para que publiquen un
libro suyo. En febrero Noel le envía al filósofo el primer
tomo de su obra *Aguafuertes ibéricas*, y Ortega promete
proponerla a la casa editorial. Gracias a la intervención de
Ortega, Calpe le compra a Noel el primer tomo de la obra,
en 1.500 pesetas, de las que le entregan 1.000 el mismo día
en que firma el contrato. En el mes de abril, Calpe le comu-
nica que ha decidido hacer dos tomos, en vez de uno, del
original que el autor les había entregado. Pero a la vez le
niegan el adelanto de las 500 pesetas que le deben, y tampoco

---

[83] Noel, *Diario íntimo*, t. I, págs. 49-50, 61, 72.

quieren pagarle otras 1.500 para el segundo tomo que ahora
van a hacer del original. Ante esta injusticia, exclama Noel,
sorprendido y algo amargado: «¡Y esto lo tolera Ortega y
Gasset!» [84].

En 1931, ya sin duda bien desilusionado, amargado y can-
sado de su campaña febril que no parece haber dado grandes resultados, su actitud es totalmente de desengaño y de
desesperanza respecto al antitaurinismo de los novecentistas.
La vemos en este ataque sarcástico a dos de sus miembros
más destacados:

> ... procedamos respetuosamente, como si nunca hubiéramos
> escrito sobre este tema, a los estudios que Ortega y D'Ors pro-
> meten sobre la fiesta nacional, que serán lanzados a «lo Pla-
> tón»: «El Merengue Chico, o La talanquera», «Desperdicios, o
> El ojo colgante»... o un título parecido, bajo el cual os descu-
> brirán aspecto [sic] insospechados, tales como los que en su
> especialidad, la Filosofía, han encontrado, y que hasta hoy dieron
> en fragmentos... [85].

Es evidente en estas palabras que ya no espera colaboración o cooperación antitaurina de los egregios ensayistas
del grupo novecentista, y, por eso, los censura con la técnica
que él mejor maneja: la exageración burlesca y el sarcasmo.

Hemos visto hasta ahora lo principal sobre Eugenio Noel
y los toros: sus objeciones principales al espectáculo, lo que
pretende lograr con su campaña y su censura de la inacti-
vidad antitaurina de los escritores de su tiempo. Entremos
ahora en un campo que creo puede sernos útil para una mayor comprensión del antitaurino Noel: mirándolo a través

[84] *Ibid.*, t. II, págs. 303-04, 310.
[85] Noel, «Caracas: el torero 'Gallo'», en *Taurobolios y verdades
contrastadas. Hombres e ideas de América y de España* (Santiago,
Chile, Nascimento, 1931), pág. 116.

del *hombre* Noel. Si se investiga un poco su vida, como nos es relatada por él mismo en su *Diario íntimo*, y nos fijamos también en algunas de sus características personales (sus reacciones y maneras de comportarse), eso nos puede dar una idea más cabal del hombre total que era Eugenio Noel. Sin pretender ser psicólogo, creo que se podrá llegar a algunas conclusiones preliminares o explicaciones tentativas sobre algunos de los rasgos que componen su manera de ser y de hacer literatura.

EL REVERSO DE LA MEDALLA: NOEL COMO TORERO FRUSTRADO

A primera vista, el título de este apartado puede parecer bastante extraño. ¿Eugenio Noel, torero? ¿Cómo puede ser eso? No es que sea una invención fantástica del que escribe estas líneas, sino que el autor mismo nos confiesa bastantes detalles de su infancia y juventud que nos inducen fácilmente a considerarle como un torero frustrado. Cuando nos narra los acontecimientos de sus años de niñez, menciona varias veces, y afectuosamente, ocasiones en que le atrajeron detalles del mundo taurino: las láminas de los puestos de periódicos, con, entre otras, la revista *La Lidia* (pág. 65); la fascinación y curiosidad que sentía por «el cuchitril de zapatero, todo él empapelado con retratos de toreros y suertes del toreo» (pág. 65); los carteles de las corridas de toros, tras de los cuales «se le iban los ojos» (pág. 67); su atracción por «la casa de préstamos de Pepe, la de los trajes de luces de los toreros y capotes de paseo» (pág. 68); su deleite con los juegos infantiles, «sobre todo, las corridas de toros, con las muchachitas como presidentas y cuernos auténticos y cestas

de caracoles con un corcho en el centro, para clavar en él
las banderillas» (pág. 71) [86].

En su obra *Nervios de la Raza*, en un capítulo incluido
también en su *Diario íntimo*, Noel nos habla largamente de
la tremenda impresión que produjo sobre el pueblo español
la cogida y muerte, en 1894, del Espartero, en la Plaza de
Madrid (cuando Noel tenía nueve años). Dice que «no produjo en París la muerte de Víctor Hugo mayor impresión».
Todos los periódicos llevaban su retrato, y «en las esquinas...
leían grupos de ensombrecidos seres las hojas orladas con
una franja negra de cuatro dedos. Y leyendo y oyendo como
tarugos, sollozaban inconsolables. ¡Qué vergüenza!... ¡Qué
pundonor! ¡Qué hígados!» [87]. Claro está que cuando Noel escribe todo esto, en 1915, no comparte de ninguna manera el
espíritu de la sentimental efusión popular que se produjo
a la muerte del desafortunado torero; sin embargo, tuvo su
efecto sobre él, a pesar de tener entonces sólo nueve años.
Él mismo confiesa, agregando que desde entonces quiso ser
torero:

> Pues fue que..., de tanto oír hablar del Espartero, quise yo
> enterarme por mí mismo, imitarle si podía, y si no, también...
> El odio al toro asesino, aunque os parezca mentira, me inspiró
> ser torero. Matar toros que... matan hombres hechos a imagen
> de Dios, ésa sería en adelante mi misión en la tierra [88].

¡Cosa más extraña! Eugenio Noel, el gran antitaurino y
antiflamenquista, el que luchó toda su vida por acabar con
las corridas de toros y sus malos efectos, ¡quiso ser torero
cuando era joven! ¿Será que estamos en presencia del fenómeno psicológico de «objeto vivamente deseado-frustración-

---

[86] Noel, *Diario íntimo*, t. I., págs. 65-71.
[87] Noel, *Nervios de la Raza*, en *Diario...*, t. I, págs. 78-79.
[88] *Ibid.*, págs. 81-82.

odio al objeto antes deseado»? O, en otras palabras, ¿no es ésta la actitud de «están verdes»?

Continúa el autor narrando cómo, aquel mismo año de 1894, él hizo el papel del Espartero en una gran corrida infantil que se montó. Lo cuenta con gran lujo de detalles, y de entre ellos hemos sacado unos pasajes que revelan cuánto le gustaba hacerlo y cómo saboreaba la atención y gran admiración popular que le tributó la gente que le observaba:

> ... clavé los pies, grité al toro, y hubo en mi apostura tal gentileza, elasticidad, hechuras y miel de la Alcarria, que desde un balcón cayó sobre mi cuerpo serrano un ¡olé tu madre!, *que aun hoy saboreo.*
>
> ... ...
>
> Un terremoto seguido de un diluvio no da idea de la ovación. Me cogían y me besaban delirantes. Di la vuelta al ruedo, y mi novia y mi querida, sollozantes de orgullo, me miraron *como los serafines deben mirar a Dios.*
>
> ... ...
>
> Espartero pagaba mi adoración. ¡Oh!, si no se hubiera marchado, hoy sería yo «fenómeno» nacional, ganaría en un día lo que nadie gana en un año, y los reyes detendrían sus automóviles, almorzarían conmigo, me enseñarían sus caballerizas a falta de otra cosa...
>
> *La gloria se me subió al cerebro...*
>
> ... ...
>
> En esta postura angélica [delante del «toro», citándolo con la muleta] hubiera estado hasta hoy mismo *¡tan a gusto me encontraba!...* [89].

Jactancia personal, sed de gloria y renombre, y afán de destacar y de ser reconocido; todos estos elementos los encontramos en estas palabras suyas, y también los encontramos en su particular manera de ser y en el estilo y el contenido de su prosa ensayística.

---

[89] *Ibid.,* págs. 91-92. Los subrayados son míos.

El hecho de no ser este deseo juvenil un puro arrebato momentáneo lo prueban las palabras que dice el autor más adelante, en su *Diario*, sobre cuando tenía trece años; todavía tenía sueños de ser torero:

> La plaza de toros de Carabanchel. Los toreros se visten en casa de mi primo, lo que producía una peligrosa curiosidad... Los días de corrida... los cuernos rozan nuestros pies que salían por entre aquellos [los burladeros], las cogidas mortales y los embolados, fue esta plaza una de las grandes ollas donde se coció la tremenda afición de hoy. Tengo sueños de ser torero, deslumbrado por aquellas apoteosis de gloria [90].

Me parece que, con todo derecho, se puede decir: Eugenio Noel, torero frustrado.

EL AFÁN DE DESTACAR

Mencionamos arriba que una característica de la personalidad de nuestro autor era su gran deseo de fama popular, su necesidad interior de ser reconocido de la gente por su persona, su campaña y su obra escrita. Es lo mismo que necesita el torero, o sea, despertar entusiasmo popular por él, dentro y fuera de los ruedos. Su mismo aspecto exterior contribuyó a este deseo de Noel: el bigote, las impresionantes melenas (cuando pocos las llevaban), siempre con su larga capa (cuando esta prenda ya había pasado de moda desde hacía bastantes años); su manera exagerada, desafiante, enérgica y vehemente de dar una conferencia antiflamenca igualmente contribuyó al mismo fin.

A través de todo su *Diario íntimo*, el mismo autor señala claramente este afán suyo repetidas veces. Examinemos unas

---

[90] Noel, *Diario íntimo*, t. I, pág. 138.

de ellas. Muchas veces hace constar que alguna gente le ha reconocido por la calle, o en un tren, o en la estación. El siguiente ejemplo revela algo más profundo sobre la importancia que este reconocimiento tiene para él: «'Noel, ese es Noel', dice la gente a mi paso por las calles, volviéndose para señalarme unos a otros. Yo recuerdo que esto era, en mi adolescencia, uno de mis sueños.» Sueños de ser torero, sueños de ser reconocido: ¿puede ser esta segunda aspiración, en que tuvo éxito, como un sustituto para la primera, en que fracasó? La gran importancia de esta fama personal y profesional llega al extremo de llevarle a declarar que no le importa pasar privaciones físicas y vivir constantemente en la miseria total con tal que su fama y nombre se mantengan muy altos: «... disgustos y más disgustos, y desmayado y reacio a todo empeño, a toda lucha, dejando suicida avanzar *algo más que la miseria,* y es *la pérdida de mi fama* de escritor, *de mi nombre* tan sañudamente ganado» [91].

En efecto, nos enteramos por medio de un artículo suyo, de 1914, que el lograr la popularidad personal ha sido un propósito básico de su campaña, desde que la emprendió a finales de 1911. Lo explica de esta manera:

> En diciembre de 1911 comencé la campaña contra el flamenquismo... Consistía [el plan de la campaña] en recorrer cuantas poblaciones de España pudiera, predicando contra la fiesta nacional de las corridas de toros y su secuela el flamenquismo; estaba seguro de lograr con esa peregrinación una inmensa popularidad... [92].

Eugenio Noel, por medio de estas peregrinaciones con conferencias por todas partes de España y de Hispanoamérica, logró una tremenda fama (positiva y negativa), y por

---

[91] *Ibid.,* t. II, págs. 100, 263. Los subrayados son míos.
[92] Noel, «Arte de dar...», en *Escritos...,* pág. 25.

eso no podía soportar que no fuera reconocido en un lugar determinado. Muy revelador es lo que nos cuenta sobre la gran desesperación que siente, en 1924, durante su paso por Caracas, a causa de la indiferencia de la gente. Dice que

> el 1 de julio el desengaño es completo. Esta ciudad como este país es algo muerto y bufo. La dictadura de Juan Gómez completa y absurda, pero para absurda esta gente. Paso cinco días mortales completamente solo, paseando o bebiendo cerveza, sin que se acerque nadie a pesar de que todos saben que soy Noel. Ésta es la primera vez que me sucede en América.

Como se puede apreciar, el reconocimiento popular por donde fuera él era una verdadera necesidad vital y psicológica. Aun en la última página de su *Diario íntimo* (diciembre de 1924) nos habla de la gloria y fama que le rodea, en medio de las amarguras que está pasando. Dice que cuando le escribe a su esposa Amada o a sus amigos desde América, sólo les habla de sus éxitos y de la gloria que le sigue. Esta gloria, dice, es «mi único consuelo, el que nadie caminará jamás por América como yo camino, con nobleza digna de mi Raza y con gloria ganada a brazo»[93].

OTRA NECESIDAD VITAL: JACTARSE

En las palabras finales de la última cita noeliana que dimos, nos es revelada otra propensión suya que llegó a ser característica permanente e imprescindible: la jactancia personal. Por ejemplo, en junio de 1921 escribe lo siguiente en su *Diario*: «De mi conversación y examen con este triunfador [Blasco Ibáñez], he sacado que, sin orgullo [¡!], mi temperamento de escritor racial es superior a él y todos los

---

[93] Noel, *Diario íntimo*, t. II, págs. 355, 375.

demás.» Después de declarar su superioridad sobre este novelista famoso, hace lo mismo tres meses más tarde, esta vez con «Ramón» como blanco de su ataque: «Aún dice la gente: 'Ese es Noel', y con enorme popularidad. Ramón Gómez de la Serna me insulta en *El Liberal*, diciendo bobadas, como que me tiño el pelo, ¡yo, que soy el último macho que hay entre los literatos!»[94]. En este ataque malicioso y jactancia exageradamente «flamenca», ¿no está ostentando Noel la misma bravuconería y protestas de «machismo» e «hígados» que vitupera tan enérgicamente en los «flamencos»?

Muchas veces las jactancias de Noel son un mecanismo de autoprotección para resistir los ataques e insultos del público y de los periodistas. Uno se da cuenta de que él ha sido injustamente o indignamente criticado; cree Noel sinceramente que tiene razón, y por eso puede aguantar las injusticias. En un artículo suyo de 1914 encontramos esta serie de autoalabanzas:

> ¿Si he sufrido? Sin vanagloria os digo que es preciso tener el alma de bronce para luchar de este modo... No me quejo, no. Jamás he pedido elogios a mi labor [¡pero gloria y fama, eso sí!], ni de mi boca ha salido insulto alguno para los que tan sin piedad e injustamente me trataban.
>
> ... ...
>
> Dije la verdad como yo digo la verdad, como la verdad se dice: sinceramente.
>
> ... ...
>
> ... y como tengo razón, las ideas se bañan en la emoción fresca de la verdad y no hay quien se rebele contra tanta sinceridad y entusiasmo. Porque tengo razón nada temo[95].

Completa sinceridad y completa confianza en lo justo y verdadero de su punto de vista en contra de los toros. Sub-

---

94 *Ibid.*, págs. 247, 264.
95 Noel, «Arte de dar...», en *Escritos...*, págs. 28, 29, 33.

raya este punto de tener razón también en otro artículo del mismo *Escritos antitaurinos*. Está hablando aquí de aquella corrida en Valencia a que asistió, en la que el público, al darse cuenta de que estaba allí Eugenio Noel, le empezó a silbar, injuriar e insultar sin tregua. Al preguntar al lector qué es lo que significa esta protesta en masa de aquel público, Noel contesta así:

> Quiere decir que tengo la razón y no tengo la fuerza; quiere decir que soy uno contra dieciocho mil; quiere decir que España es el país de la majeza y la cobardía. ¿Por qué no contestan en los periódicos a mis argumentos con otros? ¿Por qué..., a falta de ellos, me contestan con burlas, chistes y suciedades? [96]

Vimos en la cita 95 que, entre otras cosas, Noel se precia de que de su boca no «ha salido insulto alguno para los que tan sin piedad e injustamente» le habían tratado. Parece que éste es un punto de honor para él, preciándose varias veces de que siempre ha mantenido una actitud de dignidad en lo que ha dicho sobre sus críticos y sobre los toreros-figura. Por ejemplo, se alaba de ello en estas palabras de 1924:

> Y he aquí al mayor enemigo que la fiesta nacional ha tenido y tiene [él mismo; otra jactancia más]..., frente a esta tumba [de Joselito]..., el torero más célebre que produjo la costumbre española de lidiar reses bravas... Cuando murió todos esperaban de mi pluma un anatema. Yo callé. Otras plumas se cebaron en la carroña del bestiario. Yo me negué a eso. No había en mi negativa ni admiración oculta ni hipócrita respeto; había dignidad [97].

En 1917, en pleno apogeo de su campaña, Noel estaba lleno de jactancias de sus grandes esfuerzos y los efectos

---

[96] Noel, «La oreja de 'Amargoso'», en *Escritos...*, págs. 111-112.
[97] Noel, «Las dos tumbas de Joselito», en *Raza...*, pág. 246.

positivos de su campaña antitaurina. En años posteriores,
y esto se acentúa más mientras pasan los años, sus declaraciones de éxito son menos, y aun cuando habla de triunfos
de su campaña, a menudo su mención de ellos está acompa-
ñada de un matiz de tristeza o una especie de cansancio
espiritual por parte del autor. Veamos ejemplos de este
cambio de actitud interior. En el año de 1917 escribe estas
palabras vanagloriosas y optimistas:

> Solo, enteramente solo, más solo cada vez, cada vez creo
> en la victoria más. He sabido denunciarla [la costumbre de
> los toros] con palabras que no se olvidan tan fácilmente. Ha
> sonado mi voz hasta en los pueblos más pequeños. Informaos
> y os dirán que he convencido a miles de personas...
> Era la obra más difícil y más costosa que se podía intentar
> en España, y la he intentado en nombre del futuro español, y
> porque una España flamenca es incompatible con una España
> culta. De modo que mi alegría es grande y justa... [98].

El año siguiente, empezamos a notar aquellos detalles de
desconsuelo y tristeza que ahora van a matizar los éxitos de
su campaña. Nos habla, por ejemplo (en 1918), de que se ha
logrado que los concejales municipales se desasociaran de
las corridas y no las presidieran en el futuro. Y comenta
Noel: «Otro triunfo de mi campaña; uno más, callado y oscuro.» No un triunfo pleno; no un *triunfo*, sin más, sino un
pequeño triunfo, «callado y oscuro». A mediados de 1923
se jacta del efecto positivo que se está logrando gracias a
su campaña, y relata esta anécdota:

> Cuando estaba [yo] en Córdoba, Machaco [el torero] dijo...:
> «Ahí va el que más daño ha hecho a los toros.» Eso lo confie-
> san los propios toreros, los canallas compañeros y los otros;
> que ven marcharse sin remedio su afición, tenida hasta por

---

[98] Noel, «El flamenquismo fibra...», en *Piel...*, pág. 26.

mí invencible... Pero yo juré extirparla, y la Fiesta se va.
Ante la plaza de toros de Ronda, la más vieja, convertida en
campo de deportes, vi la Fiesta en la agonía.

Todo esto que acabamos de citar es puramente positivo,
optimista y jactancioso. Bien; pero Noel no lo deja así, no
goza plenamente del triunfo, porque en la oración que sigue
agrega esto: «Bella victoria mía que, como tantas otras, ni
de gloria me sirve»[99]. Es una extraña mezcla, estas jactancias suyas, de optimismo y pesimismo, de positivismo y ne-
gativismo.

PARADOJA: POPULARIDAD CON MISERIA

Hay un comentario personal que hace Noel que fluye
como un rumor insistente a través de los centenares de páginas de su *Diario íntimo*, y es la gran paradoja en que vivía,
teniendo una extensa fama popular a la vez que pasaba hambre y vivía en la más baja miseria económica. Generalmente,
el lector se da cuenta de esta paradoja cuando lee esta
obra, al ver con tanta repetición el hecho de que el autor
describe un gran triunfo suyo o da prueba de su extendida
fama popular, un día, y en la misma página, describe la falta
de recursos económicos en que se encuentra dos o tres días
más tarde. Pero hay también ocasiones en que el mismo
autor se da cuenta de esta personal paradoja trágica que
es su vida:

El 28 de julio [de 1914], a las diez de la noche, salgo para
Zamora con cinco duros en el bolsillo [todo el dinero que po-
see]. Durante el viaje, en una estación, de noche, oigo una voz
que dice: «¡Ahí va Noel!», prueba de la gran popularidad

---

[99] Noel, *Diario íntimo*, t. II, págs. 131, 311.

que me llena de amargura el alma, al ver el contraste entre
ella y mi precaria situación [100].

Cierta noche del mismo año de 1914, poco antes de cumplir los veintinueve años, Noel se pone a reflexionar sobre
la situación actual en que se encuentra, lo cual le sumerge
en una profunda depresión. Hace este examen, dice, para
«saber a qué atenerse»:

> Resulta que no poseo ni un solo céntimo, sin más ropa inte-
> rior y exterior que la que llevo puesta; en casa no hay muebles;
> tengo tres grandes álbumes con algo de la campaña antifla-
> menca, y seis libros encuadernados, recopilación de artículos,
> con otro en preparación. Mi vergüenza es grande, porque había
> soñado a esta edad haber hecho algo más. Lo hecho hasta aho-
> ra no vale ciertamente la pena; tan sólo resta a mi favor una
> enorme popularidad impopular, en la que me sería muy difícil
> influir.

Libros y artículos escritos y publicados, conferencias antitaurinas, una gran «popularidad impopular» por toda España, pero sin dinero ni los artículos básicos de la vida. Su
situación es igual de mala en abril de 1917:

> Pasando una noche..., dos al verme dicen: «Ese sí que es
> el mejor escritor de España», y gritan a continuación un esten-
> tóreo: «¡Viva Noel!»... Sigo sin dinero y algo enfermo. Inmensa
> popularidad la mía, y absoluto silencio de los literatos en torno
> mío, como si no existiera.

Unos meses más tarde, en agosto, lamenta una vez más
su paradójica «popularidad impopular» al lado de su miseria
económica: «Un periódico me llama 'formidable literato',
pero la popularidad impopular es cada vez más enorme.
Como en tiempos de Larra, puede afirmarse que España está

---

[100] *Ibid.*, pág. 33.

reducida a un monólogo» [101]. Nos atrevemos a hacer un breve análisis psicológico, conjeturando que Noel necesitaba
de tanta fama y gloria, tanta atención y reconocimiento de
la gente, precisamente para poder sobrevivir. Gracias a esta
fama él es capaz de aguantar el rechazo o indiferencia de
los críticos y la miseria económica de la cual nunca sale.

GRAN AMOR A ESPAÑA Y CAMPAÑA
LLEVADA CON FERVOR MISIONERO

Con todo lo dicho sobre Eugenio Noel hasta ahora, creo
que el lector puede sacar otra conclusión sobre este autor:
esté o no de acuerdo con todas o algunas de sus ideas y puntos de vista, o con su manera particular de expresarlos y de
comportarse, uno tiene que reconocer su básica sinceridad,
los buenos motivos de sus profundos deseos de mejorar al
país, y el prodigioso fervor de misionero con que llevó a
cabo aquellos actos que creía contribuirían a este fin.

Su gran amor a España y la preocupación por su futuro
se evidencian, paradójicamente, por medio de las muchas
denuncias y críticas negativas de la situación del país. Su
actitud es muy similar al «amor amargo» que los noventayochistas sentían hacia su patria. Le vimos ya expresar
algunas de estas críticas, pero veamos ahora unas más, de
tipo más general y no asociado específicamente con los toros.
Las siguientes vienen de distintas partes del segundo tomo
de su *Diario íntimo*:

> Aquí, en un puerto de mar tan bello, cerca de Cartagena,
> suceden estas cosas y nadie, nadie se entera de ellas ni las
> cuenta. España es así. No se viaja, no se estudia, no se anda

[101] *Ibid.*, págs. 35, 99-100, 118.

humildemente entre la miseria y la desgracia, y por ello igno-
ramos cómo somos en la realidad. Ni pan, ni cultura [pág. 123].
... ...
España va muy mal, es cada día más vulgar, el genio no se
ve por ninguna parte [pág. 242].
... ...
La riqueza artística de España es lo único positivo de la
España actual... [pág. 260].
... ...
Por este tiempo España... es un asco de pornografía, cobardía cívica y negación de todo ideal de cultura [pág. 262].
... ...
La situación moral, material y total de España por este
tiempo, como la mía; es la muerte misma [pág. 268].
... ...
Estos pueblos... los ha ganado, como a España entera, la
desilusión y la desconfianza; son de una bárbara indiferencia
y han sido destrozados por militares y los Poderes públicos...
[pág. 271].
... ...
Las noticias de España, revolucionarias y gravísimas, me
hacen doler el corazón [pág. 370] [102].

Todo aquí es negativo; pero Noel no se estanca en la pura
inacción de la crítica negativa, sino que, como hemos visto,
se dedica activamente a la campaña de intentar corregir
estos defectos. Debajo de estas palabras negativas late un
sincero y muy hondamente sentido amor a España, como
él mismo reconoció y declaró con estas palabras, por ejemplo: «... veo con profunda satisfacción que mi amor supremo
a mi Raza..., mi iberismo..., van abriéndose paso en el infame silencio e indiferencia que ha sido siempre mi ruina» [103].
Nuestro autor también declara este acendrado amor a la
patria en varios otros libros y artículos suyos. Aunque no

---

[102] *Ibid.*, págs. 123, 242, 260, 262, 268, 271, 370.
[103] *Ibid.*, pág. 365.

la única, creo que era la motivación principal por toda su actividad antiflamenca y antitaurina. Declara en 1914:

> ... nos conduce un dulce amor a España, un enérgico faro de salvación...
> Todo antes que permitir la vergüenza actual de un país gobernado por ineptos, de una nación esclava de los vicios más ruines.
> ... mas la frente muy alta porque amo mi raza, y mientras yo viva, este pueblo que ha sido tan grande tendrá quien le recuerde... [104].

Sin duda, hay en casi todas estas protestas de patriotismo cierto leve elemento de jactancia, muy noeliana, o de orgullo tirando a soberbia, pero no creo que esto quite de su básica sinceridad.

Para su libro de 1915, *Nervios de la Raza*, escribió Noel un corto prefacio, que resulta ser un compendio de las fuerzas que motivaron no sólo esta obra, sino todos sus libros ensayísticos y sus artículos (y muchos de sus cuentos y novelas cortas también). Revela además unos de los rasgos típicos de la personalidad del autor. Por su interés en cuanto a su aplicación a todas las otras obras suyas que nos interesan aquí, conviene reproducirlo a continuación:

> *Creo contribuir al estudio del alma nacional* con estos dibujos a la pluma hechos entre los azares sin nombre de una campaña activísima. Nervios de la raza llamo a esos trazos míos, y nervios son de nuestro espíritu desequilibrado, histérico e incorregible. *Adoro mi Patria* y puedo sostener con orgullo que *en estos últimos años ningún joven de mi generación* —tengo veintinueve años de edad— *ha trabajado por ella como yo.* [Una vez más, la jactancia exagerada.] Calumniado e impopular, solo, pobre, supe vencer el obstáculo repugnante de la indiferencia o de la envidia que produce a los perezosos todo mo-

---

[104] Noel, *Escritos antitaurinos*, págs. 20-21, 23, 34.

vimiento. En el espléndido aislamiento con que me honran mis compañeros he logrado fortificar mi corazón; y su silencio, que tantos triunfos editoriales me ha restado, duplicó el esfuerzo de una labor que, cuando se conozca, tal vez produzca respeto. Mas mi Patria, a la que sacrifiqué muchas y no pobres cosas, no puede pedirme que mienta; e implacable con sus vicios, la digo en este libro con recias verdades [105].

Como siempre, una serie de descarados autobombos y vanaglorias, pero, por debajo de todo ello, un auténtico amor a la patria.

Su libro *Pan y toros* (¿1912?) nos presenta de manera bien desarrollada este sentimiento de preocupación y amor a España. Primero, resume con una metáfora acertada el estado de la España de entonces: el país vive en la región de «sol y sombra» (¡metáfora taurina, por cierto!). Es decir, que España no ha alcanzado todavía la plena civilización europea, pero tampoco duerme en la oscuridad de una anulación bárbara completa. En segundo lugar, Noel es optimista en cuanto a las posibilidades del país; cree que hay muy buena «primera materia» en el pueblo español, que tiene excepcionales cualidades de carácter. Quien estudia a este pueblo tiene que terminar por amarlo, como él lo ama. Pues bien, reconociendo todo esto, el autor subraya la tarea obvia que queda de tener que cambiar la situación, y luego hace un llamamiento a ello a los intelectuales de su tiempo, entre los cuales se incluye: «España está muy mal; pero es preciso que cambie en breve plazo, y esa obra es nuestra, la tenemos nosotros que realizar.» Y, finalmente, declara su gran amor a su patria, y aún más, al ser humano como organismo pensante; tiene casi tanta fe en el poder de la ciencia como en el poder del hombre. Esto lo expresa así:

---

[105] Noel, «Prefacio» a *Nervios...*, s. p. Los subrayados son míos.

Y me fijo yo en estas y en muchísimas otras cosas buscando con sencillez la manera de remediarlo. Y amo mucho a mi patria, pero amo mucho más al *Hombre* como máquina pensante, como organismo activo; y fuera de mi labor de patriota hay una intensa curiosidad científica por los misterios del espíritu, por la fenomenología interna que produce casos como los españoles dignos de atentísimo y cariñoso estudio [106].

Después de lo dicho en el párrafo anterior, uno se puede preguntar: ¿cuál es, específicamente, el remedio que ve Noel? Claro está, hemos visto que el principal sería la supresión completa de las corridas de toros. ¿Pero cómo se debe proceder contra ellas? En otra obra suya de 1912, da la respuesta de manera tajante: «... contra el mal de los toros, un solo remedio. ¿Cuál? El palo, el vergajo de nudos de nervio, la energía inexorable, el látigo ruso.» Nuestro autor, como se ve, no quiere palabrería, sino medidas decisivas, radicales y fuertes; hay que «aprender el manejo del látigo y fustigar de verdad». Quiere fuerza y decisión, no timidez; pero en estas palabras citadas no propone ningún remedio específico que sea eminentemente práctico. Sin embargo, más adelante, en este mismo libro, propone un remedio, confiándose en la ciencia y la inteligencia; dice:

> ¿Remedios? Uno solo. [No el «único» que dio antes.] La ciencia moderna enseña que inoculando en la sangre contagiada la causa del contagio previamente esterilizada se neutraliza la epidemia. Cultivaremos el flamenquismo y le diremos a España: —He aquí cómo eres. —No evadiremos la dificultad. Afrontándola enseñaremos con qué sencillez vence la inteligencia y cuánta grandeza moral hay en sus victorias [107].

¿Es que tenemos aquí, en estas últimas palabras, la explicación del mismo Noel por su manera bohemia y flamenca

---

[106] Noel, *Pan y toros*, págs. 13, 28, 6, 155.
[107] Noel, *Flamenquismo y corridas*, págs. 3, 7, 43-44.

de comportarse? Porque, sin duda alguna, este autor, en su manera de hablar y de escribir, en su conocimiento a fondo de aquel mundo y en muchos de los actos de su vida, era todo un flamenco. ¿Es que él mismo se dio cuenta de esto y escribió estas palabras a manera de justificación o racionalización? ¿O es que Noel no se dio cuenta de la aplicación irónica de sus palabras a sí mismo? Cultivó el flamenquismo en torno a sí para que sirviera de ejemplo *negativo* al pueblo, pero ¿lo hizo consciente o inconscientemente? Sería difícil y casi imposible contestar estas preguntas. Hacia finales del presente capítulo leeremos algunas reflexiones de Azorín que rozan este asunto.

En cuanto al sincero fervor misionero con que Eugenio Noel llevó a cabo su campaña, creo que todo lector lo dará por cierto. El haber andado años y años por los pueblos más pequeños de España y por muchas ciudades de América llevándoles su mensaje antiflamenco y antitaurino fue un verdadero apostolado laico (a veces el mismo Noel se refiere a sus andares como «apostolado» o «misión»). El autor reconoce esto, y en varias partes de su *Diario* se pinta como un misionero dedicadísimo:

> Amarguras de este vagar incesante, que, no obstante, es necesario [pág. 64].
> ... ...
> ... pienso en mi porvenir, trazando en él líneas maestras que seguiré inexorablemente, cueste lo que cueste [pág. 69].
> ... ...
> ... decido persistir noblemente en mi campaña, aunque ello dilate mi merecido triunfo en Madrid [pág. 73].
> ... ...
> Decisión irrevocable de triunfar [pág. 95].
> ... ...
> Es como si... algo me empujara con incontrastable orden inexorable a seguir esta *abrumadora misión cultural* [pág. 185].

... ...
¡Pobre España! ¡Esta España que sólo yo llevo su genio en mi corazón!... [pág. 214] [108].

Esta última cita nos da a entender que a veces Noel no sólo se consideraba un misionero cultural, sino también un Cristo, el único que llevaba la verdad (la única verdad) a su pueblo, la futura salvación de su patria. ¡Qué irónico resulta el que Eugenio Noel se considerase un Mesías, mientras continuaba confiándose al mesianismo que representa el jugar a menudo a la lotería, como él hacía! [109].

RESENTIMIENTO: CONTRA LOS TORE-
ROS, CONTRA LOS INTELECTUALES

Eugenio Noel, teniendo el conocimiento que tuvo del mundo taurino, de sus participantes y operaciones, no pudo menos que sentir cierto resentimiento contra los toreros, que ganaban cantidades fabulosas por realizar su actividad indigna, mientras que él, un escritor y misionero cultural que trabajaba sin cesar por la salvación de su raza, vivía constantemente en la miseria. Se trata de una cuestión de jerarquía de valores, que no se premian los que se deben, y se

---

[108] Noel, *Diario íntimo*, t. II, págs. 64, 69, 73, 95, 185, 214. Subrayado mío.

[109] Nos revela en su *Diario íntimo* (t. II) que jugaba mucho a la lotería, y un poco a la ruleta y a las cartas también, llevado a ello, paradójicamente, por su frecuente desesperación económica. Por ejemplo, en agosto de 1915 nos relata: «... juego por primera vez a la ruleta, perdiendo 14 pesetas... En mi desesperación, juego y pierdo quince duros» (pág. 67). En abril de 1920, nos dice: «Con cinco duros compro un décimo de lotería, el 12.619, a quien fío, imbécil ya de remate, no sé qué degeneradas esperanzas» (pág. 205). Existen muchos otros ejemplos.

sobrestiman otras actividades que no son verdaderos «valores». Este fenómeno, por cierto, ha existido a través de toda
la civilización historiable, y existe aun hoy día, por eso tiene
mérito (no por su originalidad, pero mérito, de todas maneras) este sentimiento de Noel; pero, como siempre, su eficacia y seriedad se ven reducidas a causa de la exageración y
desproporcionada insistencia con que lo presenta.

En su obra *Piel de España* escribe las siguientes palabras
que subrayan su resentimiento por el contraste entre lo que
él gana y lo que perciben las figuras taurinas:

> Si Belmonte toreó [en 1914] 72 corridas a 6.500 y Joselito 75
> a 6.500, cuando no eran 7.000, una sencilla operación de multi-
> plicar dará para el primer *astro* 432.000 pesetas... A mí, inte-
> lectual, me han dado por mi último libro, *Las capeas*, incluyen-
> do en el contrato una portada que le pedí a D. Daniel Zuloaga,
> 250 pesetas. Ahora enfadaos conmigo y despreciadme cuando
> me veáis [110].

Unos diez años más tarde, en 1924, escribe en su *Diario*,
estando en Lima: «Aquí todo es preparación febril para las
fiestas del Centenario de Ayacucho, y esperan, como agua de
mayo, la llegada de Belmonte, que viene contratado por
500.000 pesetas nada menos» [111].

Noel se da cuenta muy bien de que la cogida (y especialmente la muerte) de un matador impresiona profundamente
a todo el pueblo, mientras que no hace caso nadie del intelectual, del sabio o del científico que vive muriéndose de
hambre y muere prematuramente (como ocurrió con Costa, y como ocurriría con el mismo Noel). La Nación se emo-
ciona «de cabo a cabo» por la cogida de un torero y le vito-

---

[110] Noel, «El flamenquismo fibra...», en *Piel...*, págs. 39-40.
[111] Noel, *Diario íntimo*, t. II, pág. 366. ¡Qué diría Noel si viviera
hoy día, cuando las «figuras», toreando en América, perciben de mi-
llón y medio hasta dos millones de pesetas *por corrida!*

rea de manera delirante cuando hace una buena faena, pero,
según nuestro autor, ese sitio del héroe triunfador de la
tauromaquia «lo debió ocupar un héroe de la pluma, de la
palabra, de la idea, pero el pueblo no los quiere...» [112].

Sufre Noel también otro tipo de resentimiento, que va
implícito en sus opiniones negativas (que ya expusimos) sobre los otros autores de su tiempo. Fue criticado e ignorado
por muchos de ellos, y, además de esta injusticia, le picaba
el hecho de que casi todos ellos tenían fama literaria, renombre personal y por lo menos un mínimo de estabilidad y
bienestar económico, todo lo que le faltaba a él y todo lo
que creía merecer más que los otros. También le molestaba
mucho, y con razón, que a veces los periódicos utilizaran
algunas de sus ideas antiflamenquistas o antitaurinas, pero
sin nombrarle a él:

> Por esta época [julio de 1914] aparecen en todos los perió-
> dicos artículos en los que, sin nombrarme, como es de rigor,
> se habla contra la fiesta de los toros...
> Los periódicos hablan todos contra el flamenquismo, pero
> sin citarme ni decir nada de mi obra, lo que me apena mucho [113].

Hemos visto ya en este capítulo cómo Eugenio Noel censura a los pensadores y escritores de su tiempo, o por su
actitud favorable hacia los toros, o por su inacción en cuanto
al tema. A pesar de esto, recibió nuestro autor influencias
o coincide al menos con varios de estos mismos pensadores.
Para redondear el perfil literario que hemos intentado trazar
de este autor, creemos que hace falta hacer mención de algunas de las coincidencias ideológicas entre Noel y dos pensadores principales de su tiempo: Ortega y Unamuno.

---

[112] Noel, «El triunfador», en *Escritos*..., pág. 54.
[113] Noel, *Diario íntimo*, t. II, págs. 31, 32-33.

COINCIDENCIAS CON ORTEGA Y GASSET

Al investigar un poco este tema, en seguida nos encontramos con un hecho insólito y casi increíble: Eugenio Noel, el exagerador y escritor de comportamiento y expresión vulgares, ensayista de tercera fila que de ninguna manera puede ser considerado un pensador de categoría, ni refinado, ni bien organizado y sistemático, muestra una sorprendente coincidencia con una idea básica de Ortega sobre los toros. Y no piense nadie que Noel haya plagiado ideas y opiniones de aquél, porque Noel escribe estos libros de que venimos hablando de 1912 a 1924, con la excepción de uno, publicado en 1931. Ortega, al contrario, no empieza a hablar de los toros en sus escritos hasta principios de la década del 40, después de muerto ya Noel.

¿Cuál es, entonces, el punto de coincidencia con las ideas taurinas de Ortega? Haciendo caso omiso de la exageración que contienen en una parte, saquémosle de estas palabras noelianas:

> *La cuestión de los toros se ha tomado a broma en España por los pensadores y por los historiadores...* Y, sin embargo, ahí están las raíces de nuestra psicología, aún no escrita *por empeñarse todos en relegar esta afición increíble a la categoría de diversiones populares* [114].

O sea, que Noel opina con convicción, igual que Ortega, que los pensadores no han pensado en serio, ni se ha escrito en serio, sobre el tema de los toros, sino siempre desde el punto de vista del aficionado. Como también subraya Ortega,

---

[114] Noel, «Taurobolios: síntesis», en *España nervio...*, pág. 121. Los subrayados son míos.

parece que los pensadores e historiadores han considerado siempre a los toros, por su gran aceptación popular, como un asunto no digno de su análisis y tratamiento, «como si pudiera existir realidad humana alguna que fuera trivial», vimos declarar a Ortega. Noel mantiene, en un raro momento de objetividad intelectual sobre el tema, que tanto los apologistas y defensores como los impugnadores se han quedado siempre en lo más superficial del asunto, en el valor emocional del espectáculo. Y, seguidamente, nuestro autor hace esta pregunta y estas reflexiones, cuyas palabras duplican casi exactamente lo que hemos visto que dijo Ortega (cf. notas 41, 45 del capítulo IV):

> ¿Quién se ha tomado la molestia de estudiar el por qué nuestro pueblo, y no otro pueblo alguno de la tierra, gustaba de estos espectáculos [taurinos]? Contentarse con afirmar, como los impugnadores de tales fiestas [*n. b.*], que es porque consiste en la barbarie, es infantil. Hay en esas lides circenses algo muy profundo...
> ... ...
> Como en todos los problemas, nos ha sucedido que apenas los hemos desflorado, que nos hemos satisfecho con discutirlos desde el punto de vista pintoresco, y nada más. Y, sin embargo, jamás se aplicarían mejor y con más provecho a estos estudios los resultados de las observaciones del laboratorio y psicología experimental [115].

Como hace Ortega más tarde, sostiene Noel que hay que examinar en serio, científicamente, esta realidad española: ¿por qué han surgido las corridas precisamente en España y no en otra parte?; ¿qué descubre la Fiesta del carácter del ser español?; en fin, ¿qué hay en el fondo de este fenómeno tan español?

---

[115] Noel, «Taurobolios...», en *Raza...*, págs. 34-35.

Los pensadores españoles, entonces, al verse en presencia de la gran fuerza popular del «fenómeno» taurino, hacen caso omiso del problema español que encierra, «como se rechaza una pesadilla, en vez de afrontar el problema con valentía y hacer disecciones implacables» [116]. ¿Pero por qué tienen tanta importancia representativa estas figuras taurinas, que cautivan la atención del público y que tienen su «aire» particular, su carácter y modo de ser? Es porque, en opinión un poco exagerada de Noel, pero secundada en parte por Ortega, son la mejor manera de estudiar la verdadera constitución del ser español, «la medular, la que conforma esta raza tan grande como rara» [117]. Es como si el traje de luces, para Noel, representara todo el carácter de España y del ser español. Ortega, claro, no va tan lejos, pero sí sostiene la importancia del fenómeno de las corridas de toros como un factor contribuyente a la constitución de la moderna sociedad española.

En 1924, después de haber visto en Madrid la Exposición del Arte en la Tauromaquia, dada por la Sociedad Española de Amigos del Arte, Noel habla de

> la influencia enorme y trágica que las corridas de toros tuvieron en el alma nacional. Es solamente así como *se comprende la serie o series de transformaciones operadas en el espíritu patrio por esta costumbre de lidiar con reses bravas* en un suelo tan accidentado como el nuestro. Todo nuestro temperamento actual está forjado por esa costumbre [118].

Sin la evidente exageración que es esta última oración noeliana, ¿no sería fácil ver un claro paralelismo entre estas

---

[116] Noel, *Señoritos chulos...*, págs. 122-23.
[117] Noel, «Caracas...», en *Taurobolios y verdades...*, pág. 120.
[118] Noel, «Taurobolios: síntesis», en *España nervio...*, pág. 123.

palabras de Noel (el subrayado es mío) y las siguientes aseveraciones de Ortega que ya vimos?:

> [Las corridas han conseguido] nada menos que cambiar pro-
> fundamente, más aún, invertir la estructura social de España,
> inversión que ha durado más de dos siglos, dando al cuerpo
> colectivo español caracteres opuestos a los que han tenido las
> demás naciones europeas... [119].

En fin, Eugenio Noel, como Ortega, cree en la necesidad
de aclarar y de entender las realidades humanas. Hablando
del toreo y de la desmedida popularidad de las figuras del
toreo, declara a los pensadores que «hay que afrontar la
impopularidad con serena grandeza y no desechar jamás,
por insignificante, determinada realidad que surja en un
país» [120]. Palabras éstas que contienen exactamente la misma idea que otras de Ortega, ya citadas en la nota 43 de
nuestro capítulo IV: «... un tema que parece trivial —como
si hubiera realidad alguna que al ser realidad pueda ser trivial ante el entendimiento—...»

COINCIDENCIAS CON LA GENERA-
CIÓN DEL 98 Y CON UNAMUNO

Hasta cierto punto, Eugenio Noel puede ser considerado
«epígono de la generación del 98», porque no sólo comparte,
sino que lleva hasta la obsesión algunas de las preocupaciones de aquella generación, pero, claro está, sin el talento
literario y la sensibilidad fina de los noventayochistas. Sabemos que una de las principales aportaciones de la generación
del 98 fue su constante interés en «quitarle el velo» a España,

---

[119] Véase la nota 47 del capítulo IV.
[120] Noel, *Señoritos chulos...*, pág. 123.

en estudiar, conocer y apreciar su geografía, su gente sencilla, sus costumbres, sus edificios, etc. En fin, fue un imperativo de querer conocer a España, para que luego el país
pudiera definirse, como Estado y como estilo de vida. Resulta que Eugenio Noel trabajó por el mismo fin, por este auto-
estudio y autodefinición del país, y lo declara ya en el año
1912. Refiriéndose principalmente a España, opina que

> las naciones, pues, amenazadas de ruina inminente, no tienen
> otro recurso que estudiarse, sorprender las buenas cualidades
> fundamentales que posean, desarrollarlas con rapidez... e impo-
> nerlas. Se puede tomar al extranjero todo menos el carácter,
> el temperamento [121].

¿No es esto, precisamente, todo un compendio del programa común que une a los escritores del 98? ¿No quisieron
ellos examinar francamente los componentes de «lo español», fomentar sus buenos elementos y sustituir los malos
por otros apropiados de las otras naciones europeas?
Este examen crítico del país no es del todo agradable,
porque, además de lo positivo, se encuentra de lo negativo,
de lo que debe ser extirpado. Hay que tener una mezcla de
amor optimista a la Patria y de pesimismo crítico; se exige
la actitud de «amor amargo» que los del 98 manifestaban
por España, y que nuestro autor revela claramente en el
contraste entre la amargura de aquella serie de citas noelianas que dimos correspondientes a nuestra nota 102, y las
de las notas 104 y 105. A Noel, como a los noventayochistas,
«le duele España», y declara que «necesitamos que España
se vea, se observe a sí misma hasta con crueldad para que
pueda definirse como nación y como carácter» [122]. Este deseo
suyo es el mismo que tienen los del 98, y, podemos añadir

---

[121] Noel, *Pan y toros*, pág. 29.
[122] *Ibid.*, pág. 32.

de paso, que tiene Ortega, quien se preguntó en sus *Medita-ciones del Quijote*: «Dios mío, ¿qué es España?»

Conviene que entremos ahora en una consideración de las relaciones personales y las coincidencias ideológicas entre dos figuras capitales del presente trabajo: Noel y Unamuno.

Desde el principio, desde que Unamuno se entera de la campaña antiflamenca de Noel, le expresa su admiración por ella y le ofrece su completa adhesión y ayuda. En un artículo de 1912 brindado a él, le dice:

> Las cartas de usted, mi joven y reciente amigo, me han edi-ficado. Y me han edificado al ver el juvenil y noble ardimiento que tiene usted... Me edifica, sí, verle tan encendido contra la plaga del flamenquismo y la torería... Usted se propone com-batir sin tregua ni merced esa plaga del torerismo y la flamen-quería y todo lo mucho que a ella va unido. No sólo le aplaudo por ello, sino que, para tal fin, me pongo a sus órdenes [123].

En otro artículo del mismo año, le había felicitado a Noel, su «compañero de armas» le llama, por su campaña en con-tra de la gran plaga flamenquista, y le había enviado —como él dijo— «mi aplauso por si éste puede contribuir a que él persevere en sus levantados propósitos» [124]. Sin escribir libros sobre el tema, y sin hacer las correrías por todas par-tes de España que hizo Noel, es verdad que Unamuno le ayudó con el apoyo espiritual de sus cartas y con los artícu-los antitaurinos que escribió durante su vida.

¿Cómo vio don Miguel a Noel? Le caracteriza como «un noble visionario y un desenfrenado amante de la verdad des-nuda»; como un hombre ardoroso que es «duro de palabra y no rehuye crudeza alguna». Por su afán de combatir este

---

[123] Unamuno, «La 'afición'», *op. cit.*, pág. 969.
[124] Unamuno, «A la carta de un torero», *op. cit.*, pág. 966.

mal, para lo cual hay que sacudir al pueblo de su sempiterna
pereza mental, ve que Noel «queda como un visionario, un
exaltado, un hombre nada práctico» (cualidad positiva, a su
juicio) [125]. También con intención de elogio, en una de sus
cartas enjuicia a su destinatario como un loco, un loco apa-
sionado [126]. Y esto nos lleva a otro punto de interés: los
parecidos (aparte de los doctrinales, algunos de los cuales
ya hemos visto) espirituales entre los dos autores. Refiriéndose a Noel, dice Unamuno: «Levanta el ánimo ver a un
hombre de pasión, ver a un hombre que, convencido de que
es un mal grandísimo lo que otros estiman un honesto esparcimiento, se apresta a combatirlo con toda su alma: recon-
forta al corazón ver que aún no se ha desvanecido el alma
de Don Quijote» [127]. Noel, entonces, es un loco a lo Don Quijote, cuya «locura» consiste en ser un hombre de pasión que
lucha por un ideal, por el ideal de corregir los defectos de
su ambiente social; la suya es, en realidad, una especie de
preocupación religiosa. Y este tipo de «locura», ¿no resulta
ser una descripción también de Unamuno, «este quijotesco
don Miguel de Unamuno»? Sí; Unamuno admiraba a Don
Quijote, a su afán de gloria, a su idealismo, a su fe ciega,
a su compasión humana; veía la salvación de España en su
quijotización; él mismo, conscientemente o no, vivía una vida
quijotesca, con Don Quijote como patrón.

Otro gran parecido entre Unamuno y Noel es que los dos
eran hombres solitarios, pero no en el sentido de que no se
enfrentaban con su público para hablarle directamente. No
tenían miedo de escribir o decir cosas con las que sus lectores u oyentes no estarían de acuerdo, pero cada uno prose-
guía (y perseguía) su trayectoria literaria y vital sin juntarse

---

[125] Unamuno, «La obra de Eugenio Noel», *op. cit.*, págs. 1134, 35, 38.
[126] Unamuno, carta a Noel, en *Escritos de toros*, pág. 109.
[127] Unamuno, «La obra...», pág. 1138.

con otros, sin formar comités ni movimientos literarios.
Unamuno le dice a Noel, reconociéndose a sí mismo, sin
duda, en estas palabras:

> Pero no creo sea lo peor el que se quede usted, al parecer,
> solo. Y digo al parecer, porque hay una agrupación, la más
> sólida, la más fuerte, la más influyente a la larga, una agrupa-
> ción sin programa ni Comité y cuyos miembros ni siquiera se
> conocen entre sí, y es la de los solitarios. ¡No los neutros, no! [128].

En fin, los dos eran solitarios, fuertes individualistas,
pero ambos dirigidos hacia el mismo fin: la mejora de España, su regeneración cultural y espiritual. A Unamuno le
dolía España, y él reconocía en Noel este mismo dolor íntimo [129].

También hay que mencionar que Unamuno, en una de
sus epístolas a Noel, manifiesta su concordancia con éste
en cuanto a su tasación de la hondura y gravedad del problema de los toros y del flamenquismo: «El arremeter contra el flamenquismo y la torería, ¿no es acaso enfilar por
ahí todos. nuestros demás problemas? Porque ese es el perno
de la mentalidad española popular» [130]. Nos extraña un poco
que don Miguel diera tanta importancia como Noel a los
toros y al flamenquismo, diciendo exageradamente, como
éste, que, en efecto, causan *todos* los problemas del país.
(Hagamos constar que, a diferencia de Noel, quien la trae
al caso repetidamente, ésta es la única ocasión en que Unamuno hace o sugiere tal acusación.)

Hablamos en el capítulo III de una objeción secundaria de Unamuno a las corridas: la gran falta de imaginación
del aficionado, su «córnea imaginación», como la llama don

---

[128] Unamuno, carta a Noel, en *Escritos de toros*, pág. 109.
[129] *Ibid.*, pág. 107.
[130] *Ibid.*, pág. 108.

Miguel (véase la nota 49 del citado capítulo). Pues bien, existe un evidente parecido entre esta objeción unamuniana, expresada en 1916, y la siguiente declaración de Noel, que es de 1914: «La imaginación nuestra es tan pobre, miedosa y enferma, que ni siquiera nos ofrece la gloria del intento» [131]. (Es muy posible que en este caso la influencia haya ido desde el joven Noel a Unamuno, o que, sencillamente, los dos tocaron el mismo punto sin que hubiera influencia recíproca.)

Aparte su diferencia de opinión en cuanto al papel que juega la religiosidad en este problema nacional de los toros (cf. nota 50 del capítulo III), la única otra discrepancia que tiene Unamuno con Noel es su unir el antiflamenquismo con el republicanismo:

> ... el lado flaco de su campaña —le dice a éste en una carta de 1912— es unir lo del antiflamenquismo al republicanismo. Nadie más convencido que yo de la necesidad de un programa político de radicalísimas reformas, sobre todo en el orden económico y social, pero nuestro republicanismo español me aterra por su chabacanería, por la hórrida plebeyez mental que le corroe [132].

Sólo dos divergencias, y de no mucha importancia, entre Eugenio Noel y Miguel de Unamuno sobre la cuestión de los toros. Recordemos, para terminar, su coincidencia sobre el punto básico de no poner objeciones al espectáculo principalmente por su barbaridad y crueldad. Como dijo Noel: «Más que feroz y bárbaro, el funesto espectáculo nacional es un problema económico y una honda cuestión de la psicología patria» [133].

---

[131] Noel, «La muerte del torero 'Dominguín'...», en *Escritos...*, página 135.

[132] Unamuno, carta a Noel, en *Escritos de toros*, pág. 108.

[133] Noel, «El flamenquismo fibra...», en *Piel...*, pág. 48.

¿OPTIMISMO O PESIMISMO SOBRE LOS RESULTADOS DE SU CAMPAÑA?

Creo que el último apartado de nuestro capítulo sobre esta figura importante que fue Eugenio Noel debe examinar la cuestión de cómo él mismo consideraba los efectos de su incansable campaña antitaurina y antiflamenquista. A través de los años de ella, ¿consideraba que estaban logrando efectos positivos sus esfuerzos, o era más bien pesimista sobre esto? En primer lugar, y como visión panorámica del asunto, Noel hubiera tenido que ser o un verdadero loco o un auténtico mártir cristiano para seguir tantos años su campaña sin esperanza de poder cambiar el estado de las cosas, y él no era ni lo uno ni lo otro, aunque poseyera algunos rasgos superficiales de los dos.

En general, se puede decir que Noel se mantenía optimista en cuanto a los resultados positivos de su campaña. Sin embargo, es lógico que, por los muchos obstáculos con que tropezaba, a veces revelara un estado de depresión y desesperanza, mostrándose pesimista sobre el progreso real de su campaña. Si procedemos cronológicamente, vemos primero en una obra de 1913 un análisis optimista del clima (favorable) para sus ideas entre el público español: «En mi peregrinación de propaganda he reflexionado y deducido que existe una repulsión profunda por los toros, flamencos y lidiadores; pero que esa repulsión, asco, desprecio y odio no se manifiestan por miedo» [134]. Sin duda, Noel, por su percepción de este terreno favorable para su idea, pudo persistir en su misión antitaurina, aguantando tantas adversidades.

---

[134] Noel, *República...*, pág. 28.

Otro detalle optimista que subraya nuestro autor es su observación de la clara degeneración del toreo y del torero como tipo. En 1916, describe cómo el torero de entonces es menos macho, menos fuerte y más humilde (fisiológicamente hablando) que el de antes. El público, también en degeneración, le pide mayores pruebas de temeridad, y para satisfacerle, el torero entonces finge la valentía y hace más «posturas», en vez de torear de verdad como antes. «Fue así cómo esa infame fiesta adquirió pronto su aspecto de baile macabro, carnicería sandía y borrachera o vomitorium de desperdicios...» [135]. En 1917 continúa este optimismo que siente a causa de la evidente (para él) descomposición de la fiesta de los toros. Ahora —dice—, en España hay tanta superficialidad e inconsciencia que la gente se ríe de todo. Hasta ha llegado a tal punto de que la risa ha entrado «donde nunca se había atrevido a entrar», o sea, en la plaza de toros. Ha empezado el toreo cómico, o las «charlotadas», y Noel ve en esto

> el síntoma más claro de que la fiesta perece. Es una cosa que se va sin remedio... Si la Plaza de Toros de Madrid se llena «de bote en bote» para reír de su fiesta, ¿qué otra señal queréis que os demuestre el derrumbamiento inmediato de ese monstruoso tinglado de farsa que tuvo embaucada a toda una raza y la causó más daño que todos sus errores como pueblo? [136].

Pero, al lado de este optimismo, encontramos a veces el pesimismo, la contradicción noeliana, hasta dentro del mismo ensayo. Unas pocas páginas más adelante, en este mismo escrito que acabamos de citar («El flamenquismo fibra a fibra»), escribe Noel estas palabras desoladoras y faltas de esperanza:

---

[135] Noel, *Señoritos chulos...*, págs. 129-130.
[136] Noel, «El flamenquismo fibra...», en *Piel...*, pág. 23.

... el abono de este año [1914 ó 1915] es dos veces y media superior al del año pasado. Las corridas continúan siendo el negocio por excelencia, lo que indica que el flamenquismo de nuestra raza aumenta escandalosamente. Las cifras tienen un fiero lenguaje radical; y ellas van a colmar nuestros deseos en eso de creer que el mal de España no tiene remedio... [137].

Y sigue luego dando una serie de cifras que muestran que, de 1913 a 1914 ó 15, el número total de corridas y novilladas celebradas ha aumentado, igual que el número de plazas de toros existentes en el país. Es decir, todo lo contrario de una actitud esperanzadora y optimista.

No obstante, como hemos señalado, en total, aparece Noel como más optimista que pesimista en cuanto a los efectos de su campaña y la futura eliminación de la Fiesta. Prueba de ello es que seis años más tarde, por ejemplo, en 1923, escribe en su *Diario* que al visitar la plaza de toros de Talavera de la Reina (donde murió el famoso diestro Joselito, en 1920), «el conserje de este histórico edificio da por muerta la afición y la Fiesta: así es» [138]. Y secunda esta opinión en un libro escrito el año siguiente, donde hace notar que continúa inexorablemente la degeneración de la corrida y del toro de lidia:

Las corridas de toros son, pues, en su forma actual, el trasunto de otras épocas, de otras civilizaciones, de otras razas. Convertidas, por exigencias de la época, en exhibición y en negocio, se ha verificado en ellas una transformación curiosa: la de ofrecer a los espectadores una parodia de los viejos tiempos bárbaros; como parodia, burla; como parodia, simulación y escándalo... Al obcecarse en ella, al ampararse en esos restos de su esplendor medular, no otra cosa podrá suceder que degenerarse los espectadores también. Al uro o toro primitivo ha

---

137 *Ibid.*, págs. 37-38.
138 Noel, *Diario íntimo*, t. II, pág. 313.

ido sucediendo un toro cada vez menos poderoso...; la bestia actual, bonita, ágil, pero de escasa resistencia... Las corridas de toros no son bárbaras, qué más quisieran los aficionados; son lastimosas simulaciones de la barbaridad [139].

Así era la corrida y el mundo taurino de entonces (1924): una degeneración en todos sus aspectos. Y este análisis le place a Noel, porque significa la futura extinción de las corridas de toros y con ellas todos los males que traen; significa para él que su campaña laboriosa está cosechando frutos. Hay que suponer que siguió más o menos con el mismo optimismo hasta su muerte, porque publicó en 1931 otro libro de ensayos antitaurinos, y, cuando muere en Barcelona, en 1936, había vuelto poco antes de otra campaña de conferencias por México.

APÉNDICE: OPINIONES Y COMENTARIOS DE LITERATOS, PERIODISTAS E HISTORIADORES DE LA LITERATURA SOBRE LA PERSONA Y OBRA DE EUGENIO NOEL

Aunque no era escritor de primera magnitud, Eugenio Noel destacó por su manera pintoresca y bohemia de comportarse, y por las cualidades exageradas, pintorescas y barrocas de su prosa. Atrajo la atención (seria o no) de muchos españoles, y es lógico que escribieran sus impresiones de él una serie de periodistas renombrados, historiadores de la literatura y otros literatos nacidos entre 1885 y 1910, que pudieron haberle tratado personalmente u observado de cerca. Para que tengamos, entonces, una visión más completa y objetiva de la persona y obra de Noel, incluya-

---

[139] Noel, «Taurobolios...», en *Raza...*, págs. 54-55.

mos ahora un examen de las opiniones y comentarios de
una serie de escritores españoles que han juzgado a este
autor.

Lo primero que sobresale es la gran variedad de enjui-
ciamientos, que van desde la pura alabanza desenfrenada
de un García Mercadal, hasta la crítica negativa y la censura
de un Cossío o de un Nueda, por ejemplo. José García Mercadal, periodista y estudioso, que durante los últimos diez
años ha editado tres libros de Noel para la editorial Taurus,
y que nació dos años antes que Noel (en 1883), ha escrito
estas palabras de franco elogio para caracterizar la personalidad, la vida y las aspiraciones de este autor que tanto admira:

> Lo más curioso de este gran tipo humano, blanco de infor-
> tunios, Eugenio Noel, verdadero mártir laico, al mismo tiempo
> que ferviente adorador de la grandeza de Dios, apóstol de ver-
> dades sumamente heroicas, combatiente decidido y perenne
> en pro de nobles y magníficos ideales, víctima de un carácter
> difícil, incomprendido, de una generosidad, más que imprudente,
> temeraria y suicida, en persona que tanto le costaba ganar el
> sustento propio y el de los suyos, que tantos sacrificios hizo
> a lo largo de su agotadora existencia, para no alcanzar una mo-
> desta situación económica que le concediese tranquilidad sufi-
> ciente para dedicarse, aunque fuera sólo unas horas al día,
> a escribir las grandes obras con que dormido y despierto soña-
> ba, que bullían y se agitaban impacientes en su más que pobla-
> da imaginación, desarrollando su genio creador, obteniendo el
> fruto de todo cuanto había estudiado y leído, y colmando la
> esperanza de sus inagotables anhelos creadores [140].

¡Cuán grande es la diferencia que existe entre el tono
de las palabras que acabo de citar y las siguientes opiniones
de Cossío!:

---

[140] José García Mercadal, «Prólogo» a los *Escritos antitaurinos*, de
Noel, pág. 15.

... es lo cierto que su campaña no logró popularidad entre el pueblo, y ello era de esperar; pero tampoco inspiró auténtico respeto y adhesión aun entre los que no simpatizaban con la fiesta. Y ello ocurrió porque le faltaron tono y ecuanimidad, y no entiendo por ecuanimidad la ausencia de pasión que hubiera imposibilitado hasta el hecho simple de emprenderla, sino una visión más justa de las realidades españolas y una valoración más precisa del volumen del vicio que trataba de combatir [141].

El ataque que hace Luis Nueda contra Noel es aún más negativo e hiriente. Nueda, escritor muerto en 1952 ó 53, publicó en 1940 una excelente obra de referencia sobre la bibliografía literaria mundial, titulada *Mil libros*. En dicha obra comenta sobre el libro *Piel de España*, de Eugenio Noel (que se publicó en 1917). Se siente ofendido por el aparente tono o actitud con que Noel se dirige a sus lectores, que es el de orgullosa superioridad sobre los que le leen. Es como si Noel creyera cumplir la santa misión de «ilustrar» a sus lectores, de darles la única verdad. «Y eso es, en síntesis, *Piel de España*: un intento de demostración de que Noel es un sabio y los demás españoles unos ignorantes.» Pero Nueda se pone aún más agudamente vitriólico cuando dictamina sobre la obra en general de Noel. Acepta como lo único laudable (si es que es sincero en esto), las buenas intenciones que le motivan en sus obras escritas, pero opina que lo mejor para él es que ningún crítico literario de altura se ocupe de analizar sus obras, porque, además de sus múltiples errores gramaticales, su «afán de convencernos de la posesión de una cultura y una erudición casi milagrosa sobraría para irritar al crítico más pacífico y ecuánime». Y opina, en fin, que «no hay en España un escribidor más falsamente en-

---

[141] Cossío, *Los toros*, t. II, pág. 192.

greído y más insoportablemente pedantesco que Eugenio Noel» [142].

Volviendo a lo que dice Cossío sobre Noel y su campaña antitaurina, sigue, ya no de manera tan negativa, analizando el fenómeno. Señala que la ideología de Noel es, sin duda, un producto de la ola de pesimismo que sujetó por un tiempo a los mejores escritores españoles, como consecuencia del desastre colonial de 1898. Pero añade luego que Noel, a diferencia de los otros, lleva este pesimismo «a dementes extremos». Cossío subraya además otro rasgo de los móviles noelianos que ya hemos examinado con más detalle en otra parte de este capítulo: «Es éste el resentimiento producido por la popularidad y la fortuna del torero frente a la inopia y falta de predicamento de los que llama ya intelectuales, y entre los que él se cuenta.» Terminando su apartado sobre el «caso Noel», Cossío habla de la irónica coincidencia de su campaña antitaurina con un florecimiento extraordinario de la afición a los toros, debido principalmente al toreo «fuera de serie» y la competencia entre los diestros Belmonte y Joselito, período que aun hoy día se denomina la «Edad de Oro del toreo». Aumenta mucho la asistencia a las corridas, y aun «los cultos se sienten atraídos por el arte de estos diestros y, salvando a veces su posición ideológica con respecto a la fiesta, no se recatan en sumarse a la admiración general y dedican a los aspectos estéticos [no a los morales o utilitarios] del espectáculo ensayos y poesías» [143].

La gran mayoría de los eruditos y escritores (de cierta importancia mínima) que han opinado sobre Eugenio Noel y su obra, lo han hecho sin llegar a conclusiones predominantemente negativas ni positivas, sino que señalan lo que

---

[142] Luis Nueda, *Mil libros*, t. II, edic. revisada y aumentada por Antonio Espina (6.ª edic., Madrid, Aguilar, 1969), págs. 1247-48.
[143] Cossío, *Los toros*, t. II, págs. 193, 196.

hay de ambas en él. Veamos primero lo que han dicho los historiadores de la literatura.

En 1946, Angel del Río, historiador de la literatura, en colaboración con el profesor M. J. Benardete, editó una antología de ensayistas del presente siglo, titulado *El concepto contemporáneo de España*. Entre las breves biografías de los autores incluidos en ella escribió unas apreciaciones de Noel. Señala que este autor, aparte de ser excesivo en su manera de ser y de escribir, no estaba a tono con los otros escritores de su generación cronológica. Le caracteriza como «escritor rezagado bajo el signo del 98». Cuando pensadores como Unamuno, Pérez de Ayala, Ortega y D'Ors habían iniciado ya una actitud meditativa más sosegada y razonada, allí estaba Noel, vociferando y continuando el gesto de rebeldía activa que era característica de los regeneracionistas de años anteriores. La obra y la vida de Noel, opina Del Río, tienen ambas «el carácter de una mezcla abigarrada de apostolado nacional a lo Costa, de intelectualismo pedante, de cultura desordenada y de bohemia picaresca con un fondo de apasionada rusticidad ibérica» [144]. De esto se colige que Noel era un «caso excepcional», que se salía de los moldes tradicionales. Tenía un poco de todo: era un «flamenco», con su rusticidad y vulgaridad, pero era más intelectual y artista de la palabra que un verdadero flamenco; pero tampoco era un auténtico intelectual y pensador serio, porque era demasiado vulgar y superficial para eso.

Del Río se muestra mucho más generoso al hablar de las cualidades literarias noelianas. Opina que a veces tiene originalidad y que también su estilo refleja varias cualidades muy de su día: «barroquismo unamunesco, desgarro barojia-

---

[144] Ángel del Río y M. J. Benardete, eds., *El concepto contemporáneo de España* (Buenos Aires, Losada, 1946), pág. 335.

no y algo de la técnica caricaturesca que tiene el esperpento de Valle-Inclán. Todo ello sobre un fondo de casticismo arcaizante rústico...» Pero, acaso donde sobresale más (en algunas de sus obras), según Del Río, es en su gran «conocimiento de la España popular, superior, por lo directo y vivido, al de ningún otro de sus contemporáneos y [además] por el vigor descriptivo de lo bronco y bravío de la raza» [145].

La muy difundida obra de consulta de Gonzalo Torrente Ballester, *Panorama de la literatura española contemporánea*, fue publicada por primera vez en 1949. En esta obra, al hablar de Noel, el autor empieza por subrayar sus parecidos psicológicos, culturales y espirituales con los del 98, mucho más que con sus coetáneos, igual que vimos apuntar a Del Río. Opina que heredó del 98 principalmente «su manía reformadora y su autodidactismo». Torrente habla entonces de la gran obsesión de su vida y obra, y el efecto que tuvo en su prosa:

> No fue hombre de ideas, sino de una sola idea: el antiflamenquismo. Tenía talento, pero su íntimo torcedor le impidió desarrollar una obra sosegada. En el tiempo en que la prosa española alcanza sus más finas calidades, Eugenio Noel, atropellado, desigual, violento, escribe en pura interjección.

Así fue el estilo noeliano para Torrente: pura interjección. Pero, añadimos, no toda su obra es así; hay pasajes que revelan una gran fuerza dinámica y plástica, y también hay otros trozos sosegados y casi líricos. Termina Torrente con el siguiente resumen y juicio del carácter, estilo de vivir y misión de este autor:

> Eugenio Noel fue, ante todo, un tipo pintoresco. Novelista, ensayista, periodista, tuvo un problema social que no supo o

---

[145] *Ibid.*

no pudo resolver; vivió como un bohemio cuando ya la bohemia estaba olvidada, y puso en el cielo un grito inútil y desga-
ñitado, pretendiendo reformar una sociedad cuyos defectos
atribuía maniáticamente a una sola causa [146].

En cuanto a estas últimas palabras, estamos de acuerdo
con que la visión noeliana de los defectos nacionales era
demasiado limitada y restringida, y que no vio el panorama
más amplio de factores causantes. Pero no vayamos a creer
que, por haber resultado su «grito» «inútil», no valiera la
pena de que emprendiese su campaña. Su lucha fue quijotesca, pero, como la de Don Quijote, dejó algo de positivo.
No pudo redimirle su talento literario, que no era, en general, sobresaliente, pero por lo menos le queda el renombre
de haber sido el antitaurino más conocido, más activo y
más dedicado de toda la literatura española de todas las
épocas.

El historiador de la novela española, Eugenio de Nora,
habla también del acentuado noventayochismo de Noel, tanto en sus novelas como en sus ensayos y artículos periodísticos. Para él no es sólo «noventayochismo», sino algo más;
escribe lo siguiente en 1958 (año de la primera edición de
su obra *La novela española contemporánea*): «Si en algún
caso está justificado el empleo de la expresión 'epígonos
del 98', nunca como en el de este escritor, que es, en casi
todo, su verdadera proyección de sombra china, desorbitada
y caricaturesca.» Así que Noel es, en su opinión, el «epígono» del 98. ¿Y por qué razones merece este título? Por las
siguientes: por su autodidactismo; por su rebeldía de juventud (pero que en su caso se continúa, llegando a ser inadap-
tación permanente); por su mezcla de literato y de «hombre
público» y propagandista; por su voluntad de estilo (aunque

---

[146] Torrente Ballester, «Eugenio Noel», *op. cit.*, pág. 275.

no puede compararse a la penetración intelectual, la sensibilidad fina y el valor literario de los otros noventayochistas); y, finalmente, por su ferviente deseo de «remediar el 'mal de España' con la panacea de la Cultura» [147].

Para reforzar su tesis de Noel como «epígono del 98», Nora echa mano a una aseveración hecha por Ernesto Giménez Caballero, más de treinta años antes (en 1927); dijo éste que «Noel es un noventayochista de marca registrada. Yo diré que el más típico de aquella tipicidad. El más representativo» [148]. Nora secunda esta opinión de Giménez Caballero en cuanto al noventayochismo de Noel, pero a la vez mantiene que, en el campo de la creación literaria, Noel no poseía la originalidad, ni las calidades artísticas ni ideológicas de los del 98. Lo expresa en estas palabras:

> Si en todo esto —incluso, si bien se mira, en equivocar el diagnóstico y la receta al acercarse a la enfermedad de España— es un noventayochista típico, no lo es ya como reiteración tardía y escasamente original de lo que en sus maestros fue súbito descubrimiento, como constructor apresurado de una obra un poco de segunda mano (en bloque y en los detalles), cuya calidad, tanto en lo ideológico como en lo artístico, resulta así sensiblemente rebajada [149].

El historiador de la literatura que ha dedicado más espacio, y más recientemente, a Eugenio Noel ha sido Ángel Valbuena Prat. Coincide con los otros historiadores que vimos en lo principal que dice, o sea, que Noel es «el epígono y, en parte, vulgarizador del grupo del 98». Su antitaurinismo y antiflamenquismo es nada más que «un pintoresco

---

[147] Eugenio G. de Nora, *La novela española contemporánea*, t. I (2.ª edic., Madrid, Gredos, 1970), págs. 285-6.
[148] Ernesto Giménez Caballero, *Carteles*, en Nora, *op. cit.*, pág. 286, nota 18.
[149] Nora, *op. cit.*, pág. 286.

eco del intento de renovación de los autores de aquel grupo, como el Azorín de los comienzos, Maeztu, Baroja o la obra de Unamuno, con quien coincide en más de una ocasión». Señala también Valbuena el evidente parecido entre algunas descripciones noelianas y algunos tipos y escenas pintados por el gran «pintor del 98» Ignacio Zuloaga (por ejemplo, *La víctima de la fiesta, Torerillos en Turégano, Gregorio el botero*, etc.). Noel suponía, entonces, «la vulgarización, desde los temas a la expresión, de la temática de aquella generación». El autor da dos características principales que le acercan a los noventayochistas: una, la de que, como los del 98, su propósito vital era despertar de su modorra y abulia al pueblo español. La segunda, su optimismo básico al reconocer que, a pesar de sus muchos defectos, la «primera materia» de que está hecho el pueblo es de alta calidad [150].

En el análisis del estilo literario de Noel, Valbuena considera, desapasionadamente, los típicos rasgos de su gran dinamismo y plasticidad, junto con la expresión chocarrera y vulgar muchas veces. Así lo caracteriza:

> Pintoresco, pero de gran fuerza y vigor de estilo, y creador, aunque con concesiones a lo caricatural e irreverente, del mismo mal gusto del vulgo que ataca, Noel es una personalidad inconfundible y destacada. Aun en sus desgarros hasta lo chocarrero y cierta tosquedad en el detallismo y expresión, Noel quiere presentar un cuadro de España con viveza y penetración, aunque muchas veces la realización quede en lo más hiriente y superficial [151].

Como se puede apreciar por estas palabras, el historiador parece que ha logrado analizar y juzgar a Noel y su obra

---

[150] Ángel Valbuena Prat, «Eugenio Noel, epílogo de la temática del 98», en «Modernismo y generación del 98 en la literatura española», en *Historia general de las literaturas hispánicas*, t. VI, pág. 177.
[151] *Ibid.*, pág. 178.

con bastante objetividad y ecuanimidad, haciendo mención
tanto de lo positivo como de lo negativo.

Valbuena luego se aprovecha de las palabras de un tal
P. Vila San-Juan sobre los parecidos entre Eugenio Noel y
Juan Belmonte, torero del período noventayochista (aunque
no exactamente admirado por todos los escritores del 98).
Ambos, Noel y Belmonte, eran de origen humilde; además,
los dos desafiaban el peligro físico: Belmonte, enfrentándose con toros bravos, y Noel, enfrentándose con públicos hos-
tiles de taurinos y «flamencos», dando conferencias en contra de los toros. Valbuena cita estas palabras de P. Vila
San-Juan sobre los parecidos entre los dos:

> El torero «noventayochista» [Belmonte] y el «gran enemigo»
> [Noel] fueron al principio tomados por dos locos. Belmonte
> llegó a alternar y hacer amistad con lo mejor de la intelectua-
> lidad española. Noel, sin llegar a la intimidad de los toreros,
> alternó con ellos y, en alguna de sus conferencias por la Amé-
> rica latina, no se recató en elogiarlos en pro del vigor de la
> raza [152].

El historiador termina su apreciación de Eugenio Noel
con las siguientes palabras mesuradas y justas:

> Noel puede considerarse como puro producto ibérico, en
> que alternan las grandes condiciones naturales con la falta de
> gusto y de no saber decir «basta»... Sobre todos los motivos
> juntos brotaba un noventayochismo entre fácil y tópico, pero
> de notable sabor... [153].

Acabamos de observar que estos cuatro historiadores de
la literatura (Del Río, Torrente, Nora y Valbuena), todos

---

[152] P. Vila San-Juan, «La melena y la mandíbula», *La Vanguardia*
(Barcelona), 17 de abril de 1962, en Valbuena Prat, *op. cit.*, pág. 232,
nota 71.
[153] Valbuena, *op. cit.*, pág. 179.

subrayan principalmente los elementos noventayochistas de Noel como los que mejor definen su manera de ser y el contenido y estilo de su obra. Resulta interesante, entonces, dado este hecho, fijarse en lo que dice de este escritor Rodrigo Fernández Carvajal, ensayista y periodista, que contribuyó con un capítulo a la renombrada historia literaria dirigida por Díaz-Plaja. Fernández Carvajal coloca a Noel no próximo a los hombres del 98, sino al lado de los regeneracionistas:

> Entre estos escritores [Costa y los demás «regeneracionistas»] hay una sustancial afinidad, tanto en el diagnóstico como en la terapéutica [de los males de España]; es visible en ellos una consciente huida de las generalizaciones abstractas en beneficio de los problemas sociales, pedagógicos y de economía agraria; *España nervio a nervio* es el expresivo título de un libro de Eugenio Noel, en cierto modo próximo a los regeneracionistas [154].

Pasada revista a los historiadores de la literatura y sus opiniones sobre Noel y su obra, investiguemos ahora lo que dijeron de él algunos ensayistas y periodistas afamados. Vimos ya la opinión del periodista y ensayista Giménez Caballero sobre el noventayochismo típico de nuestro autor. En su libro del año 1927, *Los toros, las castañuelas y la Virgen,* encontramos sólo esta apreciación, negativa y positiva a la vez, de Noel: «...Noel con sus antiflamenquismos —cuerda floja de un filón literario explotable—...» [155]. Pero donde acierta mejor Giménez Caballero es en esta magistral caracterización del espíritu, la obra y la persona de Eugenio Noel:

---

[154] Fernández Carvajal, *op. cit.,* pág. 52. Es la única mención que hace de Noel.
[155] Giménez Caballero, *Los toros, las castañuelas...,* págs. 12-13.

Si se cogiera en un apretado racimo... a Baroja, a Unamuno, a Valle-Inclán, a Julio Antonio, a Bagaría, a Zuloaga, a Azorín, a Maeztu..., y se los colocase así, en piña, revueltos, en rompecabezas, ante un reflector, la sombra desmesurada, pintoresca, confusa y alucinante que arrojarían sobre el lienzo pálido de la llanura castellana sería justamente Eugenio Noel.

Porque la realidad de Noel ha sido, es, la de la sombra, la del eco, la de la reiteración [156].

César González-Ruano, nacido en 1904 y muerto en 1965, había publicado libros de poesía y de biografía, y también había intentado obras en el campo de la novela y del teatro. Sin embargo, donde destacó más fue en el artículo periodístico, del cual fue maestro. De un libro suyo de biografías de autores de la primera mitad del presente siglo sacamos algunas de sus impresiones de la vida, el carácter y la obra de Eugenio Noel. Subrayando la «popularidad impopular» de éste, y también su aire y métodos «flamencos», dice:

siempre fue un escritor sin éxito y sin otra popularidad que una popularidad física tomada a broma y no pocas veces zarandeada de injurias. Sus campañas contra los toros y contra el flamenquismo le habían convertido, a su vez, en una especie de heroico flamenco contra-corriente. Era bravo de palabra y, como casi todo intelectual, cobardón de hechos, pero se jugaba la cara con frecuencia, y la melena...

Señala además el hecho evidente de que su vida era de pura miseria, pero —opina—, «llevada con grandeza y arrogancia» [157].

---

[156] Giménez Caballero, *Carteles*, en Nora, *op. cit.*, págs. 287-88. Valbuena Prat (*op. cit.*, pág. 179) también cita estas palabras, pero con leves variantes.

[157] César González-Ruano, *Siluetas de escritores contemporáneos* (Madrid, Edit. Nacional, 1949), pág. 36.

Al enjuiciar los aspectos espirituales de Noel, González-
Ruano nos da un balance favorable, especialmente en cuanto al sentido de misión que sentía y la gran seguridad que
tenía en sí mismo. Dice que Noel, su mujer Amada y su hijo
«Pupú» se repartían el hambre y las desgracias, «pero con
una confianza y un orgullo de misión que ya no tienen los
escritores ni las mujeres ni los niños de escritores». Tanto
Noel como su mujer podían soportar cualquier indignidad
o privación, precisamente gracias a esta seguridad absoluta
que tenía «en su genio de escritor de raza... Estaban haciendo todo el tiempo biografía, y este consuelo no conoce tris-
tezas». Y termina el periodista con el siguiente resumen y
análisis positivo-negativo de la prosa de Noel: «Aun siendo
menos, naturalmente, de lo que se creía, Noel era un buen
escritor casticista y recio, cuya prosa sólo quedaba perju-
dicada por la exageración precisamente de sus valores, por
el amaneramiento de su naturalidad» [158].

Ahora que acabamos de dar unos pareceres de César
González-Ruano, creemos conveniente insertar aquí unas palabras sobre Noel que vienen de una biografía de 1927, titulada *Nuestros contemporáneos: Eugenio Noel*, escrita por
González-Ruano y Francisco Carmona Nenclares. Desafortunadamente, no he podido dar con dicho libro, pero cita brevemente de él José M. González de la Torre, en un artículo
aparecido en *La Estafeta Literaria* el primer día de 1945. Las
siguientes palabras de los biógrafos hacen destacar el arrai-
gado amor noeliano por lo castizo y tradicional español:

> Está corriendo el año 1913, y Noel, en plena fiebre antitau-
> rómaca, es víctima de frecuentes agresiones. *Su amor por lo
> castizo, por lo tradicional...*, le lleva a depurar el sentido racial
> del toreo, y creyendo que no existe, que es inútil buscar ante-

---

[158] *Ibid.*, pág. 37.

cedentes clásicos de raigamen [*sic*] español en lo que es demasiado reciente tal cual es..., arremete todos los días desde la Prensa, desde la tribuna de conferenciante y desde el libro... [159].

El mismo González de la Torre, que había escrito un libro de crítica de una novela de Ricardo León, además de artículos periodísticos, se aprovechó de estas palabras citadas, en particular las subrayadas, para luego exponer en su artículo sus pareceres sobre los aspectos positivos y también negativos de la vida y obra de Noel. Hace hincapié en su profundo conocimiento «de primera mano» de España, su tierra, su gente y sus costumbres:

... en rigor analítico justiciero, de todo hubo en los pámpanos noelescos... Visión cuerda y profunda de magnos problemas raciales, entreverada de patológicos ramalazos de una superior insania. Páginas de una ágil plasticidad no fácilmente superable, junto a otras de un barroquismo apelmazado de oscura y difícil intelección. Ancha cultura libresca... atropelladamente apilada entre las circunvoluciones de un robusto cerebro con no pocas reminiscencias y asomos ancestrales, casi cuaternarios, a lo Cro-Magnon [¡ !]. Sobre esta dilatada erudición —que, en ocasiones..., mixtificaba, infantilmente, con apostillas y citas de autores y obras leídas tan sólo en los índices de algún catálogo editorial— Noel poseía una cultura más valiosa: la de la vida... Se le había metido en la mollera conocer a España palmo a palmo [160].

A pesar de las dos caracterizaciones poco delicadas, tenemos, una vez más, un análisis equilibrado, que contiene el «sol y sombra» de Eugenio Noel y su obra, el lado positivo y el negativo.

[159] González-Ruano y Francisco Carmona Nenclares, *Nuestros contemporáneos: Eugenio Noel* (Madrid, 1927), en José M. González de la Torre, «Eugenio Noel-torrencial y excesivo», *La Estafeta Literaria* (Madrid), 1 de enero de 1945, s. p.
[160] González de la Torre, *op. cit.*, s. p.

Tenemos también de lo bueno y lo malo de Noel en las apreciaciones de Rafael Cansinos Asséns. Este autor, nacido en 1883, ha sido agudo crítico literario, principalmente a través de las columnas de los periódicos. Escribió un valioso libro de crítica literaria, *La nueva literatura* (cuya segunda edición se publica en 1925; desconocemos la fecha de la primera), en el cual da algunas opiniones sobre Eugenio Noel y su obra.

En primer lugar, Cansinos se refiere a Noel como «el último vástago» del grupo noventayochista, culpándole de «incomprensión del alma popular». El crítico subraya la marcada diferencia que existe entre este intelectual y los otros de su tiempo. Noel es intelectual «del nuevo estilo», porque, a diferencia de los otros, es «arrebatado, violento, dogmático y encendido en... optimismo cándido». No es el tipo habitual de intelectual que mira con ojos fríos y pesimistas desde su «torre de marfil». Pero este optimismo le viene de su reciente descubrimiento de la deslumbrante ciencia moderna, y de su ciega confianza en ella. Noel está en ese primer período del conocimiento, en el que «todo es adquisición festiva» y en el que se tiene completa esperanza en el conocimiento. Ha encontrado su verdad, la verdad de la ciencia, «y sale al encuentro de las muchedumbres para gritarles su verdad con la voz ronca de los que anuncian una panacea». ¿Y cuál era esta panacea que tenía en mente Noel para solucionar los problemas de España? Pues, sencillamente, ésta: la Cultura. No duda ni un momento de la eficacia de la cultura [161].

Parece que Cansinos le reprocha, indirectamente, esta total e inflexible esperanza en la ciencia y la cultura. Sin em-

---

[161] Rafael Cansinos Asséns, *La nueva literatura. II. Las escuelas* (2.ª edic., Madrid, Páez, 1925), págs. 105-08.

bargo, a la vez que sugiere esta opinión, parece que elogia a Noel por su activismo, su voluntad, su contacto directo con el pueblo y su dedicación apostólica a su campaña:

> Esta tenacidad voluntariosa es lo que le distingue de los intelectuales puros, que tienen sus torres de marfil en las columnas de los periódicos y no van al encuentro del pueblo con la palabra hablada, con el verbo inflamador. En estas andanzas pone Noel una voluntad y un fervor que le distingue de los intelectuales puros y le asemeja tanto a los misioneros evangélicos como a los modernos utópicos [162].

El crítico se pone entonces a reflexionar, y señala una serie de hechos que rodean a Noel: siempre se entrega este hombre a la popularidad y la publicidad personal; se complace en ser injuriado y puesto en caricatura por los periódicos; se cuida mucho de su aspecto exterior, apareciendo extravagante, con su capa, melenas y bigotes. Frente a todo esto, Cansinos entonces pregunta: «¿Es todo en él sincero y no hay nada concedido en todo este aparato a la mixtificación? Sin duda que hay algo de artificioso en todo esto.» Artificio, sí; pero, del lado positivo, también hay mucha sinceridad: «El apóstol de la cultura es un verdadero intelectual, convencido él mismo de la bondad infalible de su panacea... Es un cerebral, asistido de un ardor, de una vehemencia que parece hacer entrañables sus conceptos» [163].

Según Cansinos Asséns, la más grave falta de Noel, resultado directo de su adhesión exclusiva y completa a la ciencia, es que, en una palabra, le falta verdadera caridad. Noel todo lo espera de la cultura y la razón, no del influjo del sentimiento ni del arte. Su predilección siempre será por la sociología, porque nunca será artista literario, «aunque tenga en

---

[162] *Ibid.*, págs. 109-10.
[163] *Ibid.*, págs. 110-11.

sí el fervor que hace los poetas». Esto porque su fervor «es
un fervor ascético, inhumano como el de los místicos... Su
aparente fervor entrañable de demagogo culmina... en una
fría soberbia de intelectual. No ama a los humildes sino bajo
la forma de argumentos o de ilustraciones vivas de sus teorías». Noel, opina el crítico, es la expresión máxima del furor
intelectual, pero revestido con formas plebeyas. Terminando
sus consideraciones positivo-negativas sobre Noel, Cansinos
las resume de esta manera:

> Con Eugenio Noel realiza el intelectualismo su más atrevido
> intento de aproximación a las multitudes. Con Eugenio Noel
> el intelectualismo se hace militante y envía su misionero a las
> provincias. Este intelectual, que da mítines él solo, que viaja
> y gesticula, participa ya de la turbia condición del político y
> es algo más que un intelectual puro, de la auténtica estirpe de
> los intelectuales del 98 [164].

Donde encontramos, sin duda, el análisis más penetrante,
más «humano» y más sentido personalmente es en el libro
Retratos contemporáneos, de la pluma de aquel escritor in-
clasificable, pintoresco, excéntrico, creador de sus propios
géneros y compañero de generación de Noel, Ramón Gómez
de la Serna. Ramón, tres años más joven que Noel, nos informa que su primera impresión de éste, en 1902, era de que
encontró en Noel «un monstruo literario digno de atento
trato». Más tarde en su vida, le caracteriza como «declama-
dor y centelleante», y nos informa que Noel «se abría paso
como un tipo pintoresco en que se repetía la vitola formidable de los conquistadores» [165].

---

[164] *Ibid.*, págs. 112-15.
[165] Ramón Gómez de la Serna, *Retratos contemporáneos* (Buenos
Aires, Ed. Sudamericana, 1941), págs. 65, 71.

¿Cómo era la persona y el estilo de Noel? Con su propio estilo entrecortado y su manera «gregueresca» de captar la esencia de una realidad, Ramón los analiza de esta manera:

> Aprovechaba de lo grande para aplastar lo grotesco, pero resultaba que aplastaba lo grande con lo grotesco.
> Era un hombre recio con figura de hombrón y tenía siempre un aire de jabalí entre encinares [166].
> Noel era un salvaje que hubiera querido pintarse arrugas en la frente.
> ... ...
> Se dedica al cultivo de lo sensacionalista, ya que el cultivo de lo profundo no le había dado resultado, y Noel emprende su campaña antiflamenquista [167].

Aprisiona aquí magistralmente la realidad que fue Eugenio Noel: sus buenas intenciones y sinceridad, su uso de lo vulgar y exagerado, su aire combativo, dinámico y algo primitivo; su utilización de lo bohemio y estrafalario, de lo llamativo.

Gómez de la Serna también trata el tema comentado por algunos otros escritores que han hablado sobre el «caso Noel»: el tema paradójico de su personalidad contradictoria, de su simultánea repulsión y afición a las corridas, del «antiflamenquista» que es casi un «flamenco» él mismo. Ramón observa que, hasta cierto punto, España misma es así, con su bipolaridad, «su doble personalidad, su amor a los toros y, sin embargo, como contradicción, la otra media España que los repulsa». Noel se da cuenta de este contraste, y se pone a combatir contra la fiesta taurina, pero haciéndolo

---

166 F. Lázaro Carreter y E. Correa Calderón, en su libro *Literatura española contemporánea* (Salamanca, Anaya, 1966, pág. 201), atribuyen estas últimas ocho palabras a Ortega.
167 Gómez de la Serna, *Retratos...*, pág. 69.

casi como un toro, como un toro «que sabe defenderse».
Cuenta Gómez de la Serna:

> Le recuerdo en la calle de Sevilla [el centro de la flamen-
> quería madrileña de entonces], llena de toreros, vilipendiado
> por ellos, y Noel, con la vista baja, melenudo, con los bigotes
> retorcidos como cuernos, acercándose al bulto, dando miedo de
> toro a los toreros valientes.

Y, comentando sobre Noel el conferenciante, que repetía
con vigor su «conferencia terrible», armado con su arsenal
impresionante de estadísticas, dice que así «daba una fiesta
de toros al revés. Era el antitorero, *pero tan flamenco como
un torero*» [168].

Por supuesto, Ramón Gómez de la Serna no ha sido ni
el primero ni el único en señalar esta paradójica presencia
de lo flamenco en la personalidad de Eugenio Noel, el tan
dedicado antiflamenquista. Tan temprano como en el año
1913, Azorín describió acertadamente esta paradoja en estos
términos:

> Nadie duda que Eugenio Noel es un adversario acérrimo de
> los toros y el flamenquismo. Mas la lectura de sus trabajos a
> las veces nos produce el efecto de una exaltación de lo que se
> trata de deprimir y condenar. No sabemos cómo explicar esto;
> pero el hecho es exacto. Si fuéramos amadores de los toros,
> acaso encontráramos, leyendo los libros de Noel, más gusto
> que encontramos siendo adversarios. Noel sabe menudamente
> todo lo referente a los toros... No hay nada que se le escape.
> Nadie como él nos informa tan bien de las cosas y lances del
> flamenquismo... Sus meditaciones ante la estatua de un torero
> pueden colocarse por encima de las que dedica al *Pensador*, de
> Rodín. ¿Qué sortilegio es éste? Veníamos a buscar una triaca
> contra la ponzoña taurina y nos encontramos con una morosa

---

[168] *Ibid.*, págs. 69-70. El subrayado es mío.

delectación. En verdad, en verdad que son algo peligrosos estos libros contra los toros y el flamenquismo [169].

También José García Mercadal, gran admirador y defensor de Noel y su obra, en su «Prólogo» a los *Escritos antitaurinos* de éste, se hace eco de lo que acabamos de citar de Gómez de la Serna: Noel poseedor de cualidades del toro bravo, Noel flamenco como un torero:

> ... demostró tanto valor [en sus conferencias y denuncias de las corridas] como si se hubiese echado al ruedo para estoquear un miura, poniendo a prueba toda su ciencia —¡digo su ciencia!— del toreo, no su práctica. Pero llevaba en la sangre, después de haber regado su cerebro, mucho de sangre torera... No sé lo que habría podido ocurrir si su cuerpo se hubiera desarrollado más verticalmente y alcanzado menos peso [170].

Es evidente que García Mercadal en estas palabras sugiere inequívocamente la teoría psicológica posible de Eugenio Noel como torero frustrado, que se hizo antitaurino cuando se dio cuenta de que no podía llegar a ser torero.

Gonzalo Torrente Ballester aún va más allá, sosteniendo que hay en Noel un básico y permanente conflicto entre su ideología (sus expresiones antitaurinas y antiflamenquistas) y su sensibilidad (amaba lo más folklórico y castizo de España, lo más antieuropeo). Así resume este fundamental conflicto noeliano:

> En el fondo, lo que Noel comprende y ama es lo más radicalmente ibérico, lo más antieuropeo de la sociedad española. Hay en él un conflicto entre su ideología y su sensibilidad. Sin las fiestas de toros, sin las procesiones sevillanas, sin el oscuro y tétrico mundo prostibulario, Noel carecería de temas litera-

---

[169] Azorín, «Toritos, barbarie», *op. cit.*, pág. 171.
[170] García Mercadal, «Prólogo», *op. cit.*, pág. 16.

rios. Debemos comprender que su existencia como escritor se
debe, ante todo, a la imperfección de la sociedad española de
su tiempo. Cuando España acomete un proceso de europeización, Eugenio Noel se apaga gradualmente [171].

Pero volvamos ahora a Gómez de la Serna y sus apreciaciones de Noel. Las últimas dos páginas de su capítulo sobre
él en *Retratos contemporáneos* se dedican a una franca y
sincera alabanza de Noel como valor humano y como escritor malogrado, a quien no le fue permitido desarrollar todo
el genio literario que tenía dentro de sí. No podemos menos
de sentirnos afectados por la gran admiración y respeto que
Ramón siente por Eugenio Noel, quien podía haber sido gran
escritor:

> Noel es la figura representativa del escritor que pudo ser
> genial; pero el medio se empeñó en no dejarle, en hostilizarle,
> en hacerle vivir de precario.
>
> Los clásicos pudieron soportar su inestabilidad y su ham-
> bre porque la vida era más barata, más sobria y era posible
> esa bohemia del escritor español.
>
> Ahora todo es más duro, apremia más y no hay margen de
> serenidad. Por eso este estupendo escritor de raigambre espa-
> ñola, después de haber hecho todos los viajes, de haber conse-
> guido todas las experiencias, de haber vivido reciamente para
> escribir reciamente, muere como inédito, apenas desbrozadas sus
> ideas, con una carpeta monstruosa de diseños, potente y joven,
> al par que yerto y enmudecido, porque no tuvo tiempo y sosie-
> go para realizar su labor, para poner en fila sus ideas y sus
> palabras [172].

Aunque uno posiblemente disienta de la explicación ra-
moniana de por qué Noel no pudo realizar toda su labor y

---

[171] Torrente Ballester, «Eugenio Noel», *op. cit.*, pág. 275.
[172] Gómez de la Serna, *Retratos...*, págs. 72-73.

llegar al verdadero florecimiento literario (¿no eligió él mismo este tipo de vida llena de viajes incesantes y desasosiegos?), la sinceridad humana y admiración que revelan estas palabras no pueden ser más manifiestas. Le llama a Noel un «héroe de la raza», un escritor que, en definitiva, fue «un gran hombre malogrado, abandonado, desoído, sin mesa fija en que escribir»[173].

---

[173] *Ibid.*, pág. 73.

CAPÍTULO VI

ACTITUD GENERALMENTE FAVORABLE DE LA «GENERACIÓN DE LA DICTADURA» (LOS NACIDOS ENTRE 1893-1902)

Si a veces se ha llamado a los novecentistas (Ortega, Pérez de Ayala, D'Ors, Marañón, Madariaga, Américo Castro) también «hijos del 98», es lógico que se denomine al grupo que sigue a éste los «nietos del 98». Así lo hace Laín Entralgo, pero con un refinamiento: divide el grupo en dos; uno, los *seniores*, los que «advinieron a primera notoriedad en los años iniciales de la Dictadura»; el otro, los *juniores*, aquellos cuya conciencia española «despertó en el estruendo augural o inaugural de la Segunda República»[1]. Los pensadores y poetas que componen la primera división, y que incluye a los que nos interesan ahora, son Zubiri, Dámaso Alonso, José Gaos, E. García Gómez, José Camón Aznar, Gerardo Diego, García Lorca, Aleixandre, Cernuda, Alberti y Ernesto Giménez Caballero. Los *juniores* incluyen al mismo Laín, Marías y los otros, de los cuales hablaré en el capítulo siguiente. Como los escritores del primer grupo llegaron a

---

[1] Laín Entralgo, *España como problema*, pág. 667.

su madurez literaria durante la Dictadura (1923-29), también se los llama la «generación de la Dictadura», aunque, en realidad, tienen más coincidencia cronológica que cohesión estilística o ideológica.

De este grupo que ahora nos toca discutir hemos estudiado ya (cf. capítulo II) a José María de Cossío (nacido en 1893), el gran historiador y enciclopedista de los toros y, personalmente, partidario de la Fiesta. Veremos que la actitud de Cossío es la que prevalece, por lo general, entre los escritores de este grupo que analizaremos. Pero como en toda regla general hay excepciones, presentemos primero la excepción, el único del grupo que está resueltamente en contra de los toros: Antonio Espina.

LA EXCEPCIÓN: EL ANTITAURINO ANTONIO ESPINA

La producción literaria de este autor se esparce por varios géneros literarios. Nacido en 1894, produce lo principal de su obra literaria durante los años veinte, década en la que publica libros de poesía, de ensayos, de cuentos y traducciones de obras francesas, además de novelas, biografías (de Luis Candelas, Quevedo, Julián Romea, Cánovas y Ganivet) y muchos artículos periodísticos. Colaboró asiduamente en el periódico *El Sol* y también en la *Revista de Occidente*. Algunos le han llamado, refiriéndose a su prosa, un «romántico rezagado». «En su crítica predomina el escéptico; la sátira se torna caricatura por medio de la parodia; su humorismo es agrio»[2].

Al hablar en el último capítulo de la crítica de Noel y de su obra, vimos lo que Luis Nueda, en su *Mil libros*, dijo de

---

[2] Cita y datos biográficos de Bleiberg y Marías, *Diccionario...*, página 247.

la obra noeliana *Piel de España*. Muerto Nueda durante el curso de impresión de la cuarta edición (en 1952 ó 53), para la sexta edición de 1969, muchos de sus artículos fueron o suprimidos o trasladados a otra obra, *Teatro mundial*. Pero los dos volúmenes fueron enriquecidos con muchos artículos nuevos sobre obras españolas e hispanoamericanas, escritos por Antonio Espina. Uno de estos artículos versa sobre la obra de Cossío, *Los toros*. Lo incluimos aquí, y no donde hablamos de Cossío, porque su valor principal no está en el resumen que hace de aquella obra enciclopédica, sino en las opiniones personales que expresa Espina sobre las corridas de toros.

Opina este autor que las corridas deben suprimirse, porque sus supuestos valores artísticos no pueden nunca justificar su salvajismo básico. Razona así Espina:

> En realidad, no es muy honroso para nuestro país el apego que la mayoría de los españoles siente por la llamada «fiesta nacional», *cuya supresión absoluta y radical sería el más importante servicio que cualquier gobierno español podría rendir a su patria*. Somos muchos los españoles convencidos de que en ninguna manera justifica ni disculpa la belleza y el arte que puedan ofrecer las corridas de toros el salvajismo fundamental del espectáculo, oprobio de nuestras costumbres, baldón perpetuo de una nación civilizada [3].

Como se aprecia fácilmente en las palabras subrayadas, Antonio Espina hace una condenación categórica y tajante de la costumbre española de lidiar toros bravos.

¿Cómo reacciona Espina al hecho de que hay, entre los aficionados, buen número de personas «de probada sensibilidad, claro intelecto, fina educación y cultura?» ¿Cómo es

---

[3] Antonio Espina (y Luis Nueda), *Mil libros*, t. I, pág. 431. El subrayado es mío.

que personas como Ortega, Pérez de Ayala y el mismo Cossío pueden gustar de este espectáculo de barbarie? Espina explica que esta gente se ve impulsada a su afición por el goce de la emoción estética que puede producir la fiesta taurina y que, sencillamente y de manera voluntaria, cierran los ojos a su «sangrienta faceta negativa»[4]. Esta explicación creemos que bien puede aplicarse a un Pérez de Ayala, por ejemplo, pero no tanto a un Ortega y Gasset, quien, en *La caza y los toros*, se ha enfrentado con el tema del derramamiento de sangre y la «crueldad» de la cacería y la corrida de toros. En resumen, en Antonio Espina tenemos un ensayista (el único) de la «generación de la Dictadura» que tiene una actitud bien «en contra» de los toros.

GARCÍA LORCA: «BELMONTISTA» ANDALUZ QUE GUSTABA DE LOS TOROS

El lado contrario de Espina lo representa la actitud del granadino Federico García Lorca, nacido en 1898 y muerto en 1936. Bastante conocida es ya su utilización magistral de imágenes taurinas en su poema «Prendimiento y muerte de Antoñito el Camborio»; también ha sido justamente aclamada como una de sus poesías cumbres su *Llanto por Ignacio Sánchez Mejías*. Pero no es en su capacidad de poeta o dramaturgo como vamos a hablar de Lorca, sino como ensayista. En sus *Obras completas* encontramos un buen número de charlas, entrevistas, impresiones y misceláneas declaraciones suyas sobre una variedad de temas.

---

[4] *Ibid.*

Personalmente, Lorca tuvo una innegable opinión positiva del espectáculo taurino, y era partidario, como otros intelectuales, del torero Juan Belmonte. («Por temperamento y por gusto poético, soy un profundo admirador de Belmonte».) En una entrevista de 1935, manifiesta que «el otro gran tema..., el toreo, es probablemente la riqueza poética y vital mayor de España... Creo que los toros es la fiesta más culta que hay hoy en el mundo...» No explica con más detalle esta última aseveración, pero note el lector que Lorca, poeta sobre todo y ante todo, subraya el gran valor poético del tema taurino, tema, en su opinión, «increíblemente desaprovechado por los escritores y artistas, debido principalmente a una falsa educación pedagógica que nos han dado...»[5].

¿Por qué le gusta tanto a Lorca la Fiesta? Una razón contribuyente, sin ser determinante, es que, además de ser andaluz (y, por lo tanto, más expuesto al ambiente taurino), él tenía un gran amor y especial interés por lo popular y folklórico de la región andaluza. Su actitud positiva hacia los toros no es una cosa bien razonada e intelectual, sino más bien una preferencia emotiva y subjetiva, determinada principalmente por factores subconscientes y menos que racionales. En aquella misma entrevista, menciona el autor que la corrida de toros es «el único sitio adonde se va con la seguridad de ver la muerte rodeada de la más deslumbradora belleza»[6]. La muerte, la muerte y aquella atracción especial que siente el español hacia ella y que manifiesta en muchas zonas de su producción gráfica, escultórica y literaria, y también en sus costumbres populares y religiosas. En una conferencia que dio en Cuba en 1930, hablaba Lorca de los aspectos

---

[5] Federico García Lorca, «Diálogos de un caricaturista salvaje», aparecido en *El Sol*, Madrid, 10 de junio de 1935, en *Obras completas* (11.ª edic., Madrid, Aguilar, 1966), págs. 1818-1819.

[6] *Ibid.*, pág. 1819.

negros de la pintura de Zurbarán, de El Greco, de toda la obra de Goya, de los policromados Cristos agonizantes españoles, del folklore popular asturiano sobre la muerte y de los ritos de Viernes Santo. Y añadió luego: «... que con la cultísima fiesta de los toros forman el triunfo popular de la muerte española. En el mundo, solamente Méjico puede cogerse de la mano con mi país» [7]. Habla aquí del «triunfo popular de la muerte». En efecto, está hablando del rito de los toros como un elemento del muy español culto a la muerte.

Al hablar del lorquiano «culto o cultura de la muerte», por fuerza hay que traer a colación el excelente ensayo de Pedro Salinas, «García Lorca y la cultura de la muerte». Señala en este ensayo que Lorca, aunque expresa en su obra el sentir de la muerte con originalidad y acento propios, no tuvo que buscarlo conscientemente, por un proceso de «especulación interior», sino que

> se lo encuentra en torno suyo, en el aire natal donde alienta, en los cantares de las servidoras de su casa, en los libros de su lengua, en las iglesias de su tierra; se lo encuentra en todo lo que su persona individual tiene de pueblo, de herencia secular. Nace Lorca en un país que lleva siglos viviendo un especial tipo de cultura, el que llamo *cultura de la muerte*.

¿Pero qué es lo que entiende Salinas (y Lorca) por «cultura de la muerte»? ¿En qué consiste esta peculiar concepción española del hombre y de su existencia? Salinas nos proporciona esta penetrante y acertada definición:

> Lo que yo entiendo por cultura de la muerte es una concepción del hombre y su existencia terrenal en que la conciencia de la muerte actúa con signo positivo, es estímulo, acicate al

---

[7] Lorca, «Teoría y juego del duende» (1930), en *Ob. comp.*, páginas 116-17.

vivir y a la acción y permite entender el sentido total y pleno de la vida. Dentro de semejante concepción, el ser humano se afirmaría no sólo en los actos de su vida, sino en el acto de su muerte. Una existencia en la que se cela o suprime la idea de la muerte se asemeja a la representación de actores en pantalla de cine, inaprehensible, mermada de algo esencial; le falta la dimensión de profundidad, que es la que aporta a la vida su tono de intensidad y dramatismo. El hombre sólo puede entender y entenderse, integrando la presencia de la muerte en la presencia de su vida; todo intento de expulsar la muerte, de no contar con ella para vivir, es falsificación que el hombre realiza sobre sí mismo [8].

Es evidente que García Lorca operó dentro de esta cultura de la muerte, y que se dio cuenta de que así era España también, más que los otros países. Como observó él, «España es el único país donde la muerte es el espectáculo nacional, donde la muerte toca largos clarines a la llegada de las primaveras...» [9].

Siendo Lorca poeta y además dramaturgo excelso, es lógico que los aspectos dramáticos de la corrida de toros le impresionaran también, y que dejara constancia de ello. Así lo hace en esta misma conferencia famosa, «Teoría y juego del duende». Hablando de ese escurridizo e intelectualmente inaprehensible concepto andaluz del «duende», dice que el duende impera, en «un campo sin límites», sobre las bailarinas andaluzas, sobre los «cantaores», y especialmente «en toda *la liturgia* de los toros, auténtico *drama religioso* donde, de la misma manera que en la misa, se adora y se sacrifica a un Dios». Para Lorca, la corrida es vista de manera simbólica y constituye una especie de «drama puro» o «fies-

---

[8] Pedro Salinas, «García Lorca y la cultura de la muerte», en *Ensayos de literatura hispánica* (2.ª edic., Madrid, Aguilar, 1961), páginas 374-75.

[9] Lorca, «Teoría y juego del duende», *op. cit.*, pág. 119.

ta perfecta», donde el riesgo es auténtico y la muerte también es auténtica. El toro viene a ser símbolo de Dios, respetado y adorado, por un lado, y por otro, sacrificado, dado muerte en beneficio ulterior de los espectadores. Resulta un poco extraña esta interpretación simbólica, porque casi siempre se suele dar al toro el papel representativo del Mal, de las fuerzas negativas de la Naturaleza y del Infierno; mientras que el matador suele ser símbolo del Bien, del cura que oficia en el rito de la muerte del Mal. Según Lorca, es como si «todo el duende del mundo clásico» hiciera confluencia en esta «fiesta perfecta», que hace descubrir en el hombre «sus mejores iras, sus mejores bilis y su mejor llanto». La corrida es un drama, y el duende que hace presencia en él se encarga de hacernos sufrir (no divertirnos) por medio de las formas vivas de tragedia que encierra [10].

Sigue hablando Lorca del duende y los toros. Opina que

> en los toros adquiere [el duende] sus acentos más impresionantes, porque tiene que luchar, por un lado, con la muerte, que puede destruirlo, y por otro lado —[y aquí hace eco de algo que ya vimos decir a Ortega]— con la geometría, con la medida, base fundamental de la fiesta.

Hace luego una aseveración que bien puede tomarse en cuenta hoy día, en que asistimos al fenómeno aquel del torero que se llama El Cordobés. Hace Lorca una clara separación entre la pura temeridad o valor loco de un torero y el verdadero duende en el torear. Lo explica de esta manera:

> El torero que asusta al público en la plaza con su temeridad no torea, sino que está en ese plano ridículo, al alcance de cualquier hombre, de *jugarse la vida;* en cambio, el torero

---

[10] *Ibid.,* pág. 118. Los subrayados son míos.

mordido por el duende da una lección de música pitagórica y
hace olvidar que tira constantemente el corazón sobre los cuernos.

Lagartijo con su duende romano, Joselito con su duende
judío, Belmonte con su duende barroco y Cagancho con su
duende gitano, enseñan, desde el crepúsculo del anillo, a poetas, pintores y músicos, cuatro grandes caminos de la tradición
española [11].

Como vemos en este último párrafo citado, los varios tipos
de duende que hacen presencia en la corrida, a través de
determinados toreros, tienen bastante importancia para que
Lorca los considerase como compendio y resumen de las
distintas direcciones principales de toda la producción artística española.

POETA ANDALUZ, AFICIONADO Y
BANDERILLERO: RAFAEL ALBERTI

Nacido en el Puerto de Santa María, en 1902, es el otro
poeta andaluz y «neopopularista» de la generación poética
del 27. Como poeta taurino, ha escrito muchos más poemas
sobre el tema que Lorca, destacándose sus «Chuflillas al Niño
de la Palma», «Joselito en su gloria» y la elegía a Sánchez
Mejías, *Verte y no verte,* obra ésta que se puede comparar
favorablemente con el magnífico *Llanto* del poeta granadino.

En el terreno de la prosa ensayística, sin embargo, nos
ha dejado muy poco. En ninguna parte encontramos un análisis intelectual suyo de algún aspecto de los toros. Tampoco
emite ningún juicio ético o estético sobre el tema. No obs-

---

[11] *Ibid.*, pág. 119.

tante, podemos inferir su afición —sin mucho riesgo a equivocación— por lo que dejó escrito en su obra *La arboleda perdida. Libros I y II de Memorias*. Es aquí donde Alberti manifiesta todo su talento de escritor en prosa, reinventando y re-creando sus recuerdos con palabra suelta, divertida, franca e imaginativa.

Aparte un par de símiles taurinos (el pintor Vázquez Díaz y su mujer como «una corrida de toros en medio de un fiordo helado, corrida en la que Vázquez Díaz hacía de toro, de público, de caballo y torero a la vez»; la muerte de su padre, desangrándose por la boca y quedándose doblado «como toro que hubiese recibido un golletazo»)[12], encontramos en primer lugar una serie de recuerdos juveniles que tocan lo taurino.

Como Lorca, Alberti absorbió mucho del ambiente popular andaluz durante sus años juveniles. Para él, ser niño andaluz significaba querer ser torero: «¿Qué verdadero niño andaluz no ha soñado alguna vez en ser torero?»[13]. Detrás del colegio a que asistía había un cercado de retamas donde pastaban las vaquillas y torillos de un tío suyo. Cuenta Alberti cómo él y un grupo de amigos, todos valientes y con grandes ilusiones taurinas, iban a los once años al cercado para intentar «torear» lo que les embistiera. Aunque resultaba la «corrida» un barullo caótico de chaquetazos desordenados y muchos revolcones con magulladuras, los cardenales y dolores recibidos eran el orgullo de cada chiquillo. «Pensábamos en las grandes cornadas de los famosos matadores, recibidas entre un delirio de abanicos y aplausos por los ruedos inmensos.» Sed de gloria y de reconocimiento público, sueños de un futuro «lleno de tardes gloriosas,

12 Rafael Alberti, *La arboleda perdida. Libros I y II de Memorias* (Buenos Aires, Fabril, 1959), págs. 134, 139.
13 *Ibid.*, pág. 43.

fotografiados en revistas, viendo popularizada nuestra ga-
llarda efigie en las cajas de fósforos» [14].

Las pretensiones toreras del niño Rafael llegaron al extremo de que se dejó crecer una coleta. Y a causa de ella se
acabaron de un rudo golpe tales ambiciones. Así es cómo
contó el gracioso incidente Alberti años después:

> A los dos meses, aquello había crecido demasiado, obligán-
> dome a quitarme apenas la gorra y tapármelo en clase con la
> mano... Pero al fin llegó el día en que mi secreto lo iba siendo
> a voces... Y llegó la denuncia. Fue en clase de francés. Un inter-
> no que tenía detrás. Descuido mío. Una imprudencia de la mano
> que me servía de tapadera... Era demasiado notorio, dema-
> siado indecente aquel colgajo. ¡Horror! Una carcajada...
> —Explique los motivos de esa risa.
> —¡La coleta de Alberti! ¡Mire, mire!
> Gran escándalo. La clase entera, de pie... Entonces, Benve-
> nuti..., sacando un cortaplumas desafilado, mohoso..., me la
> cortó de un terrible tirón inolvidable, lanzándola sobre la mesa
> del padre Aguilar, quien con un irreprimible gesto de asco la
> arrojó al cesto de los papeles. Ya sin coleta me sentí derro-
> tado, viejo, como ese lamentable espada cincuentón que sobre-
> vive a sus triunfos [15].

Es en el segundo libro de las memorias de *La arboleda
perdida*, que abarca los años de su vida literaria en Madrid
de 1917 al 1931, donde el autor se expresa un poco más directamente a favor de la tauromaquia y de sus más destacados
ejercitantes. En una parte, por ejemplo, habla del «difícil
arte de la tauromaquia» [16], es decir, en primer lugar, el toreo
tiene categoría estética, y además, no es nada fácil ejecutarlo
bien. En otra parte, al narrar la anécdota de su relampa-
gueante debut y retirada como peón de brega en una corrida

---

14 *Ibid.*, págs. 44-45.
15 *Ibid.*, pág. 46.
16 *Ibid.*, pág. 245.

—de lo cual hablaré más adelante—, nos confiesa que, al arrancarle un toro y pasarle de cerca, «comprendí la astronómica distancia que mediaba entre un hombre sentado ante un soneto y otro de pie y a cuerpo limpio bajo el sol, delante de ese mar, ciego rayo sin límite, que es un toro recién salido del chiquero» [17]. Alberti, en otras palabras, en ese instante se dio cuenta de que el arte del toreo es un arte como muchos otros, pero con una diferencia clave: en el toreo, el artista tiene que crear su arte siempre rodeado del riesgo constante de la muerte.

En cuanto a los grandes toreros de aquella época, nos enteramos de que el Niño de la Palma era gran admiración suya [18]. Habla varias veces, además, del «genial espada» Joselito, quien llegó a ser, en palabras de Alberti, «uno de los más grandes espadas de todos los tiempos» [19]. Su admiración por estos dos toreros no puede ser más patente. Además, recuérdese que escribió dos poemas dedicados específicamente a cada uno de ellos (las «Chuflillas al Niño de la Palma» y «Joselito en su gloria»). Nos describe la tremenda incredulidad con que todo el mundo recibió la triste noticia de la muerte de Joselito en Talavera, en mayo de 1920. ¡Si los toros ni le habían rozado la ropa antes! Alberti se acuerda de aquel toreo mágico de Gallito, de «aquella seguridad y gracia juguetona, aquel burlarse suyo de la muerte, únicos en la historia del toreo» [20]. Palabras bien elogiosas, por cierto.

El torero con quien Alberti tuvo la amistad personal más entrañable, y por el cual sintió la máxima admiración profesional, fue Ignacio Sánchez Mejías. Hombre de gran perso-

---

[17] *Ibid.*, pág. 259.
[18] *Ibid.*, pág. 246.
[19] *Ibid.*, págs. 138, 246.
[20] *Ibid.*, pág. 143.

nalidad y despierta inteligencia, era amigo de todos los de
la generación del 27: Lorca, Salinas, Guillén, Dámaso Alonso,
Gerardo Diego, Fernando Villalón, José Bergamín, etc. Además, tuvo una rara sensibilidad para la nueva poesía de estos
autores, y les animó siempre con entusiasmo [21]. De esta manera le caracteriza Rafael Alberti:

> ¡Qué raro talento el de Ignacio para entrar en seguida en
> lo más difícil, para saltar de lo más serio a lo más absurdo
> y alocado! Comprendía con toda facilidad las escuelas moder-
> nas de pintura, el último *ismo* parisiense arribado a Madrid...
> Con quien Ignacio se encontraba realmente bien era con nos-
> otros [22].

Además de escucharles sus poemas y discutirlos con ellos,
en una ocasión (diciembre de 1927) llevó al grupo de «literatos madrileños de vanguardia» —Bergamín, Chabás, Gerardo Diego, Dámaso Alonso, Guillén, Lorca y Alberti— a Sevilla, donde todos dieron una serie de lecturas y conferencias
en el Ateneo, con gran éxito [23]. Para Rafael Alberti, entonces,
Sánchez Mejías era un ser excepcional y una gran amistad,
y se enorgullece de que «de mi generación fui el primero
que conoció a Sánchez Mejías y se hizo su amigo» [24].
En el título de la presente subdivisión sobre Rafael Alberti le describimos como «Poeta andaluz, aficionado y banderillero». Las primeras dos clasificaciones son bien conocidas y verosímiles, pero no tanto la tercera. Pues sí, en 1927,
durante el apogeo poético de su primer período de libros de
poesía «neopopularista», Alberti se hizo banderillero —pero

---

[21] *Ibid.*, pág. 246.
[22] *Ibid.*, pág. 263.
[23] *Ibid.*
[24] *Ibid.*, pág. 246.

sólo por una tarde—, bajo la insistencia de Sánchez Mejías.
Dejemos que cuente la anécdota el poeta mismo:

> Se empeñaba el diestro, tozudamente, en hacerme peón de
> su cuadrilla. ¿Broma? Tal vez. Pero la obstinación de Ignacio
> me llegó a preocupar. Y para habituarme a ver los toros de
> cerca, desde Sevilla me puso un telegrama pidiéndome me pre-
> sentase en Badajoz, plaza en la que yo debutaría haciendo sola-
> mente el paseíllo y contemplando luego, con mi traje de luces,
> la lidia desde la barrera. No acudí, como era natural. Cosa que
> le enfadó bastante y le sirvió para redoblar más todavía sus
> esfuerzos por lograr su capricho... Y así, fija ya en su cabeza
> la idea de lucirme de torero en una plaza, la llevó a cabo una
> tarde de junio, en la de Pontevedra, con él, Cagancho y Már-
> quez como espadas, y el portugués Simao da Veiga como rejo-
> neador... [25]. Con cierto encogimiento de ombligo desfilé por el
> ruedo entre sones de pasodobles y ecos de clarines. Después...
> pude pasar desapercibido, dentro del callejón, durante toda la
> lidia. A la salida de la plaza me corté la coleta: quiero decir
> que di por terminada mi carrera taurina. Tan sólo había du-
> rado tres horas. *También* Ignacio aquella tarde se retiró, ines-
> peradamente, de los toros... [26].

Fuera o no broma o capricho del torero, junto a deseos
de complacerle por parte del poeta, el hecho indudable es
que Alberti participó en la corrida por lo menos en parte
debido a la afición que sentía, y también llamado por esa
soterrada ilusión juvenil de hacerse torero. Nunca en sus
escritos analizó intelectualmente el tema de los toros, pero
vivió su ambiente, y con evidente actitud positiva.

---

[25] José María de Cossío, quien presenció el peregrino suceso, en
el tercer tomo de *Los toros*, pág. 879, da como fecha el 3 de julio, y
como rejoneador a Antonio Cañero en vez del portugués.
[26] Alberti, *La arboleda perdida*, págs. 258-259.

EL «JOSELISTA» QUE HACE UN ANÁLISIS DEL TOREO
POR MEDIO DE AFORISMOS: JOSÉ BERGAMÍN

Nacido en el año 1897, José Bergamín es, por el número de páginas que ha dedicado al tema de los toros, el ensayista más importante, para nosotros, dentro de este grupo de escritores «de la Dictadura», que venimos estudiando. Sobre el tema que nos interesa ha publicado lo siguiente: un libro aforístico, *El arte de birlibirloque* (1930); un ensayo que apareció en el número 14 de *Cruz y Raya* (marzo, 1934), titulado «La estatua de don Tancredo»; un ensayo corto, cuya fecha ignoro, «El mundo por montera»; un artículo, «La emoción del toreo», publicado en *Índice* (julio-agosto-septiembre, 1958), y, por último, otro artículo que apareció en el número de marzo, 1961, de esta misma revista *Índice*, con el título «El toreo, cuestión palpitante».

El pensamiento de este autor no se desarrolla en libros o ensayos largos, bien planeados, como los de un Ortega o un Pérez de Ayala, por ejemplo. Su procedimiento es parecido al de Gómez de la Serna: les busca vueltas a las cosas, el sesgo o el trasluz, por medio del lenguaje reducido, «quintaesenciado». Su estilo es el de la fragmentación del pensamiento, la brevedad y concisión en la expresión. El recurso base de su obra es el «aforismo esquemático». (El *Diccionario de literatura española*, pág. 9, define «aforismo» como «Dicho o escrito breve, ingenioso, semejante al apotegma, por el que se quiere expresar un pensamiento original, aunque no siempre sea aleccionador».) El aforismo para Bergamín viene a ser como «el refrán de los cultos». Prevalece en su obra el juego del vocablo, la paradoja y la gracia conceptista (que hace pensar en Unamuno, pero que es, por cierto, menos profundo que éste). Bergamín, en su prosa, no busca verdades prácticas, sino verdades poéticas; logra obrar una dignificación, un ennoblecimiento de lo popular, de lo español [27].

Bergamín es un hombre muy católico, o, mejor dicho, ha mantenido siempre una posición neocatólica. Podemos ver rasgos unamunianos en esta afirmación suya: «La duda no es vacilación: es oscilación y fidelidad.» El problema capital de su espíritu se puede decir que es el problema de su alma y de su ser. Su posición neocatólica le inspiró la revista *Cruz y Raya*, que funda en 1933 y dirige hasta 1936. Aunque sólo duró tres años, tuvo bastante resonancia en la vida intelectual española, con contribuciones de ilustres escritores como Ortega, Zubiri, Menéndez Pidal, Marañón, Casalduero, Cernuda y el mismo Bergamín, entre otros [28].

Lo primero que encontramos en su obra más lograda sobre el tema de la fiesta taurina, *El arte de birlibirloque* [29], es algo que tiene un extraordinario parecido con palabras de Ortega vistas anteriormente (así como de otros de la generación novecentista), sobre la necesidad intelectual de *entender* las cosas antes de intentar juzgarlas. Bergamín lo expresa así: «... el criterio que acepte o rechace el toreo será una cuestión de sensibilidad, como suele decirse, cuando lo sea de inteligencia, de entendimiento racional, y el entendimiento de una cosa es ajeno o independiente de nuestra voluntaria adhesión o repugnancia a ella; el entendimiento no acepta ni rechaza nada, sino, sencillamente, lo

---

[27] Las apreciaciones y datos de este párrafo vienen de Pedro Salinas, *Literatura española siglo XX* (2.ª edic., México, Robredo, 1949), págs. 167-172, y de Bleiberg y Marías, *Diccionario...*, pág. 86.

[28] *Ibid.*

[29] El *Diccionario Manual e Ilustrado de la Lengua Española* (2.ª edición, 1950), pág. 218, da la siguiente definición: «BIRLIBIRLOQUE (por arte de), loc. fam. con que se denota haberse hecho una cosa por medios ocultos y extraordinarios.»

evidencia, lo verifica.» Añade poco después que, si nos me-
temos a juzgar el valor moral o estético del toreo, tendremos, antes que nada y ante todo, que entenderlo. Y se pregunta el autor: «¿Y cómo podremos entenderlo mientras
repugne a nuestra sensibilidad, si nuestra sensibilidad se
opone confusamente a ello?» Lo que hace falta, entonces,
para de verdad entender este fenómeno es que se divorcie
de él todo sentimiento o juicio de tipo ético por parte del
observador. En efecto, un poco más adelante, declara Bergamín que «el toreo sólo quiere ser entendido, puramente,
exclusivamente, sin contactos de utilidad... Porque elude
expresamente, expresivamente, toda consecuencia práctica
de moralidad» [30]. Como se ve, el autor no quiere meterse en
la espinosa y difícilmente resoluble cuestión de la ética de
la corrida de toros, y, como se verá, prácticamente la elimi-
na de su consideración del espectáculo.

Bergamín aborda también el asunto de qué es el toreo,
igual que han hecho otros de los ensayistas que hemos estudiado. Es en estas definiciones suyas de lo que constituye
el toreo donde de verdad aplica su imaginación aforística y
su habilidad de jugar con los vocablos y conceptos. Es aquí
también donde revela, en general, una actitud más bien
positiva hacia los toros.

En *El arte de birlibirloque* empieza por informarnos sobre la esencia múltiple que tiene el toreo: es heroísmo y
juego, es un compendio de valores físicos (estéticos) y me-
tafísicos. Empieza su definición con un juego de vocablos,
diciendo que «... el toreo es un juego de heroísmo o un

----

[30] José Bergamín, *El arte de birlibirloque* (1930), *La estatua de
don Tancredo* (1934), *El mundo por montera* (Santiago de Chile, Cruz
del Sur, 1961), págs. 11, 12, 16 (pertenecientes al primero de estos
títulos).

heroísmo de juego: heroísmo absoluto». Sigue luego su explicación con lo siguiente:

> ... en el toreo se afirman, físicamente, todos los valores estéticos del cuerpo humano (figura, agilidad, destreza, gracia, etc.), y metafísicamente, todas las cualidades que pudiéramos llamar deportivas de la inteligencia (rápida concepción o abstracción sensible para relacionar). Es un doble ejercicio físico y metafísico de integración espiritual, en que se valora el significado de lo humano heroicamente o puramente: en cuerpo y alma, aparentemente inmortal.

Si se fija en esta última frase, uno se da cuenta de que Bergamín parece dar significado trascendental a la tauromaquia como actividad a la vez física y espiritual. Dos páginas más adelante, añade el autor esta definición favorable de lo que es el toreo: «El juego inteligente del toreo... es juego imaginativamente racional, enigmático, verdadero; cruelmente perfecto; luminoso, alegre, inmortal»[31].

El toreo, entonces, es muchas cosas, algunas aparentemente un poco contradictorias: es inteligencia y concentración, pero también es juego y alegría; es imaginación y creación imaginativa, pero es también razón y lógica; es enigmático y a la vez auténtico y verdadero; es perfección artística, pero mezclado con crueldad. Y además, el toreo se proyecta más allá de los confines del ruedo, es un fenómeno inmortal que pone en juego valores universales. La actividad tauromáquica es un arte, que depende, como todo arte, de la imaginación y la inspiración; sin embargo, más que el azar, la razón constituye su punto de partida y de apoyo.

En su ensayo citado, «El mundo por montera», también toca el tema de qué es el toreo. Sostiene aquí que es «arte en el cual, o por el cual, se universaliza el sentido y valor

---

[31] Bergamín, *Birlibirloque*, págs. 14, 14-15, 17.

total, íntegro, del ser humano, de la vida del hombre; pues el hombre entero y verdadero se proyecta luminosamente en ese juego mortal e inmortal del toreo...» [32]. A pesar de expresar estas palabras unos sentimientos algo poéticos y no muy bien explicados racionalmente, es evidente una vez más la actitud benévola de Bergamín hacia los toros.

Su artículo «La emoción del toreo» (1958) desarrolla otro sesgo un poco distinto del tema. En nuestro capítulo II vimos algunas cosas que había dicho Ángel Álvarez de Miranda sobre los aspectos (e inclusive los orígenes) rituales de la corrida de toros. Dedica también bastantes páginas a los varios cultos religiosos antiguos y sus posibles influencias sobre la formación de la moderna Fiesta. Claro está, los antiguos cultos religiosos tenían mucho de magia y de misterio. Bergamín, pues, habla aquí de la base mágica del toreo, que el autor compagina con la emoción que provoca el espectáculo; o sea, que la emoción que engendra el toreo (en el torero y en los espectadores) tiene, como toda emoción, cierto elemento mágico originario, algo inexplicable y misterioso. Para nuestro autor, «literalmente, *Tauromaquia* es *Tauromagia*». Aclara luego este concepto con las siguientes palabras:

> El mundo del toreo —como fiesta, como juego, como arte— decimos que es *mágico* precisamente porque es un mundo emocional... Diremos entonces que el valor espiritual de la *fiesta, juego*, arte de torear, radica en su naturaleza emocional misma. Pero la naturaleza de esta emoción viva, por serlo, es *mágica* [33].

---

[32] Bergamín, «El mundo por montera», en *op. cit.*, pág. 120.
[33] Bergamín, «La emoción del toreo», pág. 29. Quien habla mucho más a fondo sobre esta cuestión de la relación entre lo mágico y lo taurino es Pedro Caba, en su ensayo «Lo mágico en el toreo» (que examinamos en nuestro capítulo VII).

Para Bergamín, siempre algo poético, siempre de vuelo un poco imaginativo, el toreo (que es juego, heroísmo y emoción auténtica) es magia, algo más bien misterioso e inexplicable. Este punto de vista, por no incluir a la razón, parece apartarse de su anteriormente tenida convicción (que vimos en *Birlibirloque*) de que el toreo es esencialmente un juego inteligente cuya base es la razón. O puede ser, sencillamente, que el toreo incluye las dos cosas en proporciones iguales: la magia (lo misterioso) y la razón.

Casi siempre, cuando uno piensa en los toros, se da por evidente que este fenómeno cultural y sociológico es neta y casi exclusivamente español, con sus elementos que a menudo subrayan e ilustran algunas características constitutivas de «lo español». Pues es precisamente este carácter localista y castizo lo que repudia Bergamín. Mantiene que el buen toreo es algo muy clásico y, sobre todo, universal. Sostiene que «no hay nada menos castizamente español que la lidia de un toro en la plaza cuando es ejecutada perfectamente». El buen toreo contiene elementos de proyección universal: pasión, gracia, inteligencia y, sobre todo, arte y vida. Y, a la vez, evidencia rasgos bifrontes: «Nada más clásico, más románticamente clásico, y, a la inversa, apolíneo y dionisíaco a un tiempo, o sea, artístico; nada más singularmente bello y, por tanto, universal» [34]. En todo este libro (*El arte de birlibirloque*), Bergamín defiende, frente a lo castizo y costumbrista, la universalidad, detalle muy novecentista, como hemos visto.

Vuelve entonces el autor a tratar, brevemente, la cuestión de la ética o moral de los toros. Aquí no elude el tema, y tampoco intenta decir que la corrida no es cruel. Admite su crueldad y su inmoralidad, pero en estos términos bien posi-

---

[34] Bergamín, *Birlibirloque*, págs. 23-24.

tivos y favorables (y por medio de aforismos): «La crueldad
es condición ineludible de la belleza, porque lo es de la limpia sensibilidad: de la inteligencia.» Y también: «Una corrida de toros es un espectáculo inmoral, y, por consiguiente,
educador de la inteligencia.» Creo que Bergamín llega a estas
conclusiones, muy difíciles de aceptar, por un procedimiento
muy extraño de pensar. Casi parece que nos está tomando
el pelo. Muy pronto nos enteramos de que, a fin de cuentas,
cree que la única emoción válida de una corrida de toros
es la estética, y que no se debe enredar en una consideración
de su ética. Lo expresa de esta manera: «En una corrida de
toros la única emoción humana verdadera, y viva, es la estética. Las corridas exigen, como el cinematógrafo, un ángulo
de visión o enfoque, un punto de mira, exclusivamente estético» [35].

Siguiendo este tema de la emoción estética de las corridas como la única valedera y verdadera, Bergamín, en su
artículo de 1958, nos reitera uno de los puntos de vista principales de Pérez de Ayala (cf. notas 16 y 17 del capítulo IV).
Dice aquél que hay toreros que son muy «emocionales», o
sea, «tremendistas», que captan las simpatías de la mayoría
del público por sus temeridades y descarados alardes de
valor; es más bien una emoción «de entrañas», que puede
llegar a todo el mundo (el tipo de emoción que suscita, por
ejemplo, el toreo de El Cordobés hoy día). Pero los auténticos «buenos aficionados» han estado y estarán en contra
de este tipo de torero. Esta gente entiende el toreo con emoción distinta a la provocada por el superficial alarde de
«valor loco». Es la emoción estética lo que ellos, los de la
minoría, aprecian más. Pero en 1958, Bergamín va más allá.
Dice que no es sólo la emoción estética la más importante

---

[35] *Ibid.*, págs. 29, 30-31.

del toreo: «No es bastante. Ni decir artística tampoco nos bastaría para definirla. Por supuesto, que lo es: estética, artística, la emoción del toreo. Pero es más. [O sea, que es mágica también esta emoción del toreo]» [36].

De la misma manera que García Lorca era partidario de Juan Belmonte, Bergamín lo es de Joselito. Es más: Belmonte y su toreo representa para él el «casticismo costumbrista» en que está cayendo toda la cultura española, representa la pura degeneración y depauperación del arte de torear. Dice lo siguiente sobre los toreros: «Los nombres de Joselito y Belmonte polarizaron visiblemente la pugna tradicional española de lo clásico y lo castizo». «En el *arte de birlibirloque* de torear, Belmonte fue la afectación artificiosa; Joselito, la artística naturalidad.» Para Bergamín, Joselito representa todas las virtudes clásicas: ligereza, agilidad, destreza, rapidez, facilidad, flexibilidad y gracia, virtudes dignas de alabanza y de emulación. Belmonte, al contrario, representa nada más que vicios castizos: pesadez, torpeza, esfuerzo, lentitud, dificultad, rigidez y desgarbo, todos ellos rasgos que merecen el desprecio y el repudio [37]. Puro joselista era Bergamín, a pesar de que, más tarde, era firme partidario del toreo de Domingo Ortega [38].

Para acabar nuestro recorrido por este libro, *El arte de birlibirloque*, veamos algunos puntos sueltos que creo que encierran algún interés. Siendo Bergamín admirador de Joselito, no le iba a gustar el hecho de que grandes masas de público se pusieran de parte del toreo degenerado de Bel-

---

[36] Bergamín, «La emoción del toreo», pág. 29.
[37] Bergamín, *Birlibirloque*, págs. 25, 38, 33-34.
[38] En «La emoción del toreo», pág. 29, dice Bergamín lo siguiente: «Creo que esta experiencia 'mágica' del toreo —y de su bellísima y profunda emoción propia— toma por primera vez conciencia de serlo en Domingo Ortega.»

monte. Refiriéndose claramente a estos dos toreros, hace la siguiente censura del público de toros: «Las muchedumbres no aceptan nunca la verdad artística, porque les parece mentira, y aceptan siempre cualquier mentira que parezca verdad: rechazan el milagro y crean el mito» [39].

Hemos visto ya que Ortega y Gasset subraya la base geométrica del toreo (cf. nota 37 del capítulo IV). Ortega dijo esto en 1948 ó 1950, mientras que Bergamín, ya en el año 1930, había dicho: «En lugar del cartel de *No hay billetes* que veo a la entrada de la plaza, preferiría ver este otro: *El que no sepa geometría no puede entrar*» [40].

Antes de abandonar por completo la obra *El arte de birlibirloque*, veamos, de manera rápida, lo que han dicho de ella dos o tres críticos importantes. El mismo año de su aparición, Azorín publicó en el diario *A B C* (31 de enero de 1930) una crítica del libro.

Martínez Ruiz lo llama un «primoroso volumen», y añade: «Un breve tratado del arte de torear éste que ha publicado el agudo escritor. Todo en estas páginas claro, sencillo, límpido. Y lo que vale más: sin rastro de pedantismo, sin cursilería. Prosa de cristal de roca.» Así describe el estilo de esta obra. ¿Y su contenido? ¿Qué es lo que *dice* este «tratado»? Esto, según el crítico:

> ... nos inicia en una estética del deporte y del juego. Se examinan en estas páginas... los problemas fundamentales del arte de torear. No es un tratado sistemático lo que Bergamín ha publicado; la ciencia del toreo la reduce toda el autor a aforismos, proloquios, teoremas... Para José Bergamín todo el arte de torear se reduce a lo que podríamos llamar una intelectualización del deporte. El toreo es inteligencia pura. El arte de torear es a manera de un razonamiento escueto: de un *Discurso*

---

[39] Bergamín, *Birlibirloque*, pág. 37.
[40] *Ibid.* pág. 32.

del método. El que no sepa geometría, que no entre en la plaza de toros [41].

Pero el fino observador y crítico Azorín ve algo más en esta obra, algo de mucha mayor trascendencia que un mero tratado sobre «el deporte taurino». Las tesis de Bergamín tienen una aplicación más universal. Si se aplica lo que dice sobre el tema de la tauromaquia a la materia literaria, tendremos todo un Tratado de estética, según Azorín.

> Y eso es lo que en el arte de torear y en la literatura propugna José Bergamín: la energía ligera. La energía ligera [cualidad de Joselito], en oposición a la pesadez, a la pedantería, a la presuntuosidad, a la hinchazón y la redundancia [cualidades negativas de Belmonte] [42].

En 1967, el poeta Luis Felipe Vivanco escribe un ensayo sobre «La generación poética del 27». Aunque no era poeta Bergamín, Vivanco le incluye y le dedica unas páginas de análisis. Nos ofrece la siguiente definición e interpretación de *El arte de birlibirloque*:

> Se trata de una poética o entendimiento del toreo, y, a través de éste, una afirmación del pensar poético figurativo. Frente a lo castizo y característico, Bergamín defiende la posición novecentista de la universalidad, y por eso nos dice al final de este libro que «el toreo no es español, es interplanetario»... Desde su tendido de aficionado, Bergamín pasa revista a toda la vida cultural española, y toma posición ante ella... Bergamín, para pensar, es decir, para existir de veras y comprometerse —y en esto se nota su doble procedencia pascaliana y nietzscheana—, necesita moverse entre los términos de una dis-

---

[41] Azorín, «José Bergamín» (1930), en *Crítica de los años cercanos*, páginas 137, 138.
[42] *Ibid.*, pág. 140.

yunción: en este libro. lo apolíneo (Joselito) y lo dionisíaco (Belmonte) [43].

Por último, veamos lo que dijo Antonio Espina, cuyas opiniones sobre *Los toros*, de Cossío, ya hemos visto. Tiene estas palabras un tanto alabadoras sobre el estilo «torero» que utiliza Bergamín en este libro (*Birlibirloque*):

> Con prosa acendrada y fina, siempre ceñida al pensamiento, Bergamín torea también, unas veces por paradojas, otras por lógico discurso, otras por aforismo a cuerpo limpio, a expensas de un ingenio luminoso y un estilo de ajedrez, los más importantes temas. Con frecuencia se desbordan éstos en el campo metafísico [44].

La llamada «suerte de don Tancredo» empezó a practicarse por los ruedos españoles por su inventor, don Tancredo López, durante los últimos dos meses del año 1899. (Para una descripción de cómo se practicaba, y para ver lo que Unamuno dijo sobre el «tancredismo» esencial de los españoles, véase capítulo III, pág. 80.) De igual manera que Unamuno vio en esta suerte algo más que una graciosa y ridícula ocurrencia del toreo cómico, algo simbólico y aplicable al ser español, José Bergamín lo interpreta como símbolo, pero de gran trascendencia e importancia para el entendimiento de lo español.

Su ensayo, «La estatua de don Tancredo», apareció en la revista *Cruz y Raya*, en marzo de 1934. Reproduce al principio el cartel anunciador de la segunda actuación de Tancredo López en la Plaza de Toros de Madrid, el primero de enero de 1901 (había actuado dos días antes en la misma plaza). El siglo ha empezado —dice Bergamín— para los

---

[43] Luis Felipe Vivanco, «La generación poética del 27», en *Historia general de las literaturas hispánicas*, t. VI, pág. 601.

[44] Espina, *Mil libros*, t. I, pág. 191.

franceses con la torre Eiffel y para los españoles con *Don Tancredo*. Aquella torre francesa no tiene nada que decirnos, mientras que don Tancredo, «nuestro hombre estatua o estatuido..., nos lo dice todo, como un filósofo», porque constituye nada menos que la «encarnación visible y trascendente de la totalidad de nuestro ser». *Don Tancredo*, aparentemente, es una representación o símbolo de una cualidad que está en la misma raíz, en lo más hondo de lo que es la realidad nacional española. ¿Y qué es esta cualidad? Es «la voluntad de no hacer nada hecha voluntad positiva de serlo...». Bergamín cree que el toreo (escoge a Pepe-Hillo como su representante primario y, por tanto, genérico) representa lo dionisíaco, y que *Don Tancredo* (y el tancredismo) representa lo apolíneo. Pero de mayor significación es que los dos juntos son complementarios y forman «esa profunda, entrañable unidad de estilo de nuestra España». Esta «unidad de estilo» es la conjunción entre estoicismo y cristianismo, o sea, la idea (o ideal) estoico-cristiana. En esta idea es donde se encuentra la esencia, la sustancia más honda de la realidad española [45].

El tancredismo estoico-cristiano, entonces, es el estilo, la unidad de estilo del ser español; es «la razón y el sentido natural y sobrenatural de nuestro ser, o de nuestra voluntad de ser: como de no ser». Para Bergamín, es la quintaesencia de España, de su ser. Lo explica también de esta manera: «Don Tancredo está por encima y por debajo de la historia de España; porque es el estilo de España; porque es España como voluntad y como representación de esa idealidad estoico-cristiana; de esa poesía, de ese estilo.» Por eso, por su gran importancia representativa, *Don Tancredo* «no es una

---

[45] Bergamín, «La estatua de don Tancredo», *op. cit.*, págs. 78-79, 89, 100, 102-03.

figura, una gran figura de la historia de España, porque fue
mucho más: fue una imagen viva de su estilo»[46].

De todo esto se nos antoja preguntar: ¿qué valor le concede Bergamín al tancredismo, aplicado a la sociedad española de entonces? Dice que existe una especie de tancredismo, una degeneración, un «tancredismo ratonero» o «amaneramiento subtancredista» que «llega a convertirse en un
estado patológico, tan contagioso, que trata de tancredizarlo
todo ínfimamente». Esto sí que es malo para España, porque
es el tancredismo que, «a través de todo el siglo veinte español aspira a un tancredismo de Estado; porque aspira al
Estado-Tancredo, que es como un semi o seudo Estado infra-
nacional, retóricamente escayolado y, en definitiva, muerto»[47].
Secunda esta opinión en «El mundo por montera» (cuya
fecha no sabemos, pero suponemos posterior a 1934), cuando
dice lo siguiente: «Justo con el siglo xx empieza la mojiganga
de Don Tancredo; el verdadero símbolo, a su vez, de esa
especie de parálisis general progresiva que invade poco a
poco casi toda la vida española hasta el presente»[48]. A pesar
de esto, termina «La estatua de don Tancredo» con un presagio positivo. Explica que, en aquella corrida del 1 de enero
de 1901, el toro *Zurdito*, de Miura, el que le tocó a Tancredo
López, derribó a éste al suelo; con esto sugiere que se derri-
bará también al tancredismo que está invadiendo e infec-
tando el Estado español.

---

[46] *Ibid.*, págs. 103, 104, 111.
[47] *Ibid.*, págs. 108-09.
[48] Bergamín, «El mundo por montera», pág. 121.

ERNESTO GIMÉNEZ CABALLERO: INTER-
PRETACIÓN DE LA CORRIDA Y SOLUCIÓN
AL PROBLEMA DE SU DECADENCIA

Este escritor, nacido en 1899, ha sido principalmente periodista; fundó, en 1927, *La Gaceta Literaria*. Ha escrito también muchos libros ensayísticos y de viajes. Su escrito más extendido sobre el tema de los toros es «Muerte y resurrección de los toros», publicado originalmente en septiembre de 1924, en el diario *El Sol*, luego incluido, con unas pocas notas añadidas, en el volumen *Los toros, las castañuelas y la Virgen* (1927).

Un tema secundario que toca en este ensayo es el de su interpretación de la corrida de toros, o sea, qué es su esencia. Citamos ya (capítulo I, nota 25) lo que dijo sobre el análisis de Menéndez y Pelayo acerca de la Fiesta; pues Giménez Caballero prolonga la idea de aquél, diciendo que la corrida es un drama, pero como a modo de un «Misterio» medieval. Subraya su carácter «vagamente religioso y litúrgico», pero en el que «el dios honrado no era precisamente el cristiano». Añade que no hay que olvidar «que esta gran pantomima... [es] un sacrificio sangriento. Y, desde este punto de vista, el torero no es otra cosa que el sacerdote victimario, que inmola a una divinidad sedienta, el animal sagrado»[49]. Interpretación ésta que hemos visto expresar a otros, Araquistáin y García Lorca entre ellos. Años más tarde, en 1935, repite esta interpretación, desarrollándola un poco más y terminando con una afirmación que revela una actitud

---

[49] Giménez Caballero, «Muerte y resurrección...», en *Los toros, las castañuelas...*, págs. 20-21.

más bien positiva hacia los toros. Lo expresa de esta manera:

> Pues, al fin y al cabo, la *Corrida de Toros* es, en su última esencia, un misterio religioso, el sacrificio de un Dios (totemizado en el toro) por un Sacerdote (figurado en el Matador) y ante una masa de fieles que palpita, grita, participa, enronquece, se embriaga de pasión, de sangre, de entusiasmo y de sol frenético, en catarsis dramática y feroz. La *Corrida de Toros* es el único espectáculo verdaderamente clásico, grandioso y auténtico que se conserva en el mundo [50].

Volvamos ahora a «Muerte y resurrección de los toros», para examinar su tema o «mensaje» principal, el cual nos es sugerido por su título mismo. Como dirán Pérez de Ayala, Marañón, Cossío y otros, años más tarde, Giménez Caballero nos informa (¡y en 1924!) del estado de plena decadencia en que se encuentran las corridas. Casi no quedan argumentos ya para sus defensores y los casticistas para intentar convencernos de que conservan fuerza aún. El boxeo y, sobre todo, el fútbol, han aumentado grandemente su popularidad. Pero éstos no son los peligros más grandes; las corridas «tienen otros bacilos más graves en su interior. Uno de ellos es el triunfo que obtuvieron charlotadas [el toreo cómico]. Otro de ellos, es la estructura orgánica actual de la fiesta» [51].

Luego de discutir esto durante más de diez páginas, el autor, ante toda esta evidencia innegable que señala la descomposición y decadencia de las corridas de toros, se pregunta si, con todo ello, no desaparecerán ellas por completo del suelo español. Entonces lamenta de esta manera la posible extinción de esta costumbre tan arraigadamente española:

---

[50] Giménez Caballero, *Arte y Estado* (Madrid, 1935), pág. 173.
[51] Giménez Caballero, «Muerte y resurrección...», págs. 11-19.

¿No sería una gran irrespetuosidad con la raza atentar contra el toro, intentar sacar de él ya no más que filetes o tiro de
carreta? No se puede saber hasta qué punto destruiríamos con
eso virtudes patrimoniales que... nos dio nuestra tierra [arrogancia, fiereza noble, etc.]... No, no podríamos renunciar a esa
divinidad genesíaca, el viejo símbolo indoeuropeo de la fuerza
erótica... [52].

Es evidente que nuestro autor no quiere ver desaparecer
las corridas de toros, por lo simbólicas y profundamente
españolas que son.

Reconoce Giménez Caballero que sería un problema difícil de resolver, a satisfacción del público, la escisión existente entre «la nueva sensibilidad del gusto por el deporte internacional —una sensibilidad limpia, pulcra— y la vieja
querencia —violenta, encendida y trágica— de la lucha con
el toro hispano». Este autor quiere que se encuentre la
solución, quiere que las corridas de toros no desaparezcan.
¿Y qué solución propone? Sencillamente, aprovechar la nueva popularidad del rejoneo (toreo a caballo), y fomentarla
por todos los medios posibles, hasta que llegue a suplantar
a las corridas de a pie. Cree que así se podría conservar la
esencia hispánica, cruenta y bravía, de este rito-espectáculo,
a la vez que se satisfarían las nuevas exigencias por un
espectáculo más deportivo, luminoso y menos «serio». Así
ve Giménez Caballero la solución que propone: «He aquí
cómo la divinidad antigua de la España bravía y brutal
podría fundirse con la nueva —deportista, pulcra y alegre.
Cuajando así una fiesta de carácter, nervio y tradición, pero
ya sin caireles y sin anquilosamientos repugnantes» [53].

Como último detalle interesante con que cerrar este apartado sobre Giménez Caballero, quisiéramos citar unas pala

[52] *Ibid.*, págs. 32-33.
[53] *Ibid.*, págs. 34, 39.

bras en que este autor, igual que hicieron Ortega y Eugenio Noel, lamenta el hecho de que, casi sin excepción, los intelectuales españoles han resistido siempre meterse en el estudio y análisis de esta primordial realidad española que es la corrida de toros. Helas aquí:

> ... se ha como desdeñado el meterse en explicaciones sobre este juego popular [las corridas de toros], por temor quizá a otras consideraciones que a las que deben mover las plumas y los ficheros del observador desinteresado. Tras la reacción violenta de los del 98 contra los toros, sólo algunos ensayistas, como Ayala y Araquistáin (Ortega nos prometió un «Paquiro» hace años), han hablado algo de ellos, sin sistematizar mucho, metiéndose en reflexiones, bien generales en extremo, bien accidentales [54].

Resumiendo, pues, hemos visto que los escritores de este grupo, la llamada «generación de la Dictadura», tienden más a la aprobación de la fiesta taurina que a su denuncia. En contraste con los novecentistas, estos autores parecen más subjetivos en sus opiniones, menos reflexivos y ordenados, más «poéticos» podemos decir. Esto no nos debe sorprender, porque Lorca y Alberti eran poetas y el estilo aforístico de Bergamín está a medio paso de la poesía; recordemos también que algunos otros poetas de esta generación (o de la «del 27», que es la misma, sólo que en poesía), singularmente Fernando Villalón y Gerardo Diego, han utilizado (con actitud positiva hacia él) el tema de los toros como uno de los temas frecuentes de su obra poética.

Antonio Espina resulta ser el único ensayista de algún renombre dentro de este grupo cronológico que se expresa decididamente en contra de los toros. Federico García Lorca, partidario del estilo de Belmonte, y José Bergamín,

---

[54] *Ibid.*, pág. 11.

admirador de Joselito, ambos gustan de las corridas, por su pasión estética y por su simbología o representatividad hispánica. Ernesto Giménez Caballero se muestra un poco más neutral, pero, en realidad, es aficionado también. Ve en la corrida un hondo drama religioso; además, quiere atajar la decadencia que se está operando en el espectáculo con una solución práctica: la implantación del rejoneo para sustituir al toreo de a pie.

CAPÍTULO VII

LOS PENSADORES DE HOY DÍA

Como hemos hecho hasta ahora al empezar todo capítulo que trate de un grupo (cronológico o espiritual) o «generación» de escritores, hay que comenzar por definirlo, por ponerle líneas divisorias (aunque sean arbitrarias). Cronológicamente, el presente grupo de ensayistas va desde Pedro Caba, nacido en 1903, hasta Enrique Tierno Galván, que vio la luz del día en 1918. Como se habrá notado, el período entre estas dos fechas de nacimiento —quince años— es más largo que el existente entre el más joven y el mayor de los escritores dentro de cada uno de los otros grupos que examinamos. Por su proximidad, en el tiempo, a nosotros, parece que no queda otro remedio que agruparlos todos, arbitrariamente, bajo el rótulo de «Pensadores de hoy día», aunque no forman, de ninguna manera, un verdadero «cuerpo generacional». Lo que sí une a todos ellos, por puro azar histórico, es que transcurre o su juventud, o su primera madurez, durante los años del acontecimiento capital de la España del siglo xx: la Guerra Civil (1936-39). Por ser hecho de tanta magnitud, que afectó (y afecta) a tantas esferas de la vida española, creo que será conveniente ver lo que han dicho dos críticos literarios sobre su influjo en los pensadores españoles de hoy día.

DOS PUNTOS DE VISTA DEL EFECTO DE LA GUERRA CIVIL: CARPINTERO CAPELL Y ARAQUISTÁIN

Helio Carpintero Capell, ensayista y crítico literario, escribe un capítulo, «Pensamiento español contemporáneo», para la historia literaria dirigida por Díaz-Plaja. Nos dice, en primer lugar y enfáticamente, que este conflicto sangriento es un hecho con el cual todo pensador español actual tiene forzosamente que contar. Lo dice de esta manera:

> ... es [la guerra civil española], sin duda alguna, por sí misma y por sus consecuencias, el acontecimiento que ha influido de modo más decisivo sobre nuestro mundo español... El pensamiento contemporáneo ha de verse en relación con tal acontecimiento. Quienes, en España, o fuera de ella, han meditado desde 1939, forzosamente han sido afectados en sus vidas, y en consecuencia también en su actividad intelectual, por la guerra española [1].

La Guerra Civil, por haber sido un hecho tan traumático y tan cruento (de los dos lados), y por tratarse de españoles contra españoles, no pudo menos que influir hondamente en todo intelectual español en cuya experiencia vital se incluye este acontecimiento. Pero ¿qué consecuencias específicas ha obrado este conflicto bélico en la vida intelectual española? Incluyen las siguientes: la dispersión de algunos intelectuales por otras partes del mundo, haciendo su residencia permanente en otras tierras; la intromisión de la política (por

---

[1] Helio Carpintero Capell, «El pensamiento español contemporáneo», en *Historia general...*, t. VI, pág. 632.

vía de la censura oficial) en la producción artístico-literaria;
como resultado de esta última, la resistencia parcial a «romper fronteras», a especular con nuevas formas y contenidos.
Todos los pensadores que veremos en este capítulo han tenido que contar con estas consecuencias insoslayables. Pero,
señala Carpintero Capell, queda además otra que, en su opinión, está por encima de todo: nada menos que «el problema
de España», o, en palabras de Laín, «España como problema». Carpintero lo define como

> el drama de la posibilidad o de la imposibilidad de la convi
> vencia entre españoles... Ante las dos posiciones antitéticas [la
> «liberal» y la «tradicionalista»], es preciso hallar una tercera
> en que se dé lo que el mismo Laín denomina «integración con
> vivencial»[2].

Sostiene Carpintero que el gran tema de los pensadores
españoles de hoy día es, precisamente, España, el «problema
de España», de su ser y de su futuro. Como hace el «grupo
católico» (Laín, Aranguren, Marías), aboga este autor por
aquella tercera posición, la de la convivencia, la tradición
de la moderación y la mesura. Esta línea, dice, es la de la
verdadera tradición liberal española, cuya esencia es, en definición de Gregorio Marañón, «primero, estar dispuesto a
entenderse con el que piensa de otro modo; y segundo, no
admitir jamás que el fin justifica los medios, sino que... son
los medios los que justifican el fin»[3].

Todo esto nos atañe a nosotros y a nuestro tema, porque,
al hacerse el ser de España «problema» intelectual, forzosamente han de hacerse problema también aquellos elementos
(costumbres, etc.) que le dan al país su particular fisonomía

---

[2] *Ibid.*, págs. 634, 638.
[3] Marañón, *Ensayos liberales* (Buenos Aires, Espasa-Calpe, 1946),
página 9, en Carpintero, *op. cit.*, pág. 639.

cultural y espiritual. La fiesta de los toros es, por supuesto, uno de estos elementos. Carpintero subraya que, en el país, coexisten una divergencia de actitudes (u opiniones) sobre cualquier tema o cuestión intelectual. (Precisamente, esta divergencia radical de actitudes sobre el tema de los toros es lo que forma el contenido del presente trabajo.) Añade luego lo siguiente, que también tiene aplicación al tema de los toros:

> Para el pensamiento tradicionalista y para el de tendencia marxista, en grados diversos según las ocasiones, la historia y, más profundamente aún, la realidad españolas, encierran una porción de error que ha de ser eliminado para conseguir así la solución al problema que es España. Para el pensamiento de tendencia liberal, entendida esa expresión no políticamente, sino en la acepción radical que antes expusimos [cf. cita de Marañón], se ha de aceptar la realidad como ella es, sin simplificaciones ni mutilaciones. Y como los extremismos de ambos signos existen efectivamente, el problema de España es vigente, sigue en pie [4].

Esta frase penúltima podría servir muy bien como definición general de la actitud predominante hacia los toros entre los pensadores de hoy día. No toman posiciones extremas, ni vehementemente a favor ni en contra. Su pensamiento es el de tendencia liberal, en el sentido marañoniano, y aceptan la realidad como es, «sin simplificaciones ni mutilaciones». Como hay tantos otros temas aparentemente mucho más importantes para ellos, casi sin excepción permanecen prácticamente indiferentes al tema de las corridas de toros.

Luis Araquistáin, que vivió fuera de España desde la Guerra Civil hasta su muerte (en 1959), era acendrado republi-

---

[4] Carpintero Capell, *op. cit.*, págs. 640-41.

cano, y es lógico que no mirara bien el clima intelectual de
la España bajo Franco. En sus opiniones sobre esto no toma,
de ninguna manera, aquel término medio, el de la moderación marañoniana, sino que menosprecia y rechaza como
insignificante toda contribución al pensamiento español durante la postguerra. Expresa de esta manera su condenación: «No tengo noticia de que bajo el régimen de Franco
se haya publicado nada que revele pensamiento original, y
se comprende que así ocurra: las tiranías no son terreno
abonado para los pensadores independientes.» Sólo concede
valor Araquistáin a unas pocas obras de historia filosófica
que se han editado durante este período. Y, llevando a cues-
tas su opinión radicalísima (motivada, quizá, más por consideraciones políticas y subjetivas que por otras estrictamente
intelectuales y objetivas), llega nuestro autor a la conclusión
de que, en el campo del pensamiento contemporáneo, acaso
el filósofo más profundo del país haya sido (y sea) el pueblo
español mismo. El pueblo mismo, porque posee una alegría
vital, un sentimiento radical de la libertad e igualdad, y una
serenidad ante la muerte[5].

Más adelante, Araquistáin expresa unos pareceres que
nos ponen directamente frente a aquel problema añejo y
capital de este grupo de pensadores de hoy día: el problema
del ser de España, de su auténtica esencia y de su verdadero destino. Opina este autor, al igual que Ortega en *España invertebrada* (1923), que el país, por razones históricas,
no ha podido nunca realizarse, ha encontrado obstáculos en
el camino que le impidieron llegar a la plenitud de su ser
como nación. Siempre ha habido conquistadores y tiranos,
fueran extranjeros o nativos, que han impedido la verdadera
fruición de España; llámese el conquistador Muza, o Car-

---

[5] Araquistáin, *Pensamiento español contemporáneo*, págs. 93-94, 96.

los V, o Felipe V, o Franco, es igual, dice Araquistáin. «El pueblo español, salvo brevísimos momentos de su historia, no ha sido nunca martillo, nunca señor de su destino, nunca soberano; siempre yunque, siempre súbdito, siempre colonia de extranjeros, aunque ellos se llamen ahora super-españoles y a nosotros nos llamen la anti-España. Sí, eso somos: la anti-España de ellos, los eternos conquistadores»[6]. Para Araquistáin, pues, parece que no puede haber verdadero pensamiento original y valioso en España mientras no haya completa libertad política y artístico-literaria en el país.

A pesar de los posibles efectos de la Guerra Civil en el clima intelectual de la España de hoy (sean o no tan exagerados como opina Araquistáin, lo cual no nos importa aquí), el hecho es que el tema taurino, por su misma naturaleza, creo que es mucho menos susceptible a presiones políticas o de censura de lo que pudieran ser muchos otros más «sensibles». Examinemos ahora, por orden cronológico según el año de nacimiento, las actitudes y lo que han dicho sobre los toros los siguientes pensadores: Pedro Caba, Álvaro Fernández Suárez, Pedro Laín Entralgo, José Luis Aranguren, José Ferrater Mora, Julián Marías y Enrique Tierno Galván.

EL VUELO ALGO POÉTICO DE PEDRO CABA SOBRE EL TOREO Y LO MÁGICO

Pedro Caba, nacido en 1903, es, cronológicamente, el primero de este grupo de ensayistas actuales. Su tendencia literaria es la que siguen pensadores como Laín, José Gaos, Ferrater, Aranguren y Marías, o sea, la de tipo más concretamente ideológico, plenamente dentro de la filosofía o a muy

---

[6] *Ibid.*, págs. 130-31.

poca distancia de ella. Aunque mucho menos conocido (y menos importante) que los otros mencionados pensadores, Caba ha escrito bastantes obras de tipo filosófico, antropológico y psico-sociológico. Algunos de estos títulos son los siguientes: *Sobre la vida y la muerte, Metafísica de los sexos humanos, Misterio en el hombre, ¿Qué es el hombre?* (1949), *Europa se acaba* (1951), *El hombre romántico* (1952), *Filosofía del libro* (1957)[7].

En cuanto al tema taurino, lo ha abordado en dos ocasiones. Para aquel número especial sobre los toros que publicó la revista *Índice* en 1958, escribió un corto artículo titulado «Teoría medio filosófica». Para la antología *Los toros en España*, que salió en 1969, escribió un ensayo de más extensión y envergadura, que lleva el título «Lo mágico en el toreo». En este último ensayo empieza por aclarar sus términos, aun antes de mencionar el tema de los toros. Sostiene Caba que la inteligencia del hombre (de todo hombre, no sólo el primitivo) la componen dos tipos de pensar: el pensar lógico-racional (el abstractivo y «científico») y el pensar mágico (el sentimiento, la fantasía, la intuición, la imaginación, etc.). Este pensar mágico, aclara, no es anti-racional, sino «extra-racional». Todo hombre, entonces, es un poco mago; es más: opina nuestro autor que el pensar mágico es nada menos que la raíz y trasfondo de todo pensar humano. Para él existe un radical fondo mágico en todo intento de análisis o de raciocinio lógico y científico. Enumera entonces algunas de las características del pensar mágico: que no busca causas en los hechos, sino autores; que «im-plica» y se «com-plica» más que «ex-plica». En el amor, la fe, la poesía, la pintura, etc., sólo *predomina* el pensar mágico, mientras

---

[7] Estos datos bio-bibliográficos están tomados de Bleiberg y Marías, *Diccionario...*, pág. 234, y de una página suplementaria antes del texto de *La filosofía del libro*, de Caba (Madrid, 1957).

que en el Derecho, la Filosofía, la Ciencia, etc., sólo *predomina* el pensar lógico. En otras palabras, el elemento «mágico», según Caba, está presente, en mayor o menor cantidad, en todo acto de la mente humana[8].

Dado que, de acuerdo con Caba, todo pensar es doble por naturaleza (lógico y mágico), se sigue también que toda pasión es doble y ambigua. Los «pasionales», entonces (los que lo son por temperamento, más los artistas y creadores), son «acalambrados por fuerzas mágicas y racionales en contradicción»; añade que éstos son siempre «intersexuales agudos». Por «intersexual», Caba entiende «todo ejemplar humano que se acentúa (en sus gustos, en su conducta social, en sus movimientos personales) de rasgos del otro sexo, sin llegar a la inversión». Según esta definición, el torero, en general, por ser español y artista, es de estilo intersexual, y, «por tanto, mágico de acento, tanto en su pensar como en su ser de hombre»[9].

La presencia de lo intersexual, declara Caba, se encuentra en casi todos los aspectos de la tauromaquia, empezando por el torero, e incluyendo hasta el público. El mismo torero, por su traje muy ceñido y muy ricamente adornado, y por sus movimientos y posturas estilizados, tiene, sin duda, cierto tinte femenino. Pero el torero también tiene que utilizar su inteligencia para analizar las condiciones del toro y darle la lidia adecuada. Caba explica de esta manera la «intersexualidad» del torero: «Si el torero, de una parte, es gracia y carisma y superstición, miedo y pánico [lo femenino, lo mágico], de otra es dominio, es técnica, es cálculo y es negocio [lo masculino, lo lógico-razonador]». El espectador espa-

---

[8] Pedro Caba, «Lo mágico en el toreo», en *Los toros en España*, tomo III, págs. 15-16.
[9] *Ibid.*, pág. 16.

ñol de toros es también intersexual: de un lado, puede entregarse totalmente hechizado y embriagado por un lance o una
faena; pero, del otro lado, es este mismo espectador el que
critica sarcástica, agresiva, hasta ferozmente, cuando des-
aprueba algo que hace el torero. Caba hasta da una interpretación «intersexual» a los «tercios», los varios terrenos
del ruedo, y aun a la forma circular del ruedo y de los tendidos. Según concluye, es toda la lidia, no sólo la persona del
torero, lo que está imbuido de esta dualidad sexual. Pero en
todo esto, entiéndase bien que «lo sexual» o «lo intersexual»
a que se hace referencia aquí no está tomado tan sólo en
su sentido anatómico o fisiológico, sino que se refiere también a la psicología, al pensamiento y al comportamiento
del varón y de la mujer; también éstos se manifiestan en
dos estilos (o «sexos») fundamentales [10].

Aunque todo hombre lleva dentro de sí alguna porción
de los dos lados (lo mágico-femenino y lo racional-masculi-
no), Caba cree que el español es, en general, un pueblo especialmente dotado de esta nota de intersexualidad. Por eso
al aficionado o al pensador español que reflexione sobre los
toros le pueden gustar los elementos mágicos y femeninos
del toreo (la belleza artística, la inspiración, lo espectacular,
el valor, etc.), a la vez que, racionalmente, disgusten o pro-
voquen censuras. El autor pone como mejor ejemplo de esto
a Pérez de Ayala (vimos ya en el capítulo IV la esencial ambivalencia de su actitud). Afirma que esto también ocurría
«tal vez» a Ortega. Añade luego: «Esto indica hasta qué profundidad cala la tauromaquia en el español, pues ese 'gusto'
y ese 'disgusto', así confundidos o alternados, son caracte-
rísticos de la intersexualidad, más o menos acusada en todo
hombre, pero mucho en el español en general» [11].

---

[10] *Ibid.*, págs. 18-19.
[11] *Ibid.*, pág. 21.

Siendo escritor y pensador interesado en la filosofía preferentemente, Pedro Caba no es un mero «aficionado» superficial, sino que se pregunta por el ser de la tauromaquia. ¿Qué es el toreo? Para él, es principalmente un rito o espectáculo simbólico: simboliza la eterna lucha entre las fuerzas negativas de la Naturaleza (representadas por el toro), que acechan e intentan someter y «cosificar» al hombre, y la combinación de gracia, arte e inteligencia del ser humano, el cual triunfa sobre lo natural que le amenaza. Hay elementos de agresión y de defensa, de caza, de trofeo, de lucha y de culto en el toreo; lo más sustantivo y trascendente de él, sin embargo, es precisamente la «lucha» o competencia de orden mágico: «... no de fuerza o destreza, sino de gracia y arte frente a fuerzas brutales de la Naturaleza simbolizadas en el toro» [12].

¿Hasta qué punto es «lucha» el toreo? Sin duda, no es una «lucha» en el sentido de dos fuerzas más o menos iguales que se enfrentan y combaten. Pero, mantiene Caba, cierto elemento de lucha sí hay. El mismo sufijo «-maquia» de «tauromaquia» o «diplomacia» («diplo-maquia»), indica, dice, lucha, aunque a veces no lo parezca ni en la tauromaquia ni en la diplomacia. El toreo es lucha porque, sencillamente, el torero viene a matar al toro, mientras que éste quiere eliminar al torero. El hombre, hoy día, no se enfrenta en lucha con el toro por necesidades alimenticias o de defensa, sino en lucha en que él toma la iniciativa antes de que el toro le ataque. «El toreo actual aún conserva rasgos y vestigios de lucha evidente, pero por iniciativa del torero, pues nada le obliga a entrar en una situación en que tenga que defenderse del toro» [13].

---

[12] *Ibid.*, pág. 27.
[13] Caba, «Teoría medio filosófica», *Indice*, julio-agosto-septiembre, 1958, pág. 20.

¿Cuáles son, según Caba, algunos de los otros elementos (además de la «lucha») que integran el toreo? Hay varios, puestos en una jerarquía de importancia: «... el toreo es inspiración, improvisación y rapto con dosis mínimas de cálculo, saber, técnica y negocio». Es decir, que el toreo, como muchas otras actividades humanas, es «intersexual», porque participa de elementos mágicos y no-lógicos (lo femenino), y también de elementos lógico-racionales (lo masculino); pero, en su opinión, aquéllos juegan un papel de mayor importancia que éstos (en cuanto al toreo). El toreo se diferencia del deporte en que éste puede contener gracia (con tal de que no se trate de un deporte de equipo), pero nunca puede llegar a ser arte, mientras que el toreo sí. Predomina en el toreo la gracia, más que el valor y la técnica. «Sin valor no hay toreo, pero con sólo valor, tampoco. Con sólo dominio y técnica y oficio, hay toreo, pero no arte... Pero con sólo garbo o gracia, no hay arte de toreo; precisa valor» [14].

El toreo, para Caba, no es, principalmente, ni deporte, ni juego, ni trabajo, sino, esencialmente y sobre todo, arte. Con sólo afirmar esto vemos que este autor se aparta de su anterior actitud de neutralidad analítica para acercarse claramente al lado de los de «a favor». Explica que, aunque una de las finalidades (secundarias) del toreo sea el lucro (como en el trabajo), y aunque exista cierto elemento de gozar del puro placer de la actividad físico-mental (como ocurre en el juego y en el deporte), la primera y principal finalidad del toreo se cifra en la obra hecha, que contiene de manera viva y expresiva la misma personalidad del autor-artista. El toreo, como todo verdadero arte, persigue la obra estética; no puede ser juego la tauromaquia porque cualquier arte que lo es de verdad nunca es juego. «Sólo hay arte donde

---

[14] Caba, «Lo mágico en el toreo», págs. 29-30.

hay expresividad y, por tanto, originalidad, modo de poner
una nueva criatura en el mundo, con sólo virtualidades espirituales en acción misteriosa de ímpetu creador. Por faltar
este ímpetu y esa originalidad, no es artista el artesano ni
la artesanía es arte. Mucho menos puede serlo la actividad
mecánica y sin interés.» El artista busca, casi exclusivamente,
la satisfacción personal de su expresividad y la externa aprobación, admiración y el «trofeo simbólico» que le conceden
las gentes [15].

El hecho de que, según afirma Caba, el toreo más auténtico y hondo es el en que predomina arte y gracia (más que
técnica y valor), nos explica por qué casi todos los toreros
de más fama e importancia han sido (y son) andaluces.
Nuestro autor afirma, algo arbitrariamente y de manera demasiadamente general en nuestra opinión, que la técnica, el
dominio y el valor es mucho más frecuente en los toreros
castellanos o norteños, mientras que la belleza artística y
estética, la gracia, la plasticidad y el ritmo armónico de los
movimientos, es atributo del torero andaluz. El autor explica
este fenómeno de la siguiente manera: Puesto que estos
atributos del torero andaluz se pueden clasificar como los
«mágicos» y predominantemente «femeninos», es lógico que
un individuo morador de Andalucía los poseyera, porque «es
Andalucía lo más intersexual y mágico de España [ya de por
sí marcadamente intersexual], aunque con diversos grados
y matices dentro de Andalucía» [16].

En cuanto a la persona del torero mismo, además de ser
en gran medida hombre «mágico», Caba lo califica también
como «hombre orgiástico». Se apresura a aclarar que, por
«orgiástico», no se entienda la palabra en su significado meramente sexual,

---

[15] *Ibid.*, pág. 25.
[16] *Ibid.*, pág. 28.

sino como manifestación de cualquier forma de llegar al orgasmo..., incluso en el sentido psicológico y espiritual. Hay orgasmo espiritual en el místico como hay orgasmo psicológico en
el drogado o en el embriagado, y hay orgasmo físico en el
placer sexual. Toda búsqueda y toda exaltación de las formas
de la vida y el pensamiento mágico... son manifestaciones del
hombre orgiástico (sea varón o mujer).

El torero, siendo hombre mágico y pasional, gusta de lo
orgiástico y halla su inspiración y su plenitud en el furor
dionisíaco. Por eso es supersticioso y se menciona tanto en
el ambiente del toreo la palabra «suerte», o sea, la fortuna
(«en el doble sentido de favor de fuerzas incógnitas, y de
riquezas mágicamente sobrevenidas»). Por último, y con aparente contradicción, Caba establece una distinción entre el
hombre «mágico» y el «orgiástico». Admite que lo orgiástico
se origina siempre en un fondo mágico, pero sólo el hombre
orgiástico *provoca* la suerte o «busca situaciones en que el
gozo exaltado le hace experimentar el 'toque' de la fortuna»,
mientras que el hombre mágico sólo *espera*, pasivamente, ser
elegido por la suerte [17].

Tocando, como hace, en tantos aspectos varios de la tauromaquia, era inevitable que Pedro Caba llegara a abordar
el tema de las raíces antropológico-sexuales de los toros en
la antigüedad histórica. Dice, de manera general, que en
toda Europa, pero especialmente en las culturas mediterrá-
neas, se admira y se exalta al toro debido a su masculinidad
fecunda. Pero, dentro de esta regla general, el pueblo español presenta características especiales. Los españoles, que
se singularizan por profesar una especie de «machismo racial», se apasionan ebriamente por el toro como ningún otro

---

[17] *Ibid.*, págs. 23-24.

pueblo, afirma el ensayista [18]. En su discusión de estos aspectos antropológico-sexuales, Caba cita y sigue muy de cerca las opiniones de Ángel Álvarez de Miranda (las cuales ya hemos visto en nuestro capítulo II). Por ejemplo, dice lo siguiente referente al culto al toro y su relación con lo femenino humano y el poder fecundante:

> Ello hace que el culto al toro sea oriundo de lo femenino humano en un oscuro impulso de fecundidad y maternidad... En el toreo de hoy se muestra así adquirir más potencia fecundante. Y a la vez, todo varón busca en el amor a mujer una vuelta o reinserción en la Naturaleza y un refrescamiento mágico de las raíces de su ser. Inspirado o inducido por la mujer, el varón primitivo cazaba toros buscando poderío transmitido o contagiado, para representarlo ante la mujer.

El toreo, entonces, empezó siendo caza (señala Caba, al margen, el hecho de que hoy día la gente de caza y monte suele ser muy aficionada a los toros, mientras, viceversa, el torero lo suele ser a la montería), pero caza que pronto llegó a tener un hondo sentido sexual. El cazador primitivo de toros quería triunfar sobre el toro para que, de esta manera e indirectamente, le llegase a él este poder fecundante transmitido por la sangre del toro, bestia símbolo por excelencia de lo macho y del poderío sexual masculino [19].

El apartado del tema general de los toros dedicado al público (o al aficionado) de toros, ya vimos que fue estudiado por Pérez de Ayala, Noel y Unamuno, entre otros. Pedro Caba aborda el asunto también. En marcado contraste con Noel, y en muestra de su aprobación de los toros, Caba opina que la afición al espectáculo, tanto por parte del torero como del espectador en los tendidos, no es vicio (que él

---

[18] Caba, «Teoría medio filosófica», pág. 21.
[19] Caba, «Lo mágico en el toreo», págs. 17-18.

define como pasión automatizada), sino pasión pura, «que se
entrega a sí misma hasta el entusiasmo, y éste es un sentirse circulado por lo divino, según Platón». La tauromaquia,
entonces, es pasión nacional (y no vicio nacional), porque
tanto el torero como el espectador gozan y también sufren
en ella; es espectáculo que se alimenta de sí mismo, que
halla su única lógica en sí mismo[20]. Eugenio Noel, como
recordará el lector, opinaba precisamente lo contrario: que
los toros eran el gran vicio nacional de España, origen de
todos los males del país.

Hablando específicamente del papel que desempeña el
aficionado a los toros, el autor establece una clara distinción
entre el aficionado a cierto deporte (como el boxeo, la lucha
libre y aun el fútbol) y el aficionado a toros. La misión
de los dos es completamente distinta, casi contraria. En realidad, manifiesta Caba, sólo en los toros se da el verdadero
aficionado; en los deportes, se trata del «hincha». Los dos
difieren de esta manera: «... el aficionado a toros, en vez
de estimular y excitar para que triunfe [como hace el «hincha»], hace crítica. El buen aficionado va a los toros a juzgar, a actuar como juez, e incluso juzga al presidente de la
corrida»[21]. Caba va aún más allá en su interpretación positiva de esta función de los aficionados a los toros. Es su
convicción de que precisamente este aprobar o desaprobar
con olés, aplausos, silbidos o imprecaciones sarcásticas, tanto lo que realiza el torero como las decisiones del presidente, es lo que le da *gracia* (colectiva) a este grupo multitudi-
nario del pueblo que se reúne en público espectador de toros.

------

[20] *Ibid.*, pág. 21.
[21] *Ibid.*, pág. 27. Es evidente que Caba, a diferencia de Pérez de
Ayala, no mira negativamente esta característica de juzgar del público
de toros. No entra en la cuestión de si este público *está capacitado*
para juzgar sobre lo que está viendo.

Como el público juzga a los toreros y al presidente, esto
significa que está, opina nuestro autor, por encima de los
otros a los cuales juzga; esto es nada menos que gracia, pero
gracia última[22]. Algo exageradamente poética y vaga nos parece esta tesis de Pedro Caba.

El hablar del público de toros conduce al ensayista por
el sendero trillado del popularismo español y del origen
popularista de los toros. Aprovechándose indirectamente de
ideas de Menéndez Pidal sobre «popularismo» y «tradicionalismo», Caba hace una distinción entre «popular» y «popularista»:

> Es popular un poema o una canción cuando, habiendo bro-
> tado de un autor, se difunde y extiende por el pueblo. Pero
> es popularista cuando el pueblo es la fuente y no el receptor, y
> es la fuente, aunque el poema o la canción se deban a un autor
> conocido, pero que se inspiró en aquellas fuentes u orígenes.

Incorporando la tesis de Álvarez de Miranda, mantiene
que la tauromaquia es popularista, o sea, impuesta y sostenida por el pueblo español, y no un resultado de la degeneración de la costumbre noble de lancear toros a caballo.
Casi toda la historia de España es popularista. En el toreo
de a pie, formado durante el siglo XVIII, hay una conjunción
de nobleza y pueblo, una imitación e influencia recíproca
entre los dos. Según nuestro autor, hoy día no es sólo el
aficionado del «vulgo» o de la «masa» el que siente profundamente los toros, sino también el intelectual u hombre «de
minorías», aunque no asista muy a menudo a las corridas.
Caba cree completamente apropiada la denominación «fiesta
nacional» que suele recibir la corrida de toros:

> La lidia de toros se ha constituido en la fiesta nacional por
> antonomasia, por ser la manifestación más popularista de todo

---

[22] *Ibid.*, pág. 30.

lo español... El español «castizo» de clase y casta es profundamente aficionado a los toros, aunque, como Ortega, no frecuente el espectáculo, pero lo siente en su propia genuinidad de español... [23].

Al terminar ahora nuestro estudio de Pedro Caba, nos es forzoso volver una vez más a la consideración de una cuestión que ha puesto cierre final a los apartados que dedicamos a varios otros ensayistas. En el año 1971, Cossío habló con un periodista sobre este asunto; en 1961-62, Pérez de Ayala trató el tema con otro periodista que le hacía entrevistas; también Marañón, en un «prólogo» escrito durante la década de los cuarenta, y en una carta a su hijo poco antes de morir (en 1960), mostró gran preocupación por la cuestión; hasta Giménez Caballero, ya en el año 1927, habló seriamente del asunto. Se trata de la preocupación de estos autores, y de Pedro Caba (y de Fernández Suárez, que veremos un poco más adelante), por el estado de degeneración y decadencia en que se encuentran el arte taurino y su primera materia, el toro de lidia.

El toreo empezó siendo popularista, brotado del pueblo mismo, pero con fuertes contenidos culturales y rituales; luego, apropiado y fomentado por los nobles, se hizo ejercicio caballeresco y cortesano; en el siglo XVIII, el toreo de a pie, en su forma actual, se estableció, con sus ejecutantes sacados del «pueblo»; durante los primeros años del presente siglo, el toreo se hizo arte de masas, arte para el torero y para el público, pero *arte* de todos modos. Lo que ha pasado desde los años treinta o cuarenta hasta hoy es que la tauromaquia está siendo *espectáculo* (y no arte) de masas, de gentes que quieren diversión pasional y orgiástica y que muy poco o nada saben de arte y de belleza estética. Torear

---

[23] *Ibid.*, págs. 31, 33.

es ya un oficio, nada más; casi una mera función pública. Ya no interesa mucho ni el toro ni el torero como arte, sino como espectáculo. La masa del público va a los toros no para saborear las etapas de la lidia, sino para complacerse en la animación y el espectáculo que constituye la masa misma. No es ya una fiesta solemne y de fondo trágico, porque los toros ya no son bestias, sino animalitos sin gran poder ni fiereza [24].

Así analiza Caba esta decadencia actual del arte taurino, empalmándola con su teoría de la «intersexualidad» y subrayando su deportividad y aire caricaturesco de «charlotada»:

> Con la llegada de las masas, el arte [del toreo] se está haciendo espectáculo multitudinario, con incremento de lo mágico y femenino, que acabará (y esto es gran paradoja) por extirpar lo que le queda de arte. Son menos toros los toros; sus cuernos han pasado por la manicura, como los toros mismos por una dietética de señoritos delicados, y los toreros cambian el arte por el oficio y el trabajo, más el negocio... La Fiesta tiene aire de deporte... y prevalece el [concepto] de equipo en la cuadrilla y el de mecanismo en la lidia. El torero, a fuerza de payasadas mecánicas [El Cordobés, por ejemplo], hace, sin saberlo, toreo bufo. Hasta los presidentes suelen obedecer mecánicamente a las peticiones —casi órdenes— de los matadores. Hay un Reglamento muy rígido que se aplica muy poco... Se administran mucho y bien los toreros y se administran poco y mal los aplausos y trofeos, porque manda la masa, y la masa humana no tiene razones para sus dictados [recuérdese lo que dijo Ortega sobre la «masa» y las «minorías selectas» en *España invertebrada* y en *La rebelión de las masas*]; tiene «gana», que es forma de la subvoluntad netamente femenina. El público de toros ordena y manda porque «le da la gana». Cada día tiene más estilo mágico [y femenino] la fiesta de toros [25].

---

24 *Ibid.*, págs. 26. 36-37.
25 *Ibid.*, págs. 36-37.

Así termina Pedro Caba su ensayo «Lo mágico en el toreo». Hace sonar el «toque de alarma», denuncia bastante, pero no ofrece ningún remedio práctico para el problema. El mero hecho de expresar tal preocupación por el futuro de la Fiesta, sin embargo, hace que incluyamos a Pedro Caba dentro del grupo de los ensayistas que se ocupan de analizar, más o menos objetivamente, el fenómeno de los toros, pero que, en el fondo, revelan una subjetiva disposición positiva hacia el tema.

ÁLVARO FERNÁNDEZ SUÁREZ: LOS TOROS
COMO UNA «FIJACIÓN» DEL PUEBLO ESPAÑOL

De este ensayista, aunque ya tiene sus sesenta y cinco años (nació en 1906), y aunque ha escrito más de media docena de libros ensayísticos, se sabe muy poco. Nos enteramos, por medio de una página que precede al texto de su libro *España, árbol vivo*, de que se ha dedicado casi exclusivamente al ensayo y al análisis literario, haciendo sólo una excursión por la novela y otra por el género del cuento. Dejando aparte estas dos últimas, sus obras publicadas hasta ahora son las siguientes: *Futuro del mundo occidental* (1934), *Sentido místico de la energía* (1935), *El retablo de maese Pedro* (1946), *Los mitos del «Quijote»* (1953), *El tiempo y el «haz»* (1955), *Los mundos enemigos* (1956), *España, árbol vivo* (1961) y *El camino y la vida* (1967). Tenemos noticia de que la publicación de su primer libro, *Futuro del mundo occidental,* le dio un renombre inmediato, por haber provocado la publicación de muchos artículos y comentarios polémicos dentro y también fuera de España. En uno de estos artículos, escrito por Ramiro de Maeztu y publicado en *A B C*, el autor noventayochista hace este juicio: «No estoy de acuerdo con muchas de sus tesis. Pero Fernández Suárez es, a mi juicio, uno de los españoles que mejor manejan las ideas generales desde el siglo xvi» [26].

En cuanto al tema de los toros, lo ha tratado dos veces. La primera, en que va más a fondo y se extiende más, es en unas diez páginas que forman parte de su libro *España, árbol vivo.* Más recientemente, en 1969, ha publicado un artículo corto sobre el tema en la revista *Índice.* En el libro mencionado, el autor intenta desentrañar o esclarecer el problema de España: el problema de su auténtico ser, de lo que ha sido y es. Igual que Eugenio d'Ors o Menéndez Pidal, hace su exposición sobre la base de una serie de «eones» nacionales o «constantes históricas»; este autor los denomina «fijaciones». Éstas son estructuras mentales del pueblo que persisten, que tienen duración y tienden a prevalecer socialmente. Son un fenómeno cultural heredado que aparece expresado de tres maneras: en creencias, rutinas y afectividades.

Una de estas «fijaciones» de que habla es el primitivismo español. No quiere decir con esto que los españoles son unos completos subdesarrollados y atrasados que viven en la Edad Media. Lo que quiere dar a entender es que en España, en comparación con otros países europeos, hay notablemente más pervivencia de formas, costumbres y actitudes de los tiempos pasados, especialmente del Medioevo. Estas instituciones primitivas que quedan vivas y actuales hoy día suelen aparecer modernizadas en su forma exterior, pero el elemento primitivo queda en su fondo. En realidad, lo primitivo se muestra no en la forma, sino en la emocionalidad con que se vive o se siente la costumbre o institución. Suce-

[26] Maeztu, «Nota preliminar», en *Los mitos del «Quijote»,* de Álvaro Fernández Suárez (Madrid, Aguilar, 1953), pág. 9.

de esto, por ejemplo, con el modo español de sentir el culto mariano, y también... con la fiesta de los toros. La fiesta taurina se dotó de normas y reglas hace relativamente poco tiempo (finales del siglo xviii), pero su origen profundo, como se sabe, es primitivo. Nuestro autor rechaza como inexacta la denominación «fiesta nacional» para el espectáculo taurino. Los toros no son, de ninguna manera, institución cuya popularidad (o aun el conocimiento de la cual) alcanza a todos los rincones de la geografía nacional. Pocas veces son estas instituciones primitivas nacionales (caracterizadoras de toda España). Lo que sí es «nacional» de estas instituciones es la manera peculiar de sentir o de vivirlas. En este sentido, la Fiesta es «nacional» en cuanto «sirve de molde o continente para que se manifieste un talante que sí es propio de toda España, el talante primitivo» [27].

Si la fiesta de los toros no es en realidad «fiesta nacional», en el sentido de que muchos españoles en varias partes de la geografía han visto muy pocas o ninguna corrida, y no tienen ningún interés en los toros; si, además, otros espectáculos, especialmente el fútbol, apasionan más y tienen muchos más sectarios, entonces, ¿qué significación e importancia tienen los toros como revelador de una partícula de «lo español»? Mucha más que el fútbol, sin duda. Fernández Suárez dice a este respecto:

> Pues bien: con todo, es indudable que los toros son más significativos, como expresión de un rasgo hispano, del alma hispana, que el balompié, en cuanto ponen de manifiesto peculiaridades emocionales y de estructura cultural de las gentes que viven en esta caracterizadísima Península [28].

---

[27] Álvaro Fernández Suárez, *España, árbol vivo* (Madrid, Aguilar, 1961), págs. 296-97.
[28] *Ibid.*, pág. 298.

La fiesta de los toros, entonces, expresa una parte básica y esencial del ser español, venga el individuo del Norte, del Centro o del Sur.

Como se sabe, el toreo de a pie adquiere su forma actual hacia finales del siglo XVIII y a principios del XIX. En aquellos años, debido a la grandísima influencia cultural y social de Francia, se operó en España una cierta reacción casticista (recuérdese el «motín de Esquilache», de 1766). La tauromaquia se revitaliza y cobra gran fama popular, sin duda debido en gran parte a esta respuesta instintiva que da el pueblo español a la imposición de formas culturales extranjeras. En resumen, vemos en este caso que la institución primitiva de la tauromaquia se dota ahora de una estructura nueva, pero no sólo de una estructura exterior, sino también de contenidos sustanciales más profundos, que tienen su origen en la historia antigua de la Península. Uno de estos valores de cultura, de remoto origen histórico, ha sido el llamado «senequismo» o estoicismo hispano, o sea «la victoria del espíritu y... la alta dignidad humana frente a las contingencias adversas y aun favorables o afortunadas». Se ha advertido muchas veces la evidente relación existente entre el toreo y el senequismo hispano. El toreo, entonces, es una respuesta del primitivismo hispano dada por la sociedad tradicional española de entonces. Fernández Suárez lo resume con estas palabras:

> El elemento primitivo emocional del toreo, injertado oscuramente en estructuras remotas y casi pasivas del alma, se levanta a expresiones estilizadas de nobleza cultural que afirman la dignidad de la persona por la elegancia... Tenemos, pues, en la institución del toreo un ejemplo bien definido de imbricación perfecta de formaciones culturales relativamente nuevas en la vieja cepa de la emocionalidad primitiva [29].

---

[29] *Ibid.*, págs. 299, 302-03.

Es indudable que la literatura española ha engendrado
una serie notable de personajes con tanta fuerza como individuos que han llegado a escapar de la página impresa para
constituirse en entidades libres, de tres dimensiones, fáciles
de confundir con verdaderos seres humanos. Algunos de
éstos han sido Don Quijote, Don Juan, La Celestina y San-
cho Panza. Los dos primeros ocupan un lugar de honor en
la literatura universal, al lado de un Fausto o de un Hamlet.
Además de la historia del país, estos personajes como Don
Quijote o Don Juan nos dicen mucho sobre las «fijaciones»
del pueblo español. En el caso específico de Don Juan, manifiesta Fernández Suárez que tiene un gran parecido con el
torero (y, prolongando más esta idea, los dos ponen claramente —y algo exageradamente— a la vista ciertas características típicas y fundamentales del ser español). El español
acepta la muerte y la confronta con calma y serenidad (como hizo Rodrigo Manrique cuando le vino la Muerte); el
español se esfuerza por mantener la «fachada» (recuérdese
el escudero del *Lazarillo*). Nuestro autor dice que

> Don Juan hace frente a la muerte con buen estilo, sin per-
> der la línea, sin descomponerse... Afronta los espantos del otro
> mundo con igual gracia que los de este otro mundo terrenal
> [es decir, los toreros]... Don Juan es torero sobrenatural... [30].

Una constante histórica del pueblo español que llega
hasta constituirse «fijación» es la necesidad de la afirmación
de la persona para el español; cada cual quiere hacer siempre lo que «le da la real gana»; mantener su honor ante la

---

[30] *Ibid.*, págs. 303, 305-07. Recuérdese que José Bergamín, en *Birlibirloque* (págs. 65-66), también habló de la semejanza entre Don Juan
y el torero: «Por eso daba [Don Juan] una estocada, por no dar una
explicación; como un torero. Y eso era: el torero, el hombre absoluto;
el torero de lo absoluto; lógico de la burla y de la birla...»

gente es de suma importancia. Pues bien, en el torero, como
en Don Juan, encontramos bien patente esta necesidad de
afirmar su persona. En los dos, esta afirmación llega a reves-
tirse de un tinte trágico: Don Juan y su «¡Tan largo me lo
fiáis!», le precipita a la condenación final, y el torero hace
su arte en medio de la amenaza constante de la cornada. Fernández Suárez sostiene que «esta tensión afirmativa de la
persona, común al torero y a Don Juan, parece un rasgo
bastante caracterizador del modo de entender la vida en
España, en toda España» [31].

Otra «fijación» nacional que se advierte como una constante de los personajes, sean recreados por la literatura
(como el Cid) u originalmente ficticios (como Don Juan o Don
Quijote), es la manía española de «poner a prueba el valor».
Esta característica no es más que un corolario de la anterior
mencionada «afirmación de la persona». Por supuesto, es
evidente que esta necesidad vital de «poner a prueba el
valor», aunque de manera un poco exagerada, es una de las
motivaciones de lo que hace el torero [32]. Tanto Don Juan
como el torero son españoles de cabo a rabo por sus orígenes como por sus motivaciones más profundas; no pudo ser
de otra manera.

También Álvaro Fernández Suárez, en su artículo reciente de 1969, se junta al ya creciente número de ensayistas
españoles que lamentan la decadencia y degeneración de la
Fiesta y que se preocupan por conservar y mantener su autenticidad. Pero, a diferencia de lo que dijeron a este respecto Cossío o Pérez de Ayala, por ejemplo, el presente autor
parece ser más objetivo y neutral en sus apreciaciones sobre
esta cuestión, abordando el tema en términos más abstrac-

---

[31] *Ibid.*, pág. 308.
[32] *Ibid.*, pág. 309.

tos y filosóficos. Hace hincapié en dos aspectos interdependientes: la autenticidad y la ética del toreo.

Sostiene Fernández Suárez que el espectáculo taurino tiene, de hecho, elementos plenamente inmorales: el derramamiento de sangre (del toro y acaso también del hombre) y la crueldad en la manera prolongada de darle muerte al animal. A pesar de esta inmoralidad, el toreo, por los otros elementos estéticos y psicológicos que contiene, es tolerable y aun es una profunda expresión artística, pero —y nótese bien— sólo si es _auténtico_. Autenticidad es, para él, la ausencia de todo fraude, falsedad o adulteración del poder, bravura o edad del toro de lidia o de cualquier otro aspecto básico de la tauromaquia.

> Adulterado y en fraude es [el toreo] un horror sangriento y abominable, una de las acciones más infames, una tremenda vileza, perpetrada en público, algo tan bajo, tan fríamente perverso que... hace abyecto y repugnante el sacrificio y con él la crueldad del juego.

El torero (o, mejor dicho, el matador) es el artista-sacerdote que opera una catarsis taurómaca, «salvando» por un momento al público observador de las fuerzas bajas de la Naturaleza que nos amenazan, y de las emociones degradantes, triunfando sobre ellas con su arte. Pero si se logra este triunfo por medio del fraude y de la falsedad, entonces los valores del juego se envilecen y no hay verdadero arte; en tal caso, tanto los toreros como el público deben sentirse avergonzados por esta inautenticidad [33].

Termina su artículo nuestro autor con una nota negativa y positiva a la vez. Es un juicio que va mucho más allá

---

[33] Fernández Suárez, «¿Es compatible el toreo con la sociedad industrial?», _Índice_, 15 de junio de 1969, pág. 25.

de los meros límites de la futura salud de la fiesta taurina;
se extiende hasta abarcar una concepción total de la sociedad española de entonces y también del futuro. Para él, el
espectáculo de los toros ha sido siempre expresión o símbolo
de la España desintegrada y socialmente heterogénea, incapaz de conocerse y de unirse social y psicológicamente para
un proyecto común. Esto, como se ve, es un juicio algo
pesimista (fijémonos en que *no culpa* a los toros por el
estado en que se encuentra el país). Pero termina el autor
sacando algo muy positivo de todo esto. Opina que esta presencia del fraude y de decadencia que se nota actualmente
en la Fiesta es síntoma precisamente de la cesación del proceso desintegrador de la sociedad española, y que ahora el
país empieza a cobrar sentido y conciencia de sí mismo.
Fernández Suárez espera que el acabamiento de la fiesta
taurina que él advierte signifique que haya terminado este
recorrido de desintegración que comenzó hacia fines del siglo XVII. Intuye que «va a terminar la España que ha vivido
el inefable tormento de no *saberse* a sí misma»[34].

Como resumen de las ideas de este autor sobre el tema
que nos ocupa, sirvan estas palabras suyas sobre qué es (y
qué significa) la fiesta de los toros dentro del marco de la
sociedad española:

> Es, claramente, la evocación de una actitud mental primi-
> tiva, irracional, y de un juego primitivo, oscuramente emocio-
> nal, la restauración de un modo de expresar el alma y un saber
> remoto, repescado del pozo del tiempo. en sustitución del vacío
> creado por la fe en los ideales del sistema español de los si-
> glos XVI y XVII[35].

---

[34] *Ibid.*, pág. 28.
[35] *Ibid.*, págs. 26-27.

LAÍN ENTRALGO: PENSADOR ANALÍTICO-
OBJETIVO SOBRE LOS TOROS, QUE SERÍA
CAPAZ DE ESCRIBIR EL LIBRO SOBRE EL
TEMA QUE NO LLEGÓ A ESCRIBIR ORTEGA

Pedro Laín Entralgo, que se clasificó a sí mismo (en *España como problema*, pág. 667) como miembro del grupo de los «nietos del 98 *(juniores)*», médico eminente y escritor filosófico, nació en 1908. Su asombrosa capacidad de penetrar e iluminar los recovecos de los más variados temas intelectuales, sin duda se debe, en parte, a su formación en la cuna del orteguismo: la Facultad de Filosofía y Letras de la Universidad de Madrid, allá por los últimos años de la década de los veinte. Sólo en dos o tres lugares de su obra publicada con anterioridad a 1969 vemos la mención, muy de paso, de los toros. En otros de sus escritos, pero sin mencionar el tema taurino, expone ideas y saca conclusiones que, a nuestro parecer, son fácilmente (y justamente) aplicables a los toros. Y, finalmente, en 1969 fue incluido un corto artículo suyo, su único específica y exclusivamente dedicado a la tauromaquia, como parte de la antología *Los toros en España*. Es de suma importancia este escrito por su densidad, su claridad y, sobre todo, por su penetración analítica, de tan alta calidad que nos induce a creer que sería este autor el indicado para escribir el definitivo libro filosófico sobre los toros, el que Ortega nunca realizó.

Hablemos primero de Laín y el «problema de España», lo que él dijo sobre el auténtico ser y la espiritualidad del pueblo español, lo cual a veces podemos aplicar al tema de los toros. La cuestión de las «peculiaridades o características nacionales» de los pueblos ha sido discutida por varios ensayistas (D'Ors, Menéndez Pidal, Fernández Suárez, Ortega, etcétera). Algunos afirman que cada pueblo tiene una serie bien definida de «características nacionales», mientras que otros niegan por completo la existencia de cosa parecida. Laín adopta una posición que cae entre los dos extremos. Reconoce la realidad de las distintas «peculiaridades nacionales», pero sostiene que no son sustantivas e innatas, sino accidentales y productos de costumbres habituales. Y hace luego estas conclusiones:

> Quiere esto decir que todo o casi todo lo que constituye una peculiaridad nacional ha sido históricamente adquirido y puede ser históricamente perdido por el pueblo que la ostenta. Y, por otra parte, *que los diversos hábitos integrantes de cada peculiaridad nacional pueden ser observados, en principio, en la vida de otro pueblo cualquiera*... La diferencia específica de un pueblo se refiere al estilo total de su vida y su historia, no a la índole de los elementos que la componen [36].

Laín hace destacar que la preocupación por España, y por definirla, ha sido nota común de la obra intelectual de muchos de los mejores pensadores españoles, por lo menos desde 1875 hasta entonces (1952). Menciona, entre otros, los nombres de Menéndez Pelayo, Unamuno, Ganivet, Ortega, Menéndez Pidal y Américo Castro. Todos ellos, y otros más,

---

[36] Pedro Laín Entralgo, «La espiritualidad del pueblo español», en *Palabras menores* (Barcelona, Barna, 1952), pág. 99. El subrayado es mío. Fijándose en las palabras subrayadas, notamos que Cossío afirmó algo muy parecido, refiriéndose específicamente a la costumbre tauromáquica: «... lo más profundo de esta afición y esta aptitud taurinas es perfectamente relacionable con características de otros pueblos que en sus deportes, espectáculos y aficiones descubren el mismo fondo de preferencias por la lucha, la competición, la emoción ante el riesgo voluntariamente provocado y hasta un fondo sádico de crueldad y de paradójica ansia y repulsa por la sangre derramada...» (*Los toros*, t. IV, pág. 766).

han hecho «ese doloroso e incesante esfuerzo por alcanzar una definición suficiente del ser histórico de España, o, cuando menos, una interpretación certera y profunda acerca de él» [37]. Por supuesto, no hace falta recalcar el hecho evidente de que el mismo Laín se incluye entre los pensadores que se preocupan por España y por definir o interpretar su esencia histórica.

Habla el autor de la definición del ser histórico del país, también en el ensayo de 1950 titulado «Sobre el ser de España», escrito a raíz de la publicación de *España en su historia*, de Américo Castro. Dice que Castro aspira a una definición descriptiva del «ser histórico de España», pero sacando esta esencia casi exclusivamente de la peculiar expresión literaria del pueblo español. Se acierta, opina Laín, en que es una valiosa fuente de información sobre el modo de vivir del hombre y del pueblo, «pero esa vía no es la única». Manifiesta que si ha de hacerse una *completa* definición del verdadero ser del pueblo, esta previa interpretación y estudio de textos literarios

> debe referirse a todas las acciones y obras en que su existencia histórica se expresa: hazañas, instituciones políticas y sociales, costumbres en la vida individual y en la convivencia, formas de religiosidad, pensamiento filosófico y teológico, artes plásticas, arte bélico, etc. [38].

Seguramente, como una de estas «instituciones sociales», o acaso como una de las «costumbres en la convivencia», o como un arte, o como las tres clasificaciones juntas, debe incluirse la fiesta de los toros, aunque Laín no la menciona específicamente.

---

[37] *Ibid.*, pág. 101.
[38] Laín, «Sobre el ser de España», en *España como problema*, páginas 705-06.

Otro caso en que este pensador expone unas ideas sobre la esencia del pueblo español, sin mencionar a los toros, pero hablando de un elemento que fácilmente se aplica a la fiesta taurina, es en «La espiritualidad del pueblo español». Opina que esta espiritualidad no podrá entenderse sin considerar cuatro grandes modos de expresión. El tercero de estos modos es «la habitual presencia de la muerte —presencia intencional, ya se entiende— en los actos vitales del español». ¿Dónde mejor se puede observar esta presencia de la muerte —de modo estilizado, ritualizado y algo exagerado— que en la corrida de toros? Estos cuatro «modos de expresarse» son las cuatro principales líneas de expresión de lo que Laín entiende por «autenticidad de la existencia». El tema de la muerte, indudablemente, siempre ha estado presente en todos los modos de expresión de la vida española, como ya vimos declarar a Pedro Salinas (cf. nota 8 del capítulo VI) [39].

¿Cómo es, en fin, la concepción que tiene Laín Entralgo de la España auténtica (y también de cómo debe mejorarse el país en el futuro)? Al intentar contestar esta pregunta, en su libro *España como problema* encontramos tres ocasiones en que menciona a los toros (o, más específicamente, a determinados toreros). En el mismo «Prólogo» el autor nos expone sus deseos de acción práctica para el mejoramiento y la verdadera convivencia ideológica, religiosa, etc., dentro de la nación. Lo expresa en estos términos:

> Basta ya, sin embargo, de programas y recetas. Al deporte, tan español, de decir lo que debe hacerse, preferimos la empresa personal de hacer algo tan adecuado al contenido de nuestra admonición. Tratemos de ser virtuosos antes que moralistas, y antes filósofos que filosofistas, y mejor operarios que arbitristas, y arquitectos de nosotros mismos mejor que dómines del prójimo. Por mi parte, no quiero otro camino. Sé muy

---

[39] Laín, «La espiritualidad...», págs. 102-03, 109.

bien que en la España a que yo aspiro pueden y deben convivir
amistosamente Cajal y *Juan Belmonte,* la herencia de San Ignacio y la estimación de Unamuno, el pensamiento de Santo To-
más y el de Ortega, la teología del padre Arintero y la poesía
de Antonio Machado... [40].

En esta misma obra, Laín sienta una serie de afirmaciones sobre el auténtico ser español. No limita la autenticidad
española a aquellas acciones o hábitos que tuvieron su origen en España, sino que la extiende para incluir también
aquellos hábitos valiosos que vienen de fuera. Dice, entonces,
que «un español 'auténtico' puede proponerse emular a
Hernán Cortés y a *Lagartijo,* mas también a Harvey, Newt-
ton [*sic*] o Hegel». Puede haber una «estructura funcional
de la vida» para el español, pero esto no excluye la entrada
de elementos que son culturalmente diversos. El valor de la
«españolidad» de un español debe medirse tanto por la cualidad y el nivel generales de su vida de hombre como por la
intensificación de su peculiaridad española.

> Para España y para la Humanidad valieron más Paquiro
> y Cúchares [Francisco Montes y Francisco Arjona, respectiva-
> mente, dos toreros famosos que vivieron durante la primera
> mitad del siglo xix], productos específicos de la vida española,
> que cualquiera de los petimetres afrancesados del Madrid de
> 1800; pero igualmente cierto es que Cajal y Menéndez Pidal,
> productos «occidentales» de nuestro pueblo, valen para la Hu-
> manidad y España bastante más que sus coetáneos [los tore-
> ros] *Frascuelo* y *Guerrita,* y no menos que Unamuno y Falla... [41].

Notamos que en todas estas menciones de toreros conocidos, Laín adopta una actitud completamente neutral y

---

[40] Laín. «Prólogo», en *España como problema,* pág. xix. El sub-
brayado es mío.
[41] Laín, «Sobre el ser de España», págs. 713-15.

objetiva en cuanto a la licitud de las corridas de toros. Mira la realidad y se limita a dejar constancia de ella. No desprecia el valor relativo que ciertas figuras del toreo han tenido para el pueblo español, pero tampoco exagera el valor de otros toreros, en comparación con ciertos científicos, escritores y compositores españoles. En ningún lugar juzga de manera absoluta ni a favor ni en contra de la fiesta taurina.

Laín Entralgo, en 1960, publicó otro ensayo, en el cual no trata el tema taurino (sólo lo menciona, de paso, una vez), sino que aborda una cuestión y expone unas ideas que posiblemente tengan aplicación a la tauromaquia. Se trata del largo ensayo titulado «El ocio y la fiesta en el pensamiento actual» (por cierto, al decir «fiesta» no se refiere a la fiesta de los toros). Recordará el lector que Ortega desarrolló un tema parecido en «El origen deportivo del Estado» (1924). También se recordará que en 1942, en «Sobre la caza», este mismo pensador dijo lo siguiente sobre la importancia de «la diversión» dentro de la condición humana: «... sólo quería de pasada hacer constar que el problema de la diversión nos lleva más directamente al fondo de la condición humana que esos otros grandes temas melodramáticos con que nos abruman en sus discursos políticos los demagogos» (pág. 5 de la edición de 1960).

Laín, en su ensayo, concede parecida importancia al «ocio», que él define como «la actividad no trabajosa ni utilitaria en que el alma humana logra su más alta y específica nobleza [ejercitándose el ser humano en la contemplación intelectual de la belleza, el bien y la verdad]». En cuanto a su importancia, declara que el ocio es, nada menos, «uno de los fundamentos más profundos y venerables de la cultura occidental». Después de desarrollar el tema durante unas páginas, el autor llega a la conclusión de que el ocio adquiere su total sentido y fuerza en la fiesta. Y de esto, como no puede haber fiesta sin dioses, se sigue que, en lo más hondo y esencial, la raíz del ocio está en el culto. Pero ahora pregunta Laín, intentando definir sus términos:

> ¿Qué es, en rigor, una fiesta? ¿Podemos llamar «fiesta» en sentido estricto a la gritadora o silenciosa asistencia a un partido de fútbol, a *una corrida de toros* o a uno de los locales que suelen llamar «salas de fiestas»? ¿Es «fiesta» auténtica el mero descanso del trabajo cotidiano?

He aquí su única mención de los toros en este ensayo suyo. Lo que frustra un poco es que no contesta, ni indirectamente, su interrogación sobre si la corrida es «fiesta» de verdad. Habla luego de las características de la «solemnidad», que difiere marcadamente de la «fiesta» [42]. Tampoco aquí nos es posible llegar a una conclusión definitiva sobre la corrida de toros, porque nos parece que ella participa de algunos elementos que Laín adscribe a la fiesta y de otros que atribuye a la solemnidad.

La conclusión básica a que llega este autor es que la humanidad participante en y gozosa de la fiesta tiene, indudablemente, una superioridad sobre la forzosa acción humana de tener que trabajar para poder sobrevivir. La humanidad gozosa de la fiesta es, en sus palabras, «más íntegramente humana». O sea, que para él —y en esto coincide con el Ortega de «El origen deportivo del Estado»— la esencia radical de la vida humana es precisamente la vida festival, el talante festival. Veamos lo que Laín considera que constituye la *esencia de la vida festival*:

---

[42] Laín, «El ocio y la fiesta en el pensamiento actual», en *Ocio y trabajo* (Madrid, Revista de Occidente, 1960), págs. 16, 24-26. El subrayado es mío.

... un estado de ánimo, un modo peculiar de la temporeidad de la existencia y una singular vivencia del espacio. Todo lo cual permite inferir en el fondo mismo de la existencia festival, a manera de radical supuesto metafísico, una determinada estructura de la realidad que solemos llamar «vida humana».

Está de acuerdo en esto con Ortega cuando éste proclama la consigna de filosofar jovial y deportivamente. La existencia humana, en resumen, no es sólo angustia, obstáculos, dramatismo y finitud, sino también alegría, confianza, plenitud, felicidad y aspiración a lo infinito. «Este 'vivir' posterior al quehacer y *superior* al trabajo es el vivir del ocio y de la fiesta...» [43].

¿Incluiría Laín la costumbre tan española de torear y de ver torear reses bravas, en su concepto general de «vida festival»? No lo podemos saber de seguro, pero nos parece muy probable que sí. Todo lo que hemos expuesto de este ensayo suyo creemos no sería una violación de las intenciones del autor aplicarlo a la fiesta de los toros. Donde no hay duda ninguna sobre sus ideas acerca de los toros es en su magnífico ensayo «Esencia del toreo».

Este corto ensayo (de cinco páginas), que fue escrito para su inclusión en la antología taurina *Los toros en España* (publicada en 1969), es, en nuestra opinión, el escrito más penetrante, mejor organizado y más intelectualmente «serio» sobre el tema taurino que haya escrito autor alguno de este grupo que tratamos en el presente capítulo. Veamos ahora qué ideas expone, y también si el autor expresa o sugiere alguna actitud personal hacia los toros.

Empieza el autor por definir claramente la palabra «esencia» de su título: esencia es lo permanente e invariable de una cosa. Se dispone a averiguar —declara— si en toda la

---

Ibid., págs. 29, 37, 41-42. El subrayado es mío.

historia del arte de torear, desde el rejoneo de los nobles
hasta el «tremendismo» de hoy día, hay elementos que permanecen idénticos a sí mismos; y, si el resultado de esta
indagación es positivo, precisar qué es lo que les da tal iden-
tidad de permanencia. Procede luego a delimitar los contor-
nos del objeto de su estudio. Cuando se habla del «toreo»,
¿quiere esto decir tan sólo el matador que con su capote o
muleta provoca y burla artísticamente la embestida del toro?
Laín opina que no. Declara que, para poder entender de
veras lo que es el toreo y el torero, hay que conocer el complejo mundo en torno al hombre y al animal; hay que conocer su «circunstancia», para usar el famoso término orteguiano. Así lo expresa:

> No, no podré saber de veras lo que el torero está haciendo
> en el centro de la plaza, sin tener muy en cuenta cómo el mun-
> do en que él ahora existe —el público expectante y rumoroso,
> el silencioso y bien ordenado quirófano..., la compleja red de
> intereses económicos en torno al ruedo— pertenece a la reali-
> dad del lance de capa, y en alguna medida la determina.

Reconoce, entonces, la presencia y la importancia de este
complejo «mundillo» circundante. Dadas las limitaciones de
este escrito, sin embargo, él no podrá considerarlo ahora;
se limitará, pues, a la concentrada «esencia» del acto de torear, lo que motivaría al verdadero torero a torear en el
campo un becerro, solo, sin obligaciones ni presiones económicas ni artísticas. He aquí, escuetamente, la tarea que se
propone Laín: «Ir desprendiendo del toreo, sabiendo muy
bien que así nos llevamos una parte de su ser, esa compleja
serie de realidades entre constitutivas y circundantes, y contemplar luego con mirada atenta al núcleo esencial que
haya quedado dentro de ella» [44].

---

[44] Laín, «Esencia del toreo», en *Los toros en España*, t. III, páginas 71-72.

Antes de poder llegar a la esencia del toreo, hay que determinar (para luego rechazar) lo que no es «esencia», lo que es pura «corteza». El pensador opina que la corteza del toreo actual, o sea, «aquello que constituye su contorno más inmediato y una parte de su cuerpo», se compone de tres elementos básicos: negocio (es una actividad que concede beneficios económicos y prestigio social), espectáculo (da ocasión al lucimiento artístico del protagonista) y rito (es una costumbre festiva de antiguas raíces de tradición ritual). Pero aquel torero auténtico que mencionamos en el párrafo anterior, el que se encuentra solo, en el campo, lidiando un becerro, ¿qué es en aquel momento el toreo para él? Sin duda, no es ni negocio, ni espectáculo, ni rito, como lo es cuando está en el ruedo. Estos tres elementos son nada más que el manto que esconde de nuestra vista la desnuda esencia del toreo. Su esencia es lo que queda sin ellos [45].

Llegando a lo principal de su ensayo, Laín afirma que son cuatro los elementos que constituyen la esencia del toreo, y que están presentes (en proporciones variables) en cada pase o lance: juego, desafío, poder y drama. Para ilustrar su tesis, escoge cuatro momentos o lances del toreo que mejor ilustran cada uno de estos elementos. El ingrediente de *juego* se muestra, sobre todo, en el lance de la verónica. «Jugar es, entre otras cosas, mostrar superioridad sobre el mundo mediante la hábil y suelta ejecución de actividades no vitalmente necesarias...» El toreo también es *desafío*. «Desafiar es enfrentarse deliberadamente con una realidad peligrosa siendo uno más o menos vulnerable al peligro que en ella hay, pero con la intención de salir indemne del encuentro con ella.» La suerte que mejor ejemplifica esta cualidad es la de banderillas, porque allí el torero no lleva engaño nin-

---

[45] *Ibid.*, págs. 72-73.

guno, salvo su propio cuerpo. Hablando del elemento de
dominio del hombre sobre la bestia —el *poder*—, opina que
donde es más ostensible esta cualidad es en el bien ejecutado pase natural, que pone de relieve el gran poder de inteligencia del hombre que triunfa sobre el también formidable
poder (pero de fuerza bruta) del toro. El *drama* que exige el
verdadero toreo es la tensión de un drama potencial: el de
la cogida. Cuando el matador más se expone a la posible
cornada es durante la estocada (ejecutada correctamente).
Hay una doble razón por el máximo dramatismo de este
momento: con la estocada va a morir el toro (toda muerte
violenta es dramática), y también puede morir (o ser grave-
mente herido) el torero. Resumiendo sus ideas sobre qué
es la esencia del toreo, dice Laín Entralgo lo siguiente:

> En su esencia, el toreo es un encuentro entre el hombre y
> el toro bajo forma de lidia, en el cual hay desafío, juego, osten-
> tación del poderío humano y muerte real (la del toro) o muer-
> te posible (la del torero); por tanto, drama. Esto es en el toreo
> lo esencial y perdurable desde que en el siglo XVII comenzó a
> ser lo que hoy es, y aun desde antes [46].

Sólo nos quedan ahora dos puntos de menor interés en
este ensayo de Laín. Después de exponer todas las ideas arriba vistas sobre el núcleo auténtico del toreo, el autor se plantea la cuestión de en qué medida se evidencia en la corrida
actual la esencia del toreo. Se exime luego abruptamente de
la responsabilidad de examinar este asunto, alegando falta
de autoridad práctica en la materia:

> ¿Hasta qué punto lo que el toreo tiene de negocioso espec-
> táculo deja hoy existir en su figura y en su seno las cuatro
> notas esenciales que sumariamente acabo de describir? No pue-

---

[46] *Ibid.*, págs. 73-75.

do responder, porque ya hace años que no veo una corrida de toros [47].

Indiferencia personal hacia el espectáculo taurino: nota común, como se verá, a todos los pensadores más destacados de este grupo de los «secuaces de Ortega» (Marías, Aranguren, Ferrater, etc.).

Este autor también dice unas pocas palabras sobre los aspectos trágicos y cultuales de la corrida, que culminan en la estocada. Ve la muerte del toro como una especie de desenlace de una tragedia, la inmolación de un animal poderoso que a la vez ha sido víctima y héroe. Declara que sólo por este hecho, haciendo caso omiso de la prehistoria tauromáquica, llena de elementos míticos y religiosos, «tendría un carácter cuasi-sacral la muerte del toro en la plaza», y es precisamente esta presencia real de la muerte lo que otorga su último sentido a la corrida de toros [48].

He aquí, entonces, lo más importante de este bien logrado ensayo de Laín Entralgo, «Esencia del toreo». Por su organización y estilo esmerados, y por las ideas sustanciales que expone aquí, no dudamos en opinar que, entre los pensadores españoles todavía en activo hoy día, Laín sería el indicado para emprender la tarea de escribir el *Paquiro* que Ortega nunca pudo. Por cierto, no hay duda de que intelectualmente sería capaz de realizarlo; ahora bien, otra consideración, sobre la cual no podemos opinar con autoridad, es si tendría la inclinación, el conocimiento técnico e histórico de la materia, y la disposición anímica favorable para ocuparse extensamente del tema. Su aserto de que hace años que no ve una corrida no augura positivamente sobre esto. En cuanto a su actitud general hacia los toros, sin em-

---

[47] *Ibid.*, pág. 75.
[48] *Ibid.*, págs. 74-75.

bargo, no es marcadamente ni «en contra» ni «a favor», sino que se mantiene siempre el objetivo observador y analizador de realidades.

JOSÉ LUIS ARANGUREN: NI «A FAVOR» NI «EN CONTRA», SINO INDIFERENTE

Cronológicamente un año más joven que Laín, Aranguren nació en 1909. Es un pensador profundo, católico creyente (como Laín y también Marías), y ha escrito libros y artículos filosóficos y de crítica literaria sobre Ortega, Unamuno, Jovellanos y otros. Se consagró como intelectual y escritor serio con la publicación, en 1945, del libro *La filosofía de Eugenio d'Ors*, obra clave sobre este autor. En cuanto al tema que nos interesa aquí, no ha publicado nada en absoluto. Dado este hecho, y considerando su importancia como pensador actual, me comuniqué directamente con él, y tuve la buena fortuna de recibir una carta suya en la cual contesta cuidadosamente una serie de preguntas sobre los toros que yo le había hecho. Por lo tanto, todas las ideas y opiniones suyas que siguen son las provenientes de su carta, fechada en Madrid, el 25 de octubre de 1971.

La actitud general hacia los toros expresada por él no deja lugar a dudas. Siente la misma indiferencia que Ferrater, Marías y Laín (aunque éste, por el mero hecho de haber tratado el tema en un corto ensayo, ya no puede ser considerado tan indiferente como los otros). Aranguren lo expresa muy claramente: «Las corridas de toros no me interesan y, por lo mismo, no estoy, desde luego, 'a favor', pero tampoco beligerantemente 'en contra'...» Como corolario de esta actitud, hace constar que hace muchos años que no asiste a una corrida; sólo cuando era muy joven iba a los toros «algunas veces».

A pesar de esta actitud personal, ¿qué opinión tiene Aranguren sobre los aspectos morales, estéticos y sociales de las corridas? Como hacen los pensadores novecentistas, especialmente Pérez de Ayala, reconoce que el espectáculo posee unos valores estéticos innegables. Pero en cuanto a la cuestión moral y social, le parecen las corridas «muy discutibles». Está de acuerdo con Ortega en su declaración de que la Fiesta ha tenido una gran importancia en España durante los últimos dos siglos y medio. Pero, en contraste con Ortega, le atribuye al espectáculo taurino una importancia más bien negativa: «... fomento de la majeza y flamenquería, del mal españolismo, de espíritu de alienada competencia (Lagartijo-Frascuelo, Joselito-Belmonte, etc.).» Añade que esta importancia (negativa) va disminuyendo actualmente debido a que la corrida «se ofrece cada vez más al 'consumo' de los extranjeros». Los españoles pierden interés, no tienen bastante dinero y pasan a otros espectáculos, especialmente al fútbol.

A la pregunta de que si cree que el espectáculo de las corridas de toros revela ciertas características básicas del ser español, nos informa de que no cree que existan unas «características básicas del ser español». Dice a este respecto que «el hombre español se ha hecho y sigue haciéndose en sociedad y a través de la historia». En otras palabras, sostiene aquí el concepto orteguiano de «circunstancia» y de «razón histórica»: el hombre no tiene naturaleza, sino historia; no puede haber, por tanto, características nacionales permanentes de un pueblo. A continuación agrega el autor:

> Los toros como espectáculo nacen en el siglo XVIII, en un momento de gusto «plebeyo» de la aristocracia española. Goya es especialmente revelador a este respecto. Desde entonces cons-

tituyen uno de los ingredientes indispensables del «casticismo», la «España de pandereta», lo andaluz como casi sinónimo de lo español, etc.

No podemos menos de concluir por estas últimas palabras que Aranguren aquí condena a los toros: el espectáculo encierra nada más que los elementos más superficialmente «castizos», lo más «típico» y estereotipado de España que tiene en la mente el turista extranjero que cree todo lo que dicen los carteles chillones de los promotores del turismo.

Sólo nos queda ahora examinar las razones que da Aranguren al hecho (que parece poco serio en un pensador de tanta importancia) de que Ortega prometiera varias veces, pero nunca llegó a escribir, su *Paquiro*, además de describirse como *el único* que de verdad sabía lo que era el torero y la historia de los toros. Esto es lo que piensa Aranguren sobre el asunto:

> Bueno, a Ortega le gustaba exagerar y no hay que tomar a la letra lo que parecen exabruptos. Por lo demás, pertenece a la generación de quienes quisieron hacer filosofía de la tauromaquia, le gustaban realmente los toros, y más aún, quizás, la relación, real o imaginada, con los toreros y las duquesas, la leyenda de Goya, etc.

Pura exageración y exabruptos estas jactancias de Ortega, según este pensador. Nótese también esta aserción: Ortega, Pérez de Ayala y los otros de su generación intentaban *hacer filosofía* del *tema tauromáquico*, tema que a los pensadores actuales les tiene indiferentes.

FERRATER MORA: INDIFERENCIA TAMBIÉN

Nacido en 1912, José Ferrater Mora se ha dedicado a escribir principalmente obras estrictamente filosóficas. Acaso su mayor contribución ha sido el *Diccionario de filosofía*, que ha pasado por varias ediciones. Sus estudios agudos sobre la filosofía de otros pensadores españoles (Unamuno, Ortega) también son de innegable valor. Pero lo que acredita a Ferrater como un original filósofo español de importancia es una serie de obras donde desarrolla esta filosofía suya, empezando por *La ironía, la muerte y la admiración* (1946), y pasando por *El sentido de la muerte* (1947), *El hombre en la encrucijada* (1952) y, sobre todo, *El ser y la muerte. Bosquejo de filosofía integracionista* (1962). En cuanto a nuestro tema, encontramos que este autor tampoco ha dedicado ningún escrito principalmente al tema taurino. (Hecho que ya de por sí indica cierta indiferencia hacia él). Sólo encontramos una mención de los toros: cuando habla de Ortega en la introducción a la traducción inglesa de *El tema de nuestro tiempo*. Examinémoslo, porque, aunque muy breve (menos de dos páginas), dice cosas dignas de nuestra atención sobre la relación Ortega-los toros, además de revelarnos su (la de Ferrater) opinión personal sobre la tauromaquia.

Empieza hablando del contraste paradójico entre la actitud de los que trabajaron por y contribuyeron a *El Sol* (periódico fundado y dirigido por Ortega) y la afición de Ortega. Dice Ferrater que aquéllos (y, por supuesto, Ortega también)

> ...were intent on turning Spain into a full-fledged member of the European cultural community. One of the consequences of the policy which they adopted was a sharp antipathy toward bull-fighting... Paradoxically enough, Ortega was an *aficionado*... He frankly loathed spinsters who showed more concern for the misery of the bulls than the agonies of the bull-fighters.

Esta paradoja es especialmente evidente si miramos a Ortega como «europeizante», y tomamos en cuenta que la denuncia de los toros, desde los tiempos de Jovellanos, había

sido una de las características fundamentales de los llamados «europeizantes». Parecería, entonces, que Ortega, el
«europeizante» por excelencia, era en este respecto mucho más «españolizante» o «africanizante» que Unamuno,
que en una ocasión declaró que tenía que «españolizarse»
Europa, y, como ya sabemos, despreciaba y denunciaba las
corridas y su mundillo [49].

Refiriéndose a las varias ocasiones en que Ortega defen-
dió con ahínco la importancia histórico-sociológica y el significado profundo de los toros (véase nuestro capítulo IV),
Ferrater confiesa lo siguiente: «I am unable to judge to
what extent Ortega was completely sincere, and still less
whether he was right, in his defence of the seriousness and
profound meaning of bull-fighting.» Pone casi en duda tanto
la sinceridad como las conclusiones a que llega Ortega sobre
la tauromaquia. ¿Y por qué se siente incapaz de juzgar sobre estos dos puntos? Porque no tiene conocimiento suficiente de la materia, por indiferencia suya: «My lack of
interest, not to say of competence in the question is not an
effect of partisanship; only of utter indifference...» He
aquí, pues, la actitud personal de Ferrater Mora sobre el
espectáculo taurino: pura indiferencia [50].

Por último, nuestro autor adelanta su propia explicación
de por qué tuvo Ortega tal actitud positiva hacia los toros.
Opina que era el resultado de su general actitud intelectual,
que era, en cierto modo, la de un torero filosófico, o un filó-
sofo-torero. Platón, en sus escritos, era aficionado a utilizar
metáforas relacionadas con la cacería; de modo parecido,
Ortega a menudo emplea metáforas del mundo de la tauro-

---

[49] José Ferrater Mora, «Introduction to the Torchbook Edition»,
en *The Modern Theme*, de Ortega y Gasset (New York, Harper & Row,
1961), pág. 1.
[50] *Ibid.*, págs. 1-2.

maquia. Dice Ferrater: «He thought of himself as a thought-ful *torero* looking awry and tense at the oncoming bull...»[51].

JULIÁN MARÍAS: LE PREOCUPA MUY POCO EL TEMA,
PERO NO ES INDIFERENTE; DEFIENDE A ORTEGA

Este pensador, nacido en 1914, es el más asiduo seguidor y continuador de las ideas filosóficas de Ortega. A pesar de este hecho, sin embargo, él tampoco ha sentido la necesidad de escribir sobre el tema de los toros, proclamado como tan importante por el maestro. Lo único que tenemos de Marías que se relaciona con el tema taurino es una entrevista que le hicieron para el semanario taurino *El Ruedo* (publicado el 6 de abril de 1971), y una carta particular que me escribió, fechada en Madrid, el 27 de diciembre de 1970.

Puesto que, en la sección inmediatamente anterior, aca-bamos de hablar de Ferrater Mora y su declarada incapaci-dad para juzgar ni sobre la sinceridad ni sobre si tenía razón o no Ortega en sus declaraciones defendiendo la importancia profunda de los toros, veamos a continuación qué es lo que Marías opina o juzga sobre la sinceridad y razón de su maestro respecto a esto. Este autor sí se cree capacitado para juzgar sobre este asunto, porque opina lo siguiente:

---

[51] *Ibid.*, pág. 2. Laín Entralgo confirma esta imagen de Ortega como torero en su libro *La empresa de ser hombre* (Madrid, Taurus, 1958), pág. 169. cuando dice: «Puesto que más de una vez [Ortega] se ha llamado a sí mismo 'viejo torero' —'*Je suis torero*', dijo muy gen-tilmente en Ginebra durante las *Rencontres* de 1951—, no será del todo inoportuno afirmar que Ortega escribía fundiendo de manera sobe-rana los estilos rondeño y sevillano de vencer al toro.» También José Bergamín, en 1961, hizo la siguiente caracterización: «... el filósofo moderno más torero que he conocido, José Ortega y Gasset...» («El toreo, cuestión palpitante», en *Índice*, marzo de 1961, pág. 7.)

En cuanto a la cita de Ferrater, creo que Ortega era perfectamente sincero; y pienso que tenía bastante razón, y que los toros, tal como han existido durante siglo y medio o más —hoy ya son otra cosa—, revelan profundas estructuras de la vida española [52].

Como se ve, hace una defensa incondicional de la sinceridad y de las opiniones de Ortega sobre esta materia. Nótese además que también expresa, de pasada, una opinión personal sobre el estado actual del espectáculo, sugiriendo que se encuentra en degeneración o decadencia.

En la mencionada entrevista, el periodista hace un resumen de la contestación de Marías sobre su opinión de por qué los intelectuales actuales no se interesan por los toros. Su razón principal es, sencillamente, que por falta de tiempo. Hace cincuenta años, la gente era más pobre (económicamente hablando), pero, como había menos diversiones, abundaba más en tiempo. Hoy hay más diversiones, problemas humanos de más gravedad y menos tiempo libre. Hablando de la relación intelectual-toros de hace años, opina Marías que Domingo Ortega (el afamado torero) y Ortega y Gasset son precisamente las dos personas «a quienes he visto disertar sobre asuntos taurinos con más conocimiento de causa» [53].

Creo que se puede decir que Julián Marías no considera el tema taurino como de bastante importancia intelectual (o posiblemente no bastante «serio») para preocuparse intelectualmente de él. No permanece, sin embargo, completamente indiferente al hecho real de las corridas de toros.

---

[52] Julián Marías, carta particular a Rosario Cambria (Madrid, 27 de diciembre de 1971).

[53] Marías, «La Academia va a los toros: Julián Marías», entrevista hecha por Norberto Carrasco Arauz, en *El Ruedo*, 6 de abril de 1971, s. p.

Reconoce que «hoy por hoy los toros son una realidad española con raíces muy profundas» [54]. Hace constar que él casi no asiste a las corridas, pero que, a pesar de esto, «sentiría mucho como español que el espectáculo taurino desapareciese» [55]. Reconoce en los toros algo más que un mero juego o deporte; es una institución arraigada que encierra mucho de «lo español», del ser de España, y por eso no le gustaría que desapareciera. Confiesa francamente que hay aspectos de la corrida que le gustan: «Los toros me gustan como espectáculo... Me parece muy interesante la plaza como realidad visual, como cromatismo, como movimiento...» [56]. El otro aspecto principal que le atrae es el que les interesaba a Pérez de Ayala y a Unamuno, entre otros: el público de toros. Hablando de su interés en la corrida desde el punto de vista sociológico, dice Marías que

> es notable el contraste entre el público de un espectáculo deportivo —por ejemplo, el fútbol— y el de la corrida. En aquél actúa una masa y en éste una multitud de individuos; es decir, cuando se grita en los toros, cada uno grita lo suyo, o sea que hay una especie de salida del individuo de la masa [57].

Es una observación sociológica muy aguda. De la misma manera que el matador está solo con el toro, cada individuo del público, aunque rodeado de otras personas, hasta cierto punto está solo, es un individuo aparte. Es frecuente que un espectador le grite al matador algún reproche o consejo, y que el torero lo escuche y reaccione sobre él, como si dos individuos estuvieran entablando una conversación privada.

---

[54] Marías, carta.
[55] *Ibid.*
[56] Marías, entrevista de *El Ruedo.*
[57] *Ibid.*

Sabemos ya que en el año 1927, Ortega escribió un ensayo titulado «Teoría de Andalucía», donde intentaba analizar algunos de los rasgos constitutivos de aquella caracterizadísima región española. Aproximadamente cuarenta años más tarde, su discípulo, Julián Marías, escribió un libro que se titula *Nuestra Andalucía*. El título mismo, puesto que el autor no es andaluz, sino vallisoletano, muestra que Marías cree sentir una gran afinidad por aquella tierra del sur de España. Pues bien, en esta entrevista publicada en *El Ruedo*, el periodista le pregunta al pensador por las razones de la tan evidente afinidad entre el fenómeno taurino y Andalucía. Marías opina que tiene que ver con la gracia andaluza y con el acentuado individualismo o personalismo andaluz (en un país que ya se caracteriza por la mayor dosis de individualismo que se nota en todos sus habitantes). El autor lo expresa de esta manera:

> Las ciudades y pueblos andaluces consiguen un máximo de belleza con un mínimo de recursos, y esto justamente es lo que se llama gracia. Al mismo tiempo existe allí un sentido profundo de lo individual, de lo personal. En Andalucía no hay gente, sino personas, y esto me parece que guarda una gran relación con la innegable individualidad de la Fiesta de toros [58].

LA PERSPECTIVA SOCIOLÓGICA DEL ESPECTÁCULO TAURINO: ENRIQUE TIERNO GALVÁN

El último y, por tanto, el más joven de este grupo de ensayistas que venimos considerando, es Enrique Tierno Galván, que nació en 1918. Ensayista de grandes dotes, activo en la política, este autor se destaca principalmente por sus libros y artículos en el campo de la sociología. En 1951

[58] *Ibid.*

escribió un ensayo sobre los aspectos sociológicos de la tauromaquia: «Los toros, acontecimiento nacional», que fue
publicado diez años después como parte de un libro suyo de
ensayos sobre diversos temas.

Empieza el autor por definir sus términos. Habla de los
«hechos sociales» (o sea, los que constituyen la realidad social) y de los «actos sociales» (o asociaciones). Los «acontecimientos sociales» oscilan entre estas otras dos categorías.
Una definición parcial de un «acontecimiento» podría ser
«la realización en espectáculo de una concepción del mundo». Luego hace hincapié en su opinión de que ante el acontecimiento (social) el hombre no puede permanecer indiferente, porque la indiferencia en este caso significa incomprensión. Los toros, claro está, son un acontecimiento; como
tal, «lleva implícita la exigencia de definirnos ante él».
Puesto que toda concepción del mundo —y el acontecimiento de los toros es una de ellas—, por el mero hecho de ser
tal cosa, tiene la pretensión de vigencia exclusiva como su
rasgo fundamental, el hombre no puede ignorar el espectáculo taurino; tiene que o aceptarlo totalmente o repudiar-
lo por completo. (¿Qué diría este autor sobre la actitud de
indiferencia manifestada por Aranguren, Ferrater, etc.?) Observa que el hecho de los toros ha sido una constante en la
historia del país, y, a veces durante ella, «el acontecimiento
en que mejor se expresaba la remota unidad de sus distintos pueblos». Dado esto, Tierno no puede concebir la indiferencia ante esta realidad: «Ser indiferente ante un acontecimiento de tal índole supone la total extrañeza respecto del
subsuelo psicológico común.» Vemos aquí que este autor
concede aún más importancia (pero sin indicar parcialidad
ni positiva ni negativa) al fenómeno de las corridas de toros,
dentro de la historia de España, que Ortega. En efecto, cree
que si el acontecimiento taurino algún día llegara a ser *(para*

los españoles) nada más que simple espectáculo, se habrían transformado los mismos fundamentos del país en cuanto nación [59].

Procede luego nuestro autor a dar algunas muestras de la profunda importancia social que tiene la fiesta de los toros en la vida diaria del pueblo español. La plaza de toros, especialmente en los pueblos, es «el lugar físico, social y psicológico en que la totalidad del pueblo convive intensamente una misma situación psicológica en que las actitudes profundas son sustancialmente análogas». Esto no ocurre, opina Tierno, con ningún otro acontecimiento. Los españoles, gente marcadamente individualista, llegan a su punto de máxima unidad y convivencia sociales durante una corrida. La incorporación al lenguaje diario de vocablos de significación originalmente taurina es otra prueba de la importancia social de los toros. El pueblo sólo incorpora a su habla cotidiana aquellos términos plásticos tomados de las cosas, acontecimientos o hechos sociales que afectan su psicología de modo más profundo. Tierno expone entonces algunas específicas concreciones sociales del uso del vocabulario taurino fuera de los ruedos. Observa que la principal es la trasposición de términos taurinos a las relaciones (casi siempre eróticas) entre los dos sexos. A través de una serie de ejemplos, el ensayista llega a la conclusión de que, consciente o subconscientemente,

> el español ve el trato erótico con la mujer en estrecha relación con la actitud del torero ante el toro. En lo que afecta a las relaciones eróticas, la mujer se ve como una entidad rebelde y bravía a la que hay que domeñar por los mismos medios y técnica que se emplean en la brega taurina [60].

---

[59] Enrique Tierno Galván, «Los toros, acontecimiento nacional», en *Desde el espectáculo a la trivialización* (Madrid, Taurus, 1961), páginas 53-56.
[60] *Ibid.*, págs. 56-58, 60-62.

Por lo que acabamos de exponer, no es difícil adivinar el próximo paso que tomará el pensamiento de Tierno Galván: el paralelo entre el torero y Don Juan (paralelismo que establecieron también Bergamín y Fernández Suárez, como se recordará). Opina que Don Juan y el torero son dos versiones de una misma postura ante el mundo. Los dos burlan, uno a las mujeres y el otro a los toros. El primero juega con el amor (o sea, con la vida en cuanto pura sensorialidad), y el otro con la muerte. (Explica el autor que «no es que Don Juan no arriesgue la vida en el juego, es que este riesgo resulta de menor importancia que la fruición de la que procede la burla. En el toreo, la jugada con la muerte sirve de base a la fruición de burlar y vencer».) Subraya que esta presencia de la muerte (real y potencial) es elemento constitutivo y fundamental de la Fiesta. Como observó también García Lorca, la corrida es el único acontecimiento en que la muerte, de por sí misma, es espectáculo. Burlar a la muerte y a la vida, entonces, es vencerlas y salir airoso. He aquí cómo este autor explica el nexo profundo entre lo que hace Don Juan y lo que hace el torero:

> Burlarse una y otra vez de la muerte y de la vida es desaforada aventura, porque es estar siempre a vueltas con el porvenir incierto. La burla de la muerte y la burla de la vida son un juego elemental en el que *la existencia cobra la plenitud de su sentido.* La existencia, para el español, sólo parece que tiene autenticidad cuando se vive como una aventura.
>
> La conexión profunda entre el torero y don Juan está en la aventura, burlándole el cuerpo a la vida y a la muerte, en cuyo burlar se oculta paradójicamente *el modo más profundo de existir* [61].

---

[61] *Ibid.,* págs. 62-64. Los subrayados son míos.

Fijándose el lector en lo subrayado, creo que podrá concluir que Tierno concede una importancia grande, y más bien positiva, a la simbología profunda que contiene esta «aventura» elemental y española llamada corrida de toros [62]. Es en las últimas páginas de este ensayo donde el autor revela su actitud generalmente favorable hacia los toros. Lo que hace en esta parte, y es lógico para un sociólogo que lo hiciera, es examinar la relación que existe entre la corrida de toros y el público observador. Empieza con esta aseveración: «Los toros son el acontecimiento que más ha educado social, e incluso políticamente, al pueblo español.» En cuanto a lo social, el autor nos recuerda que España ha sido siempre un país sin una fuerte clase media. El «plebeyismo» (en el significado que le dio a la palabra Ortega) ha imperado en su historia y cultura. Durante los tiempos de Goya, ocurre un extraño fenómeno de inversión: en la corrida de toros, la clase alta empieza a imitar a la baja. Debe haber algo —declara el autor— en el acontecimiento taurino capaz de causar la nivelación momentánea de distintas situaciones sociales y puntos de vista, y, sobre todo, de afectar de modo tan radical a todo el pueblo. En efecto, los espectadores en los tendidos son absolutamente iguales (no, por supuesto, socialmente, sino «en cuanto sujetos de elementales tendencias»). Lo que los iguala es su reconocimiento de que todos son inferiores al torero que se está jugando la vida; están confesando que el torero vale más que ellos, en cuanto a hombría. «De aquí, a mi juicio, que en los toros haya una

---

[62] En otra parte de este ensayo (pág. 71) hace una justificación o apología de los toros desde el punto de vista *ético*, diciendo que, aunque es un espectáculo cruento, en la corrida *el toro*, «entidad definida por la agresividad y la fiereza», *logra la plenitud de su ser*. Este hecho justifica la lidia y muerte del toro, porque en esta situación se debe tener el criterio de que «es bueno lo que realiza perfectamente la plenitud del sentido de una substancia».

actitud colectiva de humildad... Ante los toros, los españoles
revalidan la sabiduría irracional de que sólo el aventurero
y burlador de la muerte vive de modo superior a los demás.»
El torero, en fin, resulta ser símbolo de la hombría heroica [63].
El público de toros participa en un acontecimiento social
en que hay la máxima concentración visual y psicológica.
Sensorialmente, el espectador atento tiene una predisposición a entregarse incondicionalmente al acontecimiento. Esta
entrega, cuando se produce, es como una auténtica embriaguez. Es «una total embriaguez de vida. Estar ebrio de vida
quiere decir estar ebrio de ser o, si se quiere, de existencia».
Notemos que esta embriaguez del público es, desde el punto
de vista del autor, sin duda un resultado bueno y positivo
de los toros. El matador también puede llegar a este estado
de «embriaguez», pero, a diferencia del público, es capaz de
una embriaguez total. Esto consiste en la embriaguez irracional (la que tiene el público) y también la de la razón o luci-
dez (que hace falta para poder dominar al toro) [64].

En marcado contraste con lo que vimos expresar a Pérez
de Ayala sobre el público de toros (cf. nota 7 del capítulo IV), Tierno Galván sostiene que la fiesta taurina enseña
al espectador, parte imprescindible de ella, a juzgar y valorar los acontecimientos (en el ruedo y fuera de él) con absoluta justicia. Así lo explica:

> Los juicios de valor que los espectadores de la fiesta formu-
> lan poseen absoluta autenticidad. Se trata de una valoración
> colectiva en la que cada uno de los participantes aprende a
> juzgar con despiadada rectitud... La fiesta enseña a valorar
> con justicia y a apreciar con finura la validez del juicio.

---

[63] *Ibid.*, págs. 65-67.
[64] *Ibid.*, pág. 67.

Una vez más, vemos una opinión del autor que revela claramente una actitud positiva hacia los toros. Se puede apreciar la misma actitud también en la siguiente opinión del torero como artista:

> Al torero se le llama «artista» en el sentido de creador de belleza, y, desde luego, lo es, teniendo plena conciencia de que la figura y la dignidad plástica prestan al lance un peculiar estilo que eleva la lidia al máximum de tensión estética; belleza y galanura ante la muerte, ¿cabe tema estético de mayor vitalidad?

Y esto nos lleva directamente a otro beneficio que trae la Fiesta para el público: las corridas le enseñan a la gente común la apreciación del verdadero «estilo» artístico en las otras artes fuera del ruedo. Estas gentes no podrían captar el «estilo» de los artistas de la pintura, la literatura, la música, etc.; pero, gracias a su comprensión de los toros (que hoy día es «estilo» individual más que otra cosa), saben lo que es [65].

Para terminar, Tierno Galván hace unas declaraciones a favor de los toros cuando resume lo que la Fiesta es para él. En síntesis, dice que es «un acto colectivo de fe». Los auténticos aficionados que van a los toros participan en una creencia; la afición es, en cierto sentido, un culto. Se reduce a una fe o una creencia en una cosa: en el hombre y en su vitalidad humana. «El espectador taurino *cree* en ciertas cualidades inherentes al hombre que constituyen la hombría, y precisamente porque cree en ellas va a los toros» [66].

---

[65] *Ibid.*, págs. 72-74.
[66] *Ibid.*, págs. 74-75. Notemos el contraste entre estas palabras y las ideas de Noel sobre este tema. Noel opina que la afición y la asistencia a las corridas representan la degeneración física y mental, el empobrecimiento espiritual y la hombría falsa de espectadores y toreros.

PALABRAS FINALES

Intentemos resumir algunas de las conclusiones principales a las cuales hemos podido llegar a través de todas estas investigaciones. A la vez, trazaremos una especie de panorama de las distintas actitudes hacia el tema de los toros que han exhibido estos grupos de ensayistas a lo largo del presente siglo.

Lo primero que nos impresiona es precisamente la variedad de pareceres sobre el tema, a pesar de (o posiblemente a causa de) ser la Fiesta una institución arraigada y netamente española. Encontramos algunos autores que tienen una opinión decidida (o «a favor» o «en contra»); otros, a veces de la misma generación, que sostienen el punto de vista contrario; algunos que son principalmente analíticos y neutrales, sin alistarse en ninguno de los dos bandos; y, por fin, hasta encontramos autores como Benavente y Pérez de Ayala, que sostienen a la vez el lado positivo y el negativo. Para algunos ensayistas (los menos), el espectáculo taurino es principalmente un fenómeno o estético, o curioso, o simbólico (Rodríguez Marín, D'Ors, Marañón y Lorca, por ejemplo). Pero de más trascendencia es el hecho de que la nota característica de la mayoría de estos pensadores, especialmente de los principales (Unamuno, Ortega, Pérez de Ayala, Noel), es que su consideración de los toros y las con-

clusiones a que llegan —sean a favor o en contra— son en
función de su sentida y perenne preocupación por España.
Mirando su pasado, pero con vistas a su futuro, ellos querían captar y definir la realidad que era España. La realidad
nacional era un problema, y los toros constituían para ellos
uno de los elementos de su fisonomía, que había que tomar
en cuenta al estudiarla.

A pesar del contexto profundo que dieron a su estudio
del tema taurino los últimos mencionados autores, hay que
confesar que, con la sola excepción de Eugenio Noel, la Fiesta como materia de sus reflexiones no acapara una porción
muy sustancial de su obra ensayística en total. Debido a
esto, tampoco se puede hablar de una verdadera «polémica»
entre ellos, sino tan sólo de diferentes puntos de vista sobre
la materia. Solamente en el caso de Noel vemos un activo,
sostenido y vehemente tono de polémica. No dedicaron, en
general, mucho espacio a la cuestión de los toros; sin embargo, hay un hecho patente y digno de subrayar, que es
éste: todos los pensadores españoles de importancia del
siglo XX (la excepción que sobresale es la de Xavier Zubiri),
o han dedicado una pequeña porción de sus esfuerzos intelectuales escritos al tema de las corridas de toros, o han
mantenido opiniones que me han manifestado personalmente por correspondencia. Lo que significa todo esto es que el
espectáculo taurino tiene importancia dentro de la concepción de lo español y del ser español. Creemos haber demos-
trado que sí es un tema «serio» y digno de estudio.

Estos autores, en general, concuerdan en su actitud hacia
los toros con la que tienen los otros de su «generación» o
«grupo» (espiritual o cronológico). Los krausistas y regeneracionistas, los grupos que preceden al del 98, por su seriedad casi religiosa y sus deseos de efectuar reformas prác-

ticas, eran antitaurinos, como vimos en los casos de Giner
de los Ríos y de Costa.

Heredan esta actitud sus sucesores, los de la generación
del 98, que casi totalmente estuvo en contra de la Fiesta.
Después del desastre colonial de 1898, estos autores buscaban las esencias del país, querían crear —estéticamente—
una España nueva, más a tono con la Europa moderna. Las
corridas de toros eran, en su opinión, algo retrógrado y
bárbaro, que impedía el desarrollo intelectual y cultural del
país. Figura capital, en cuanto al valor de su pensamiento
filosófico en general y en cuanto a su representatividad de
este punto de vista, es Unamuno. Éste le dedicó al tema mayor número de páginas escritas que los otros de su generación, porque no podía soportar que la gente hablara tanto
sobre toros, en vez de preocuparse por los temas «serios»
que afectaban a su existencia de manera más importante.

La generación siguiente, los «novecentistas», evidencia
un cambio de actitud general. Estos ensayistas son menos
subjetivos y más intelectualmente abiertos que los noventayochistas. Se caracterizan por su deseo predominante de
conocer, de examinar y observar la realidad circundante, sin
prejuicios concebidos. Ortega, Pérez de Ayala y D'Ors, los
pensadores más importantes de este grupo, todos fueron,
hasta cierto punto, «aficionados» a los toros. Sin embargo,
no se metieron a escribir panegíricos ni apologías sobre la
Fiesta, sino que hicieron observaciones y plantearon cuestiones bien razonadas y sugeridoras. Ortega y Gasset, el novecentista de más estatura intelectual, desarrolló a medias
toda una serie de ideas intelectualmente fascinadoras sobre
este tema, pero, desgraciadamente, sin llegar a escribir su
varias veces prometido libro, el *Paquiro*. Acaso su hipótesis
más sugeridora es su declaración de que la historia de las
corridas de toros en España resulta ser nada menos que un

paradigma científico aplicable al desarrollo de la sociedad española durante aquellos años y a la evolución de las artes.

La «generación de la Dictadura» en general continúa la misma tónica positiva de los novecentistas. José María de Cossío y Ernesto Giménez Caballero ambos son aficionados, pero en lo que escriben sobre el tema se mantienen más bien neutrales y objetivos. Los dos, sin embargo —éste en 1924 y aquél en 1971—, hacen sonar el «toque de alerta» sobre la progresiva degeneración del toreo que perciben (advertencia hecha también por Pérez de Ayala, Marañón, Caba y Fernández Suárez). García Lorca y Bergamín, también de este grupo, hablan positivamente del toreo, pero de una manera más subjetiva, menos organizada y más poética que los otros dos.

Sorprendentemente, cuando se llega al grupo de pensadores más próximo a nuestros días —Laín, Aranguren, Ferrater y Marías, que en sus comienzos eran secuaces fervientes de Ortega—, encontramos una general indiferencia hacia el tema de los toros, y no un esfuerzo de continuar y desarrollar las ideas orteguianas sobre el tema. Sólo Laín Entralgo ha escrito algo que puede considerarse como los primeros comienzos de un intento serio de escribir el libro que Ortega no llegó a producir: un ensayo muy breve titulado «La esencia del toreo». Aun así, hay que reconocer que este grupo —incluido en él Laín— no se presenta ni «en contra» ni «a favor», sino indiferente al tema taurino.

Resulta que son de tanto o, en algunos casos, de más interés que los autores que ilustran la típica actitud de su generación o grupo, las excepciones: Valle-Inclán, noventayochista, gran admirador del toreo de Juan Belmonte; Benavente, por su cambio de actitud: al principio denigrando la Fiesta, más tarde admirándola; Pérez de Ayala, por su ambivalencia básica, la atracción y repulsión que sentía por los toros; Araquistáin, perteneciente al grupo cronológico de los novecentistas, y decididamente en contra de la fiesta taurina; y, por supuesto, la excepción cumbre, el antitaurino más vehemente y exagerado de todos los tiempos, el que emprendió una campaña antitaurina que constituyó el eje y preocupación casi exclusiva de su vida entera: Eugenio Noel.

Este hombre, sin ser gran autor, ni mucho menos pensador de importancia, llevó a cabo un trabajo misionero a través de todos los medios que le eran disponibles, motivado por un hondo y sincero amor a España y deseo de lograr su regeneración. Trabajó sin cesar por la extirpación completa de las corridas de toros, espectáculo que él consideraba era la causa del flamenquismo y nada menos que de todos los problemas que entonces aquejaban al país. Hombre que llevó una vida muy activa y varia, Noel, en su *Diario íntimo*, se reveló como un ser psicológicamente complicado, y a veces contradictorio, que con un fervor casi religioso promulgó hasta la obsesión exagerada su único tema por todos los rincones de España y de Hispanoamérica. Su campaña no logró los efectos deseados, pero nos quedan sus escritos —de calidad varia— y el ejemplo de su perseverancia en medio de insultos, injurias y las más serias privaciones económicas.

BIBLIOGRAFÍA PRIMARIA

ESCRITOS *DE* UN AUTOR, DE LOS CUALES HEMOS CITADO EN NUESTRO TEXTO

Alberti, Rafael, *La arboleda perdida. Libros I y II de Memorias*, Buenos Aires, Fabril, 1959.

Álvarez de Miranda, Ángel, *Ritos y juegos del toro*, Madrid, Taurus, 1962.

Aranguren, José Luis, Carta particular a Rosario Cambria, Madrid, 25 de octubre de 1971.

Araquistáin, Luis, *El pensamiento español contemporáneo*, Buenos Aires, Losada, 1962.

—, «Los sacrificios de sangre (con motivo de un torero muerto en la plaza)», *El Arca de Noé*, Valencia, Sempere, 1926.

Azorín, «Ensayo-prólogo», *Exaltación y estirpe de las cosas de España*, de Evaristo Casariego, Jesús, Madrid, Paidos, 1943.

—, «Eugenio Noel», *Los valores literarios*, 2.ª edic., Buenos Aires, Losada, 1957.

—, «Toritos, barbarie», *ibid.*

—, *Madrid*, 2.ª edic., Buenos Aires, Losada, 1967.

—, «Los toros», *Castilla*, 8.ª edic., Madrid, Biblioteca Nueva, 1967.

Baroja, Pío, «Memorias», *Los toros en la literatura contemporánea*; recopilador, Miguel de Salabert, Madrid, Taurus, 1959.

Benavente, Jacinto, *Acotaciones, Obras completas*, tomo VI, 5.ª edición, Madrid, Aguilar, 1963.

—, «De toros y toreros», *ibid.*, tomo IX, Madrid, Aguilar, 1958.

—, *Memorias. Parte I (1866-1886)*, *ibid.*, tomo XI, Madrid, Aguilar, 1958.

Bergamín, José, *El arte de birlibirloque. La estatua de don Tancredo. El mundo por montera*, Santiago de Chile, Cruz del Sur, 1961.

—, «La emoción del toreo», *Índice*, Madrid, julio-agosto-septiembre, 1958.

Caba, Pedro, «Lo mágico en el toreo», *Los toros en España*, tomo III, editado por Carlos Orellana, Madrid, Orel, 1969.

—, «Teoría medio filosófica», *Índice*, Madrid, julio-agosto-septiembre, 1958.

Castro, Américo, «Ilusionismo erasmista», *Aspectos del vivir hispánico*, Madrid, Alianza, 1970.

—, *La realidad histórica de España*, edic. renovada, 3.ª edic., México, Porrúa, 1966.

Cossío, José María de, «La Academia va a los toros: José María de Cossío», entrevista hecha por Norberto Carrasco Arauz, *El Ruedo*, Madrid, 9 de febrero de 1971, s. p.

—, *Los toros*, tomo I, 5.ª edic., 1964; tomo II, 4.ª edic., 1965; tomo III, 1947; tomo IV, 1961, Madrid, Espasa-Calpe.

—, *Los toros en la poesía castellana (estudio y antología)*, tomo I, Madrid, Cía. Ibero-Americana de Publicaciones, 1931.

Costa, Joaquín, *Ideario de Joaquín Costa*, editado por José García Mercadal, Madrid, Afrodisio Aguado, 1964.

—, *Oligarquía y caciquismo, Colectivismo agrario y otros escritos*, Madrid, Alianza, 1967.

Fernández Suárez, Álvaro, «¿Es compatible el toreo con la sociedad industrial?», *Índice*, Madrid, 15 de junio de 1969, págs. 22-28.

Ferrater Mora, José, «Introduction to the Torchbook Edition», *The Modern Theme*, de Ortega y Gasset, José, New York, Harper & Row, 1961.

García Lorca, Federico, «Diálogos de un caricaturista salvaje», *Obras completas*, 11.ª edic., Madrid, Aguilar, 1966.

—, «Teoría y juego del duende», *ibid.*

Giménez Caballero, Ernesto, *Arte y Estado*, Madrid, 1935.

—, «Muerte y resurrección de los toros», *Los toros, las castañuelas y la Virgen*, Madrid, Caro Raggio, 1927.

Giner de los Ríos, Francisco, *Ensayos*, selección, edición y prólogo de Juan López Morillas, Madrid, Alianza, 1969.

Laín Entralgo, Pedro, «Esencia del toreo», *Los toros en España*, tomo III, editado por Carlos Orellana, Madrid, Orel, 1969.

—, *España como problema*, 3.ª edic., Madrid, Aguilar, 1962.

—, «La espiritualidad del pueblo español», *Palabras menores*, Barcelona, Barna, 1952.

—, «El ocio y la fiesta en el pensamiento actual», *Ocio y trabajo*, Madrid, Revista de Occidente, 1960.

Machado, Antonio, *Juan de Mairena*, Obras completas, 4.ª edic., Madrid, Plenitud, 1962.

Madariaga, Salvador de, «Spanish Tradition», *Essays With a Purpose*, London, Hollis & Carter, 1954.

Maeztu, Ramiro de, *Hacia otra España*, Madrid, Rialp, 1967.

Marañón, Gregorio, Carta particular al Dr. R. Abarquero Durango, *El toro no es una fiera ni la Fiesta Nacional una barbarie*, de Abarquero Durango, R., Madrid, 1963.

—, «Prólogo», *Púrpura y oro*, de Rasch Isla, Miguel, *Los toros en la literatura contemporánea*; recopilador, Miguel de Salabert, Madrid, Taurus, 1959.

—, *Raíz y decoro de España*, Buenos Aires, Espasa-Calpe, 1952.

Marías, Julián, «La Academia va a los toros: Julián Marías», entrevista hecha por Norberto Carrasco Arauz, *El Ruedo*, Madrid, 6 de abril de 1971, s. p.

—, Carta particular a Rosario Cambria, Madrid, 27 de diciembre de 1970.

Menéndez y Pelayo, Marcelino, *Antología general de Menéndez Pelayo. Recopilación orgánica de su doctrina*, tomos I, II, editado por José María Sánchez de Muniain, Madrid, Biblioteca de Autores Cristianos, 1956.

Navas, Conde de las, Juan Gualberto López-Valdemoro, *El espectáculo más nacional*, Madrid, Suc. Rivadeneyra, 1900.

Noel, Eugenio, *Las capeas*, Madrid, 1915.

—, «Capeas pueblerinas», *España fibra a fibra*, recopilación de José García Mercadal, Madrid, Taurus, 1967.

—, «La gran capea del 16 de mayo de 1920 en Talavera de la Reina», *ibid.*

—, «Caracas: el torero 'Gallo'», *Taurobolios y verdades contrastadas. Hombres e ideas de América y de España*, Santiago de Chile, Nascimento, 1931.

—, *Diario íntimo (la novela de la vida de un hombre)*, tomos I y II, Madrid, Taurus, 1962, 1968.

—, *Escenas y andanzas de la campaña antiflamenca*, Valencia, Sempere, s. a. [1913]. Los artículos sobre toros de este libro se hallan también en *Escritos antitaurinos*.

—, *Escritos antitaurinos*, Madrid, Taurus, 1967.

—, «El flamenquismo fibra a fibra», *Piel de España*, Madrid, Biblioteca Nueva, 1917.

—, *El flamenquismo y las corridas de toros*, Bilbao, 1912.

—, *Nervios de la Raza*, Madrid, 1915.

—, *Pan y toros*, Valencia, Sempere, s. a. [1912].

—, *Raza y alma*, Guatemala, 1924.

—, *República y flamenquismo*, Barcelona, A. López, 1913.

—, *Señoritos chulos, fenómenos, gitanos y flamencos*, Madrid, Renacimiento, 1916.

—, «Taurobolios: síntesis», *España nervio a nervio*, Madrid, Calpe, 1924.

Orellana, Carlos, ed., *Los toros en España*, tomo III, Madrid, Orel, 1969.

Ors, Eugenio d', *Lo barroco*, Madrid, M. Aguilar, s. a. [¿1944?].

—, «La danza», *La palabra en la onda*, Buenos Aires, Sudamericana, 1950.

—, «Estética y tauromaquia (notas de un profano)», *Sí*, suplemento semanal de *Arriba*, Madrid, 6 de junio de 1943, pág. 20.

—, *Pablo Picasso*, traducción de Warre B. Wells, Paris, Éditions de Chroniques du Jour, 1930.

—, «Sobre la perfección y sobre Domingo Ortega», *Arriba*, Madrid, 19 de junio de 1946, pág. 5.

—, «I. El vivir de Goya. 'IX. Pan y toros'», *Epos de los destinos*, Madrid, Nacional, 1943.

Ortega y Gasset, José, «[Borrador del epílogo para Domingo Ortega]», *La caza y los toros*, Madrid, Revista de Occidente, 1960.

—, «Enviando a Domingo Ortega el retrato del primer toro», Epílogo a *El arte del toreo*, de Ortega, Domingo, Madrid, Revista de Occidente, 1950.

—, *Meditaciones del Quijote*, 2.ª edic., comentario por Julián Marías, Madrid, Revista de Occidente, 1966.

—, «Notas para un brindis», *La caza y los toros*, Madrid, Revista de Occidente, 1960.

—, «El origen deportivo del Estado», *El Espectador*, tomo VII, 2.ª edición, Madrid, Revista de Occidente, 1930.

—, «[Sobre el libro *Los toros*]», *La caza y los toros*, Madrid, Revista de Occidente, 1960.

—, «Sobre el vuelo de las aves anilladas», *ibid.*

—, «Sobre la caza», *ibid.*

—, *Teoría de Andalucía y otros ensayos*, Madrid, Revista de Occidente, 1944.

—, *Una interpretación de la historia universal. En torno a Toynbee*, 2.ª edic., Madrid, Revista de Occidente, 1966.

—, *Velázquez*, Madrid, Revista de Occidente, 1959.

Pérez de Ayala, Ramón, «Don Tancredo», *Pequeños ensayos*, Madrid, Biblioteca Nueva, 1963.

—, *Política y toros*, *Obras completas*, tomo III, Madrid, Aguilar, 1963.

—, «Ramón Pérez de Ayala, Juan Belmonte y los toros», entrevistas realizadas por Miguel Fernández, *Dígame*, Madrid, 17 de marzo de 1967, s. p.

Rodríguez Marín, Francisco, *«De re taurina», Burla Burlando*, 2.ª edic., Madrid, 1914.

—, «Felipe II, taurófilo», *ibid.*

—, «Un cotarro taurino», *Cincuenta cuentos anecdóticos*, 2.ª edic., Madrid, 1919.

—, «El pase de espaldas», *ibid.*

Salabert, Miguel de, ed., *Los toros en la literatura contemporánea*, Madrid, Taurus, 1959.

Tierno Galván, Enrique, «Los toros, acontecimiento nacional», *Desde el espectáculo a la trivialización*, Madrid, Taurus, 1961.

Unamuno, Miguel de, «A la carta de un torero», *Obras completas*, tomo VII, Madrid, Escelicer, 1967.

—, «A propósito del toreo», *ibid.*

—, «La 'afición'», *ibid.*

—, «Bárrurá, neure anájeák, bárrurá!», *ibid.*

—, «La córnea imaginación de 'la afición'», *ibid.*

—, «El Cristo español», *Mi religión y otros ensayos breves*, 4.ª edic., Madrid, Espasa-Calpe, 1964.

—, «Del deporte activo y del contemplativo», *Obras completas*, tomo VII, Madrid, Escelicer, 1967.

—, «El deporte tauromáquico», *ibid.*

—, «Entremés yankee», *ibid.*

—, *Escritos de toros*, Prólogo de Manuel García Blanco, Madrid, Unión de Bibliófilos Taurinos, 1964.

—, «Huichilobos y el bisonte de Altamira», *Obras completas*, tomo VII, Madrid, Escelicer, 1967.

—, «La muerte del 'Aceitunero'», *ibid.*

—, «La obra de Eugenio Noel», *ibid.*, tomo III.

—, «Si yo fuera autócrata...», *ibid.*, tomo VII.

—, «Sobre la muerte de Joselito», *ibid.*

Valle-Inclán, Ramón del, «Prólogo» a «Los cuernos de don Friolera», *Martes de carnaval*, Madrid, Espasa-Calpe, 1930.

BIBLIOGRAFÍA SECUNDARIA

OBRAS Y ARTÍCULOS *SOBRE* NUESTROS AUTORES, QUE HEMOS CITADO EN EL TEXTO

CAPÍTULO PRIMERO

Carmena y Millán, Luis, *Catálogo de la biblioteca taurina de Luis Carmena y Millán*, Madrid, Ducazcal, 1903.

Fernández Carvajal, Rodrigo, «Los precedentes del pensamiento español contemporáneo», *Historia general de las literaturas hispánicas*, tomo VI, dirigida por Guillermo Díaz-Plaja, Barcelona, Vergara, 1967.

López Morillas, Juan, *El krausismo español*, México, Fondo de Cultura Económica, 1956.

Marías, Julián, *Ortega I: circunstancia y vocación*, Madrid, Revista de Occidente, 1960.

Pereda, Julián, *Los toros ante la Iglesia y la moral*, Bilbao, Vita, 1945.

CAPÍTULO SEGUNDO

I. *Conde de las Navas*

Bleiberg, Germán, y Marías, Julián, directores, *Diccionario de literatura española*, 2.ª edic., Madrid, Revista de Occidente, 1953.

Fernández de Moratín, Nicolás y Leandro, *Obras*, Biblioteca de Autores Españoles, tomo II, editado por B. C. Aribau. Nueva edición, Madrid, Atlas, 1944.

II. *Rodríguez Marín*

Olivar Bertrand, Rafael, *Confidencias del bachiller de Osuna*, Valencia, Castalia, 1952.

III. *Cossío*

Nueda, Luis, y Espina, Antonio, *Mil libros*, tomo I, 6.ª edic., revisada y aumentada por Antonio Espina, Madrid, Aguilar, 1969.

CAPÍTULO TERCERO

I. *Generales*

García López, J., *Historia de la literatura española*, 5.ª edic., New York, Las Américas, 1959.
Granjel, Luis, *Panorama de la generación del 98*, Madrid, Guadarrama, 1959.
Marías, Julián, *Ortega I: circunstancia y vocación*, Madrid, Revista de Occidente, 1960.

II. *Unamuno*

García Blanco, Manuel, «De las publicaciones póstumas de Unamuno», *Estafeta Literaria*, Madrid, 12-26 de septiembre de 1964, págs. 70-71.
—, «Introducción», *Obras completas*, tomo VII, Unamuno, Miguel de, Madrid, Escelicer, 1967.
Somoza, Pedro G., «Unamuno y los toros», *El Ruedo*, Madrid, 8 de diciembre de 1964, s. p.

III. *Benavente*

Abad Ojuel, Antonio, y Oliva, Emilio L., *Los toros*, Barcelona, Argos, 1966.

IV. *Valle-Inclán*

Gómez de la Serna, Ramón, *Don Ramón María del Valle-Inclán*, 3.ª edic., Madrid, Espasa-Calpe, 1959.

CAPÍTULO CUARTO

I. *Pérez de Ayala*

Madariaga, Salvador de, «Ramón Pérez de Ayala», *De Galdós a Lorca*, Buenos Aires, Sudamericana, 1960.

II. *Ortega y Gasset*

Aranguren, José Luis, *La ética de Ortega*, 3.ª edic., Madrid, Taurus, 1966.
Ferrater Mora, José, *Ortega y Gasset. Etapas de una filosofía*, Barcelona, Seix Barral, 1958.
Madariaga, Salvador de, «Impresión de Ortega», *De Galdós a Lorca*, Buenos Aires, Sudamericana, 1960.
Marías, Julián, *Ortega 1: circunstancia y vocación*, Madrid, Revista de Occidente, 1960.
Torrente Ballester, Gonzalo, «Ortega y Gasset», *Panorama de la literatura española contemporánea*, tomo I, 2.ª edic., Madrid, Guadarrama, 1961.

III. *D'Ors*

Aranguren, José Luis, *La filosofía de Eugenio d'Ors*, Madrid, EPESA, 1945.
Barquet, Nicolás, *Eugenio d'Ors en su ermita de San Cristóbal*, Barcelona, Barna, 1956.
Colomer, Eusebio, «El pensamiento novecentista (1890-1936)», *Historia general de las literaturas hispánicas*, tomo VI, dirigida por Guillermo Díaz-Plaja, Barcelona, Vergara, 1967.

IV. *Marañón*

Marañón Moya, Gregorio, «El doctor Marañón y los toros», *Los toros en España*, tomo III, editado por Carlos Orellana, Madrid, Orel, 1969.

CAPÍTULO QUINTO

Cansinos Asséns, Rafael, *La nueva literatura. Tomo II. Las escuelas*, 2.ª edic., Madrid, Páez, 1925.

Del Río, Ángel, y Benardete, M. J., editores, *El concepto contemporáneo de España*, Buenos Aires, Losada, 1946.

García Mercadal, J., «Prólogo», *Escritos antitaurinos*, Noel, Eugenio, Madrid, Taurus, 1967.

Giménez Caballero, Ernesto, *Carteles*, Madrid, Espasa-Calpe, 1927.

Gómez de la Serna, Ramón, *Retratos contemporáneos*, Buenos Aires, Sudamericana, 1941.

González-Ruano, César, *Siluetas de escritores contemporáneos*, Madrid, Nacional, 1949.

González de la Torre, José M., «Eugenio Noel-torrencial y excesivo», *Estafeta Literaria*, Madrid, 1 de enero de 1945, s. p.

Lázaro Carreter, F., y Correa Calderón, E., *Literatura española contemporánea*, Salamanca, Anaya, 1966.

Nora, Eugenio G. de, *La novela española contemporánea*, tomo I, 2.ª edición, Madrid, Gredos, 1970.

Nueda, Luis, *Mil libros*, tomo II, 6.ª edic., revisada y aumentada por Antonio Espina, Madrid, Aguilar, 1969.

Torrente Ballester, Gonzalo, «Eugenio Noel», *Panorama de la literatura española contemporánea*, tomo I, 2.ª edic., Madrid, Guadarrama, 1961.

Valbuena Prat, Ángel, «Eugenio Noel, epílogo de la temática del 98», en «Modernismo y generación del 98 en la literatura española», *Historia general de las literaturas hispánicas*, tomo VI, dirigida por Guillermo Díaz-Plaja, Barcelona, Vergara, 1967.

Vila San-Juan, P., «La melena y la mandíbula», *La Vanguardia*, Barcelona, 17 de abril de 1962, s. p.

CAPÍTULO SEXTO

I. *Espina*

Bleiberg, Germán, y Marías, Julián, directores, *Diccionario de literatura española*, 2.ª edic., Madrid, Revista de Occidente, 1953.

II. *García Lorca*

Salinas, Pedro, «García Lorca y la cultura de la muerte», *Ensayos de literatura hispánica*, 2.ª edic., Madrid, Aguilar, 1961.

III. *Bergamín*

Azorín, «José Bergamín», *Crítica de los años cercanos*, editado por José García Mercadal, Madrid, Taurus, 1967.

Bleiberg, Germán, y Marías, Julián, directores, *Diccionario de literatura española*, 2.ª edic., Madrid, Revista de Occidente, 1953.

Espina, Antonio, y Nueda, Luis, *Mil libros*, tomo I, 6.ª edic., Madrid, Aguilar, 1969.

Salinas, Pedro, «José Bergamín en aforismos», *Literatura española siglo XX*, 2.ª edic., México, Antigua Librería Robredo, 1949.

Vivanco, Luis Felipe, «La generación poética del 27», *Historia general de las literaturas hispánicas*, tomo VI, dirigida por Guillermo Díaz-Plaja, Barcelona, Vergara, 1967.

CAPÍTULO SÉPTIMO

I. *General*

Carpintero Capell, Helio, «Pensamiento español contemporáneo», *Historia general de las literaturas hispánicas*, tomo VI, dirigida por Guillermo Díaz-Plaja, Barcelona, Vergara, 1967.

II. *Caba*

Bleiberg, Germán, y Marías, Julián, directores, *Diccionario de litera-tura española*, 2.ª edic., Madrid, Revista de Occidente, 1953.

III. *Fernández Suárez*

Maeztu, Ramiro de, «Nota preliminar: Álvaro Fernández Suárez», *Los mitos del «Quijote»*, Fernández Suárez, Álvaro, Madrid, Aguilar, 1953.

IV. *Ferrater Mora (y Ortega)*

Bergamín, José, «El toreo, cuestión palpitante», *Índice*, Madrid, marzo de 1961, pág. 7.

Laín Entralgo, Pedro, *La empresa de ser hombre*, Madrid, Taurus, 1958.

BIBLIOGRAFÍA SUPLEMENTARIA

LIBROS Y ARTÍCULOS QUE HEMOS MANEJADO Y QUE
TRATAN DEL TEMA TAURINO, DE LOS CUALES NO
HEMOS CITADO EN NUESTRO TEXTO

Alfonso, José, «Pérez de Ayala y los toros», *A B C*, 4 de octubre de
1956, pág. 7.

Azorín, «Sentado en el estribo», *Cavilar y contar*, Barcelona, Destino, 1942.

—, «¡Aprende, Belmonte!», *Dicho y hecho*, Barcelona, Destino, 1957.

Noel, Eugenio, *La providencia al quite*, Madrid, Biblioteca Hispania,
192...

—, «Taurobolios: el bestiario de ayer y el beluario de hoy», *Aguafuertes ibéricas*, Barcelona, Maucci, s. a. [1926].

Orozco, Manuel, «Los hombres malditos. La caducidad de un estilo:
Eugenio Noel», *Insula*, Madrid, junio de 1967, págs. 10, 13.

Ortega y Gasset, José, «Goya y lo popular», *Goya*, Madrid, Espasa-
Calpe, 1963.

Rejano, Juan, «Recuerdo de Eugenio Noel», *Nación*, 9 de marzo de
1958, s. p.

Unamuno, Miguel de, «De mal gusto», *Obras completas*, tomo VII,
Madrid, Escelicer, 1967.

ÍNDICE GENERAL

BIBLIOTECA ROMÁNICA HISPÁNICA

Dirigida por: DÁMASO ALONSO

I. TRATADOS Y MONOGRAFÍAS

1. Walther von Wartburg: *La fragmentación lingüística de la Romania*. Segunda edición aumentada. 208 págs. 17 mapas.
2. René Wellek y Austin Warren: *Teoría literaria*. Con un prólogo de Dámaso Alonso. Cuarta edición. Reimpresión. 432 págs.
3. Wolfgang Kayser: *Interpretación y análisis de la obra literaria*. Cuarta edición revisada. Reimpresión. 594 págs.
4. E. Allison Peers: *Historia del movimiento romántico español*. Segunda edición. Reimpresión. 2 vols.
5. Amado Alonso: *De la pronunciación medieval a la moderna en español*. 2 vols.
6. Helmut Hatzfeld: *Bibliografía crítica de la nueva estilística aplicada a las literaturas románicas*. Segunda edición, en prensa.
9. René Wellek: *Historia de la crítica moderna (1750-1950)*. 3 vols. Volumen IV, en prensa.
10. Kurt Baldinger: *La formación de los dominios lingüísticos en la Península Ibérica*. Segunda edición corregida y muy aumentada. 496 págs. 23 mapas.
11. S. Griswold Morley y Courtney Bruerton: *Cronología de las comedias de Lope de Vega*. 694 págs.
12. Antonio Martí: *La preceptiva retórica española en el Siglo de Oro*. Premio Nacional de Literatura. 346 págs.
13. Vítor Manuel de Aguiar e Silva: *Teoría de la literatura*. 550 págs.
14. Hans Hörmann: *Psicología del lenguaje*. 496 págs.

II. ESTUDIOS Y ENSAYOS

1. Dámaso Alonso: *Poesía española (Ensayo de métodos y límites estilísticos)*. Quinta edición. Reimpresión. 672 págs. 2 láminas.
2. Amado Alonso: *Estudios lingüísticos (Temas españoles)*. Tercera edición. Reimpresión. 286 págs.
3. Dámaso Alonso y Carlos Bousoño: *Seis calas en la expresión literaria española (Prosa - Poesía - Teatro)*. Cuarta edición. 446 págs.
4. Vicente García de Diego: *Lecciones de lingüística española (Conferencias pronunciadas en el Ateneo de Madrid)*. Tercera edición. Reimpresión. 234 págs.

157. María del Rosario Fernández Alonso: *Una visión de la muerte en la lírica española*. Premio Rivadeneira. Premio nacional uruguayo de ensayo. 450 págs. 5 láminas.

158. Ángel Rosenblat: *La lengua del «Quijote»*. 380 págs.

159. Leo Pollmann: *La «Nueva Novela» en Francia y en Iberoamérica*. 380 págs.

160. José María Capote Benot: *El período sevillano de Luis Cernuda*. Con un prólogo de F. López Estrada. 172 págs.

161. Julio García Morejón: *Unamuno y Portugal*. Con un prólogo de Dámaso Alonso. Segunda edición corregida y aumentada. 580 páginas.

162. Geoffrey Ribbans: *Niebla y soledad (Aspectos de Unamuno y Machado)*. 332 págs.

163. Kenneth R. Scholberg: *Sátira e invectiva en la España medieval*. 376 págs.

164. Alexander A. Parker: *Los pícaros en la literatura (La novela picaresca en España y Europa. 1599-1753)*. 220 págs. 11 láminas.

165. Eva Marja Rudat: *Las ideas estéticas de Esteban de Arteaga (Orígenes, significado y actualidad)*. 340 págs.

166. Ángel San Miguel: *Sentido y estructura del «Guzmán de Alfarache» de Mateo Alemán*. Con un prólogo de Franz Rauhut. 312 páginas.

167. Francisco Marcos Marín: *Poesía narrativa árabe y épica hispánica*. 388 págs.

168. Juan Cano Ballesta: *La poesía española entre pureza y revolución (1930-1936)*. 284 págs.

169. Joan Corominas: *Tópica hespérica (Estudios sobre los antiguos dialectos, el substrato y la toponimia romances)*. 2 vols.

170. Andrés Amorós: *La novela intelectual de Ramón Pérez de Ayala*. 500 págs.

171. Alberto Porqueras Mayo: *Temas y formas de la literatura española*. 196 págs.

172. Benito Brancaforte: *Benedetto Croce y su crítica de la literatura española*. 152 págs.

173. Carlos Martín: *América en Rubén Darío (Aproximación al concepto de la literatura hispanoamericana)*. 276 págs.

174. José Manuel García de la Torre: *Análisis temático de «El Ruedo Ibérico»*. 362 págs.

175. Julio Rodríguez-Puértolas: *De la Edad Media a la edad conflictiva (Estudios de literatura española)*. 406 págs.

176. Francisco López Estrada: *Poética para un poeta (Las «Cartas literarias a una mujer» de Bécquer)*. 246 págs.

177. Louis Hjelmslev: *Ensayos lingüísticos*. 362 págs.

178. **Dámaso Alonso:** *En torno a Lope (Marino, Cervantes, Benavente, Góngora, los Cardenios).* 212 págs.

179. **Walter Pabst:** *La novela corta en la teoría y en la creación literaria (Notas para la historia de su antinomia en las literaturas románicas).* 510 págs.

180. **Antonio Rumeu de Armas:** *Alfonso de Ulloa, introductor de la cultura española en Italia.* 192 págs.

181. **Pedro R. León:** *Algunas observaciones sobre Pedro de Cieza de León y la Crónica del Perú.* 278 págs.

182. **Gemma Roberts:** *Temas existenciales en la novela española de postguerra.* 286 págs.

183. **Gustav Siebenmann:** *Los estilos poéticos en España desde 1900.* 582 págs.

184. **Armando Durán:** *Estructura y técnica de la novela sentimental y caballeresca.* 182 págs.

185. **Werner Beinhauer:** *El humorismo en el español hablado (Improvisadas creaciones espontáneas).* Con un prólogo de Rafael Lapesa. 270 págs.

186. **Michael P. Predmore:** *La poesía hermética de Juan Ramón Jiménez (El «Diario» como centro de su mundo poético).* 234 págs.

187. **Albert Manent:** *Tres escritores catalanes: Carner, Riba, Pla.* 338 páginas.

188. **Nicolás A. S. Bratosevich:** *El estilo de Horacio Quiroga en sus cuentos.* 204 págs.

189. **Ignacio Soldevila Durante:** *La obra narrativa de Max Aub (1929-1969).* 472 págs.

190. **Leo Pollmann:** *Sartre y Camus (Literatura de la existencia).* 286 páginas.

191. **María del Carmen Bobes Naves:** *La semiótica como teoría lingüística.* 238 págs.

192. **Emilio Carilla:** *La creación del «Martín Fierro».* 308 págs.

193. **Eugenio Coseriu:** *Sincronía, diacronía e historia (El problema del cambio lingüístico).* Segunda edición, revisada y corregida. 290 págs.

194. **Óscar Tacca:** *Las voces de la novela.* 206 págs.

195. **J. L. Fortea:** *La obra de Andrés Carranque de Ríos.* 240 págs.

196. **Emilio Náñez Fernández:** *El diminutivo (Historia y funciones en el español clásico y moderno).* 458 págs.

197. **Andrew P. Debicki:** *La poesía de Jorge Guillén.* 362 págs.

198. **Ricardo Doménech:** *El teatro de Buero Vallejo (Una meditación española).* 372 págs.

199. **Francisco Márquez Villanueva:** *Fuentes literarias cervantinas.* 374 págs.

200. **Emilio Orozco Díaz:** *Lope y Góngora frente a frente.* 410 págs. 8 láminas.

201. Charles Muller: *Estadística lingüística*. 416 págs.
202. Josse de Kock: *Introducción a la lingüística automática en las lenguas románicas*. 246 págs.
203. Juan Bautista Avalle-Arce: *Temas hispánicos medievales (Literatura e historia)*. 390 págs.
204. Andrés R. Quintián: *Cultura y literatura españolas en Rubén Darío*. 302 págs.
205. E. Caracciolo Trejo: *La poesía de Vicente Huidobro y la vanguardia*. 140 págs.
206. José Luis Martín: *La narrativa de Vargas Llosa (Acercamiento estilístico)*. 282 págs.
207. Ilse Nolting-Hauff: *Visión, sátira y agudeza en los «Sueños» de Quevedo*. 318 págs.
208. Allen W. Phillips: *Temas del modernismo hispánico y otros estudios*. 360 págs.
209. Marina Mayoral: *La poesía de Rosalía de Castro*. Con un prólogo de Rafael Lapesa. 596 págs.
210. Joaquín Casalduero: *«Cántico» de Jorge Guillén y «Aire nuestro»*. 268 págs.
211. Diego Catalán: *La tradición manuscrita en la «Crónica de Alfonso XI»*. 416 págs.
212. Daniel Devoto: *Textos y contextos (Estudios sobre la tradición)*. 610 págs.
213. Francisco López Estrada: *Los libros de pastores en la literatura española (La órbita previa)*. 576 págs. 16 láminas.
214. André Martinet: *Economía de los cambios fonéticos (Tratado de fonología diacrónica)*. 564 págs.
215. Russell P. Sebold: *Cadalso: el primer romántico «europeo» de España*. 294 págs.
216. Rosario Cambria: *Los toros: tema polémico en el ensayo español del siglo XX*. 386 págs.
217. Helena Percas de Ponseti: *Cervantes y su concepto del arte (Estudio crítico de algunos aspectos y episodios del «Quijote»)*. 690 págs.
218. Göran Hammarström: *Las unidades lingüísticas en el marco de la lingüística moderna*. 190 págs.

III. MANUALES

1. Emilio Alarcos Llorach: *Fonología española*. Cuarta edición aumentada y revisada. Reimpresión. 290 págs.
2. Samuel Gili Gaya: *Elementos de fonética general*. Quinta edición corregida y ampliada. Reimpresión. 200 págs. 5 láminas.
3. Emilio Alarcos Llorach: *Gramática estructural (Según la escuela de Copenhague y con especial atención a la lengua española)*. Segunda edición. Reimpresión. 132 págs.

VI. ANTOLOGÍA HISPÁNICA

32. Manuel Mantero: *Los derechos del hombre en la poesía hispánica contemporánea.* 536 págs.

VII. CAMPO ABIERTO

1. Alonso Zamora Vicente: *Lope de Vega (Su vida y su obra).* Segunda edición. 288 págs.
2. Enrique Moreno Báez: *Nosotros y nuestros clásicos.* Segunda edición corregida. 180 págs.
3. Dámaso Alonso: *Cuatro poetas españoles (Garcilaso - Góngora Maragall - Antonio Machado).* 190 págs.
6. Dámaso Alonso: *Del Siglo de Oro a este siglo de siglas (Notas y artículos a través de 350 años de letras españolas).* Segunda edición. 294 págs. 3 iáminas.
8. Segundo Serrano Poncela: *Formas de vida hispánica (Garcilaso-Quevedo - Godoy y los ilustrados).* 166 págs.
9. Francisco Ayala: *Realidad y ensueño.* 156 págs.
10. Mariano Baquero Goyanes: *Perspectivismo y contraste (De Cadalso a Pérez de Ayala).* 246 págs.
11. Luis Alberto Sánchez: *Escritores representativos de América.* Primera serie. Tercera edición. 3 vols.
12. Ricardo Gullón: *Direcciones del modernismo.* Segunda edición aumentada. 274 págs.
13. Luis Alberto Sánchez: *Escritores representativos de América.* Segunda serie. Reimpresión. 3 vols.
14. Dámaso Alonso: *De los siglos oscuros al de Oro (Notas y artículos a través de 700 años de letras españolas).* Segunda edición. Reimpresión. 294 págs.
16. Ramón J. Sender: *Valle-Inclán y la dificultad de la tragedia.* 150 páginas.
17. Guillermo de Torre: *La difícil universalidad española.* 314 págs.
18. Ángel del Río: *Estudios sobre literatura contemporánea española.* Reimpresión. 324 págs.
19. Gonzalo Sobejano: *Forma literaria y sensibilidad social (Mateo Alemán, Galdós, Clarín, el 98 y Valle-Inclán).* 250 págs.
20. Arturo Serrano Plaja: *Realismo «mágico» en Cervantes («Don Quijote» visto desde «Tom Sawyer» y «El Idiota»).* 240 págs.
21. Guillermo Díaz-Plaja: *Soliloquio y coloquio (Notas sobre lírica y teatro).* 214 págs.
22. Guillermo de Torre: *Del 98 al Barroco.* 452 págs.
23. Ricardo Gullón: *La invención del 98 y otros ensayos.* 200 págs.
24. Francisco Ynduráin: *Clásicos modernos (Estudios de crítica literaria).* 224 págs.
25. Eileen Connolly: *Leopoldo Panero: La poesía de la esperanza.* Con un prólogo de José Antonio Maravall. 236 págs.

26. José Manuel Blecua: *Sobre poesía de la Edad de Oro (Ensayos y notas eruditas)*. 310 págs.
27. Pierre de Boisdeffre: *Los escritores franceses de hoy*. 168 págs.
28. Federico Sopeña Ibáñez: *Arte y sociedad en Galdós*. 182 págs.
29. Manuel García-Viñó: *Mundo y trasmundo de las leyendas de Bécquer*. 300 págs.
30. José Agustín Balseiro: *Expresión de Hispanoamérica*. Con un prólogo de Francisco Monterde. Segunda edición revisada. 2 volúmenes.
31. José Juan Arrom: *Certidumbre de América (Estudios de letras, folklore y cultura)*. Segunda edición ampliada. 230 págs.
32. Vicente Ramos: *Miguel Hernández*. 378 págs.
33. Hugo Rodríguez-Alcalá: *Narrativa hispanoamericana. Güiraldes-Carpentier - Roa Bastos - Rulfo (Estudios sobre invención y sentido)*. 218 págs.

VIII. DOCUMENTOS

2. José Martí: *Epistolario (Antología)*. Introducción, selección, comentarios y notas por Manuel Pedro González. 648 págs.

IX. FACSÍMILES

1 Bartolomé José Gallardo: *Ensayo de una biblioteca española de libros raros y curiosos*. 4 vols.
2. Cayetano Alberto de la Barrera y Leirado: *Catálogo bibliográfico y biográfico del teatro antiguo español, desde sus orígenes hasta mediados del siglo XVIII*. XIII + 728 págs.
3. Juan Sempere y Guarinos: *Ensayo de una biblioteca española de los mejores escritores del reynado de Carlos III*. 3 vols.
4. José Amador de los Ríos: *Historia crítica de la literatura española*. 7 vols.
5. Julio Cejador y Frauca: *Historia de la lengua y literatura castellana (Comprendidos los autores hispanoamericanos)*. 7 vols.

OBRAS DE OTRAS COLECCIONES

Dámaso Alonso: *Obras completas*.
Tomo I: *Estudios lingüísticos peninsulares*. 706 págs.
Tomo II: *Estudios y ensayos sobre literatura*. Primera parte: *Desde los orígenes románicos hasta finales del siglo XVI*. 1.090 págs.
Tomo III: *Estudios y ensayos sobre literatura*. Segunda parte: *Finales del siglo XVI, y siglo XVII*. 1.008 págs.
Tomo IV: En prensa.

Juan Luis Alborg: *Historia de la literatura española.*
Tomo I: *Edad Media y Renacimiento.* 2.ª edición. Reimpresión. 1.082 págs.
Tomo II: *Época Barroca.* 2.ª edición. 996 págs.
Tomo III: *El siglo XVIII.* 980 págs.

Homenaje Universitario a Dámaso Alonso. Reunido por los estudiantes de Filología Románica. 358 págs.

Homenaje a Casalduero. 510 págs.

Homenaje a Antonio Tovar. 470 págs.

Studia Hispanica in Honorem R. Lapesa. Vol. I: 622 págs. Vol. II: 634 págs. Vol. III: En prensa.

José Luis Martín: *Crítica estilística.* 410 págs.

Vicente García de Diego: *Gramática histórica española.* 3.ª edición revisada y aumentada con un índice completo de palabras. 624 págs.

Graciela Illanes: *La novelística de Carmen Laforet.* 202 págs.

François Meyer: *La ontología de Miguel de Unamuno.* 196 páginas.

Beatrice Petriz Ramos: *Introducción crítico-biográfica a José María Salaverría (1873-1940).* 356 págs.

Los «Lucidarios» españoles. Estudio y edición de Richard P. Kinkade. 346 págs.

Vittore Bocchetta: *Horacio en Villegas y en Fray Luis de León.* 182 páginas.

Elsie Alvarado de Ricord: *La obra poética de Dámaso Alonso.* Prólogo de Ricardo J. Alfaro. 180 págs.

José Ramón Cortina: *El arte dramático de Antonio Buero Vallejo.* 130 págs.

Mireya Jaimes-Freyre: *Modernismo y 98 a través de Ricardo Jaimes Freyre.* 208 páginas.

Emilio Sosa López: *La novela y el hombre.* 142 págs.

Gloria Guardia de Alfaro: *Estudios sobre el pensamiento poético de Pablo Antonio Cuadra.* 260 págs.

Ruth Wold: *El Diario de México, primer cotidiano de Nueva España.* 294 págs.

Marina Mayoral: *Poesía española contemporánea. Análisis de textos.* 254 págs.

Gonzague Truc: *Historia de la literatura católica contemporánea (de lengua francesa).* 430 págs.

Wilhelm Grenzmann: *Problemas y figuras de la literatura contemporánea.* 388 págs.

Antonio Medrano: *Lingüística inglesa.* 408 págs.

Veikko Väänänen: *Introducción al latín vulgar.* 414 págs.

RITTER LIBRARY
BALDWIN-WALLACE COLLEGE